Teacher's Edition/Annotated
Español A Descubrirlo
Fifth Edition

Conrad J. Schmitt
Protase E. Woodford
Randall G. Marshall

Webster Division
McGraw-Hill Book Company

New York St. Louis San Francisco Atlanta Auckland Bogotá Dallas
Hamburg Johannesburg London Madrid Mexico Montreal New Delhi
Panama Paris São Paulo Singapore Sydney Tokyo Toronto

Español: A Descubrirlo, Fifth Edition · Teacher's Edition

Copyright © 1982, 1977, 1972, 1969, 1967, 1963 by
McGraw-Hill, Inc.   All Rights Reserved.   Printed in the
United States of America.   No part of this publication may
be reproduced, stored in a retrieval system, or transmitted,
in any form or by any means, electronic, mechanical,
photocopying, recording, or otherwise, without the prior
written permission of the publisher.

ISBN 0-07-055405-6

3 4 5 6 7 8 9 10   VHVH   91 90 89 88 87 86 85 84 83 82

Introduction

Learning a second language is complex, challenging, and exciting; teaching a second language is vastly more complex, more demanding, and, if successful, more rewarding. This annotated Teacher's Edition of *Español: A Descubrirlo*, fifth edition, has been prepared to assist the foreign language teacher in teaching most effectively each of the four basic language skills.

The comments, suggestions, and supplementary materials contained in these pages represent our best efforts to assist you in using a flexible and highly teachable series of materials in the context of each of your own classroom situations.

Español: A Descubrirlo is a fully articulated program consisting of the student text, teacher's edition, workbook, tapes, cassettes, tests, filmstrips, and Listening Comprehension Exercises.

The basic goals of *Español: A Descubrirlo* are to present: 1) language in an interesting and stimulating context, 2) a realistic view of all aspects of Hispanic cultures, 3) varied exercises that provide both drill and personalized manipulation of the language, 4) a logical learning sequence with smooth progression from spoken to written language, and 5) guidance in building to that most important language skill: improvisation and free communication.

We do not truly acquire language skills until we use them to express ourselves. Such self-expression is not only possible from the outset; it is essential. This book has been designed to ensure that this all-important first step be accomplished efficiently and enjoyably.

Background and rationale

Foreign language has, unfortunately, earned itself the reputation of being a rather difficult discipline. This is a reputation we wish to overcome. The learning of a second language should be a most rewarding and exciting experience for all types of students, not only for the most academic ones. It should be equally rewarding and exciting for the teacher, the person who has chosen to aid in the learning of this most worthwhile tool.

It has been our attempt in this fifth edition of *Español: A Descubrirlo* to present an approach to both the teaching and the learning of Spanish that is refreshing, an approach that meets the needs of today's teacher and the desires of today's students. Spanish is the language of millions of people living both within the continental United States and outside it, in the developed and developing areas of the world. Spanish is rapidly becoming the second language in our own country. It will therefore serve as an invaluable tool to students entering many different careers and occupations—doctors, lawyers, teachers (not

3

only of Spanish), guidance counselors, nurses, nurses' aides, engineers, salespersons, merchants, personnel workers, civil servants, social workers, fire fighters, police officers, bank employees, telephone operators, and so forth.

Since language is such an integral part of culture, to be completely unfamiliar with a particular language is to be unfamiliar with, and possibly unsympathetic toward, the culture of the people who speak it. Today's students are interested in the many groups that make up our own nation and in the many peoples who make up the community of nations. Since language is basic to understanding culture, the study of it must be considered relevant to our students.

The study of the humanities has been thought of primarily as the study of the literature produced by a particular culture, in this case, the Hispanic. However, can one truly understand a given literature, which reflects the culture and thought of its author, if the reader, an outsider to that culture, has little or no understanding of the culture about which he or she is reading?

Would it not be better to start with an anthropological or sociological approach to that culture, since through anthropology and sociology we come to understand one another? Once we understand the people of the culture—their desires, their attitudes, their aspirations, and their tribulations—we can begin to better understand their expression of these desires, attitudes, aspirations, and tribulations, i.e., their literature.

What does this have to do with the first- or the second-year foreign language course? It means that both the teacher and the text face a most exciting challenge. This challenge is to lead students in an interesting and scintillating way to two important discoveries: the understanding with relative ease of a language foreign to the students and, concurrently, the understanding of the people who speak this language as natives. It is this challenge that we have accepted in the development of *Español: A Descubrirlo*, fifth edition.

How have we set out to help students make these discoveries? First, to facilitate acquisition of the language skills, we build from the simple to the more complex in minimal learning plateaus, so that language study does not become tedious for any type of student. We have also included material that will be of interest to students from many different attitude and ability backgrounds. Then, in the study of people, we deal with all strata of Spanish speakers from diverse geographical areas. The person who is able to frequent and enjoy the many splendors of his or her native Madrid, Bogotá, or Buenos Aires is presented along with the individual who looks at these splendors through the window of a *chabola*. Once we give students the necessary language facility and the necessary understanding of the peoples who speak the language, we then begin to present the literature of the people in the language of the people.

Revisions in this fifth edition

In this new edition of *Español: A Descubrirlo*, the authors have attempted to maintain those qualities that teachers found so successful in the original editions. Minimal changes have been made in the organization of structure. Most stories and conversations have been rewritten to place more emphasis on contemporary life-styles to meet the changing needs and desires of today's students. The cultural emphasis is to give students an understanding of the way in which the peoples of the Hispanic world live and why they live this way. Contrasts are made between urban and rural life-styles. All socio-economic levels and all areas of the Spanish-speaking world are included. Additional vocabulary practice has been given in each lesson. All artwork and photographs are new in order to present an authentic view of the Hispanic world of today. New also in this edition are an expanded series of vocabulary exercises (*Práctica*), containing visual stimuli; more basic grammar explanations (*Reglas*), also containing grammar labels for easy identification of parts of speech; written exercises (*Aplicación escrita*) immediately following the oral structure drills; a special composition exercise (*Composición*); an expanded lesson ending (*Perspectivas*) containing a puzzle and a personalized activity (*Entrevista*). Maps and full-color photographs have been included, both to help students visualize the places visited in the text and to enhance their understanding of geography, topography and climate of the places where Spanish is spoken.

Levels of performance ability

The establishment of performance goals for the many types of students we encounter daily is an important aspect of the teaching-learning process. Not all students can or should be expected to attain the same achievement level at the same rate of speed. The teacher will encounter some students who can be expected to reach a minimal, others an intermediate, and still others a maximal level of performance. What we need, therefore, are various flexible sets of goals, rather than one prescribed set.

This has been taken into account in the development of *Español: A Descubrirlo*, fifth edition. It is the belief of the authors that no student should be expected to perform in a second language at a level beyond the particular performance ability in the first or native language. At first, this may appear to be a completely understandable supposition; yet, in foreign language instruction, this has quite often not been the case.

Many students who narrate only in the historical present or in direct discourse in English have been considered failures in learning a second language if they cannot comprehend the sequence of tenses for indirect discourse or appreciate the nuances of difference between

5

the preterite and the imperfect. Such an unrealistic expectation has meant that students who have linguistic limitations in their own language have often been required to perform in the second language at a level of sophistication that is above even that of the speech of some natives to the language. Such a policy has little justification and is doomed to failure. But to lower standards for these limited students would bring about another injustice for the students who can be expected to perform maximally. For this reason, we have, in the development of *Español: A Descubrirlo*, fifth edition, taken into account all types of students. For each lesson throughout the text, the teacher will find suggestions for minimal, intermediate, and maximal learning plateaus. It is our belief that the teacher, knowing the background of each student, will be the best judge as to what can and should be expected of each student.

Personalized instruction

Since different students learn at different rates, an attempt must be made in the classroom situation to address these differences. The inherent problem is how to personalize the learning process in the early levels of foreign language instruction.

Sometimes the class is divided into ability groups and the teacher works with each group for a part of the class period. This procedure, however, curtails the amount of time each group spends with the teacher. Therefore, we recommend individualization or personalization of instruction within the total group. How can this be accomplished?

Let us take, for example, the sentence *Martín compra jamón en el mercado*. This utterance contains many new vocabulary items that are about to be taught. All students are expected to learn all the words, but not all students can learn them at the same pace. We present below an example of the repetitions and questions that can be asked of the various types of students. (Students are looking at illustration or filmstrip.)

Repeat	*Martín*	
Ask	*¿Es Martín?*	(minimal)
Ask	*¿Quién es?*	(average)
Repeat	*Jamón*	
Ask	*¿Es jamón?*	(minimal)
Ask	*¿Qué es?*	(average)
Repeat	*El mercado*	
Ask	*¿Es el mercado?*	(minimal)
Ask	*¿Qué es?*	(average)
Repeat	*Compra*	
Ask	*¿Compra?*	

Ask	¿Compra Martín?	(average)
Ask	¿Quién compra?	(average)
Repeat	Martín compra jamón en el mercado.	
Ask	¿Compra Martín jamón en el mercado?	(average)
Ask	¿Quién compra jamón en el mercado?	(maximal)
Ask	¿Qué compra Martín en el mercado?	(maximal)
Ask	¿Dónde compra Martín jamón?	(maximal)

In this system, all students have the opportunity to participate actively in the class discussion. Even the slowest student is an active participant, and the brightest student is not burdened with answering questions that are too simple. These two extremes have often been a problem in foreign language instruction. The slow student, challenged beyond capacity, feels frustrated and meets with failure. The bright student, feeling that some of the work does not afford enough challenge, loses interest. Both, however, need practice to become fluent. In the approach that we suggest, the bright student listens for a brief period and then is called on for a response that is sufficiently challenging for the student's high level of performance. The slower student, who throughout the beginning presentation is called upon to answer the simplest question, will eventually be able to absorb a great part of the total vocabulary through the frequent reintroduction of important words.

Throughout *Español: A Descubrirlo*, we shall suggest techniques for both personalized instruction and general teaching of each section of the book, which should make foreign language instruction exciting to the learner and rewarding to the teacher.

Parts of each lesson and suggestions for successful teaching of these materials

Bases
Each lesson of *Español: A Descubrirlo* begins with a section entitled *Bases*. In this section we present the new words (the basic vocabulary) encountered in the lesson. In each lesson all new vocabulary items are presented through drawn illustrations. Later, definitions in the target language and cognates are also given. In order to aid the teacher in presenting vocabulary through the illustrations in class with students' attention focused upon him or her, a series of filmstrips is provided. These filmstrips, in addition to teaching the new vocabulary, are culturally authentic in their representations of Hispanic locations, peoples, and mores. Thus, the filmstrips aid in the teaching of culture at the same time the vocabulary is being presented.

All vocabulary items accompanying drawn illustrations are presented in complete sentences, so that students learn the meaning of new words in a logical context. For initial presentation, however, it is recommended that the teacher present only one word or segment of the sentence at a time, as was suggested in the section on personalization of instruction. Please note that after presenting the *Bases* you may go to any part of the lesson and teach the lesson in any order you wish. It is recommended that you experiment with the order of the lesson, changing your sequence for various lessons.

Let us take, for example, the sentence *La familia mira la televisión en la sala*. As the students look at the corresponding frame of filmstrip, point to the living room and have them repeat after you *la sala* approximately three times in choral unison. Ask a simple question, *¿Es la sala?* Then ask *¿Qué es?* Call on several individuals to respond. If a student does not comprehend *¿Qué?*, say *¿La escuela? No. ¿Qué? ¿La playa? No. ¿Qué? ¿El mercado? No. ¿Qué? ¿La sala? Sí*, and then repeat the question *¿Qué es?* Next, point to the family shown in the filmstrip and have the class repeat *la familia*. Ask questions: *¿Es la familia? ¿Quién es?*, and call on several individuals to respond. The same question can be asked rapidly of several students. Then point to the television and have the class repeat *la televisión*. Ask: *¿Es la televisión? ¿Qué es?* Next circle your eyes with your hands as if your hands were glasses. Say *mira. La familia mira. La familia mira la televisión*. Ask: *¿Quién mira la televisión? ¿Qué mira la familia?* Now point to the living room. Say *en la sala. La familia mira la televisión en la sala*. Ask *¿Qué mira la familia? ¿Qué mira la familia en la sala? ¿Quién mira la televisión? ¿Quién mira la televisión en la sala?* In this way, build finally to the question: *¿Dónde mira la familia la televisión?* Note that the questions become more complex. Slower students can be called upon to answer the simple questions and better students to answer the more challenging questions. It is important to make the question-and-answer session move quickly. The practice is essential for all students, since without the opportunity to use a new word many times, the word will not become an active part of the students' vocabulary.

The second part of the *Bases* section (occurring late in *Español: A Descubrirlo*, fifth edition) gives simple definitions of new words in the target language. Go over the definition and ask questions using the new word. In addition, some sentences may be written on the blackboard with the students inserting the new word. For example: *Una persona o un habitante de Buenos Aires es un* _____. *Un* _____ *es una persona que vive en Buenos Aires*.

The third part of the *Bases* section deals with cognates. Because the words are cognates, students have little difficulty understanding the meaning. However, it is strongly recommended that the students repeat the cognates after the teacher since these are the words that are often mispronounced because of native language interference.

After the *Bases* have been thoroughly presented orally, students can open their books and read. Vocabulary is clearly illustrated so that students can again focus their attention on meaning. With these illustrations and definitions, students can also study the vocabulary at home. When the students open their books, it is recommended that they repeat each utterance after the teacher in order to maintain good pronunciation.

For the convenience of the teacher, we have included in the Teacher's Edition a list of the new words that appear in each lesson. It is hoped that this list will be used as a reference for the teacher and that these word lists will not be given to students as vocabulary quizzes. It is our firm belief that the task of acquiring new words is made more pleasant through active usage rather than through the study of a list.

Práctica

Each *Bases* section is followed by a series of oral and written vocabulary exercises. These exercises serve as an additional means of reinforcement of the new words. The teacher may decide whether to assign these exercises for study prior to going over them in class.

Concerning vocabulary quizzes, it is our recommendation that they be given upon completion of an entire lesson, rather than on completion of the *Bases* section, as has often been the practice. Since the same words are reintroduced in the *Estructuras, Improvisaciones,* and *Escenas,* it would seem more beneficial to give the students this additional opportunity to learn the new words before testing. It is, indeed, one of the major aims of the entire lesson to *teach* the *Bases* words to the point of mastery by exposing the student to the new vocabulary repeatedly and in a variety of contexts.

In planning your lessons, it is highly advantageous to present the new vocabulary of the following lesson as you are completing the previous lesson. Once students have a basic, although not necessarily perfect, knowledge of each new vocabulary item, all subsequent parts of the lesson can be done concurrently so as to add variety to each class session. This key technique is shared by teachers who are very successful with these materials.

Estructuras

Structure is a most important part of any lesson. It is through the pattern drills in this section that students will come to learn how the language functions. This learning is, of course, necessary if students are to manipulate and personalize the language. Throughout *Español: A Descubrirlo,* fifth edition, great effort has been taken to construct the drills so that they lead students to a logical conclusion. No irregularities are added to interfere with a regular pattern.

The pattern drill also offers a stimulus that is realistic to the language. Often in the heyday of the audiolingual method, pattern drills used a subject pronoun cue as the stimulus for the student's practicing a new verb conjugation. The subject pronoun, however, is not necessarily the best stimulus to use in a verb drill, since in normal conversation the native speaker of Spanish never provides the listener with a subject pronoun as a cue. Instead the native speaker uses a particular verb ending, such as *-as* which necessitates the response *-o*. The native speaker will not provide the subject pronoun *tú* as a cue for a *yo* response. For this reason, many of the drills in these materials are set up in the form of question-answer drills that are natural and realistic.

The pace of a pattern drill must be rapid. A slowly executed drill can become monotonous. Too much choral repetition can lead to boredom. For this reason the repetition drills are short. To introduce each new pattern being presented, have the class repeat the drill in unison several times. Insist that students repeat rapidly and loudly. After one or two minutes of repetition, proceed to the question-answer drill. Call on individuals at random. Do not use a predetermined order, since the students will not pay attention until it is nearing their turn. To keep the pace of the drill rapid, do not call on the students by name. Merely point or circulate around the room and stand near the student who is to respond. If a student makes an error, calmly go on to another student. Return to the student who made the error and have the student give the corrected response.

You will note that the drills start with very simple questions and build to more complex, abstract ones. This allows for individual differences. Call on the slower students when asking the simple questions. *Any youngster who meets with success will enjoy the subject.* Do not frustrate the slower student by asking overly complex questions during initial presentation. Practice is the aim of a pattern drill, and the more practice, the better. We learn a language by using it. People commonly say something a certain way because it sounds *right* to them. Why does a certain structure sound right? Because it has been heard and used many, many times.

To make drills more interesting, use simple drawings on the blackboard or dramatize with simple gestures to convey meaning. Specific suggestions of this nature are given in the annotations throughout this edition.

You will note that structure is presented in small amounts. For example, students are given an opportunity to practice *each* form of a verb (first-person, third-person) before an exercise will mix the various forms together. Likewise, structural irregularities have been grouped to make them easier to remember. For example, the preterite forms of *tener*, *estar*, and *andar* are taught together as a group because their irregularity (*tuve, estuve, anduve*) is similar.

Books should be closed during the execution of all pattern drills.

After students are familiar with the structural point being presented, they may then open their books and read the drill they have just practiced orally.

All drills are followed by a succinct, simple grammatical explanation in English called *Reglas*. As you explain the grammatical rule presented, illustrate with many examples. Use the examples in the *Reglas* box. Note also the inclusion of the grammar labels clarifying parts of speech and other grammatical terminology many students are weak in. But remember, students learn language by using it, not by studying explanations about it. It is our belief that complex, technical terminology to explain a grammatical point is of little assistance to the majority of today's students.

Immediately following the grammar explanation, several written exercises, *Aplicación escrita*, appear. These exercises supply immediate written reinforcement of the structural point previously learned orally in the structure drills. Here students are given the opportunity to practice writing the language that they have already heard, spoken, and read. This feature contains exercises of the following types: completion, answering questions, transformation, and substitution. Many of the exercises in the *Aplicación escrita* also contain visual stimuli for review and reinforcement. These exercises should be assigned as homework and checked rapidly in class. Students should always write complete sentences, even though a one-word answer may suffice. The exercises can be assigned immediately after studying each corresponding section of the lesson.

Improvisaciones

The conversations, or dialogues, in *Español: A Descubrirlo* are short, in both their total length and in the length of each individual utterance. This expedites their mastery. All structures that occur in the conversations have been presented previously. Only a few new lexical items are introduced. These are pointed out in the teacher annotations given alongside the conversation. Both the teaching and learning of the conversation should be greatly facilitated by these factors.

Take each line of the conversation and break it into logical segments, as is suggested for the vocabulary (*Bases*). Have students repeat each segment after you. Build to the complete utterance. Once students have repeated a complete sentence two or three times, ask questions about it. These questions minimize the amount of choral repetition, since in answering them the students are able to use the same vocabulary and structure until the sentence is mastered.

If the teacher is sufficiently thorough in presenting the conversation, the better students will quickly memorize the dialogue. If the slower students can answer all the questions but cannot repeat the entire conversation verbatim, do not be concerned. Remember that since

11

the dialogue is made up entirely of *known* structures, the answers to the questions about it will provide practice and aid mastery of those structures.

Once the conversation has been thoroughly learned, call students to the front of the room to dramatize it. It is true that many teenagers are inhibited. But keep the atmosphere relaxed, and let the students have fun with their dramatizations. Tell them to put action into their presentation of the dialogue rather than just standing and reciting it. At this point we suggest asking the students to improvise with the dialogue, changing it as they wish. We suggest, however, that the students' own changes contain only previously learned language. The skill of improvisation within the context of what one can say is a most important one and is the goal of the *Improvisación* in this text. Building this skill will enable students to move away from the text and into communicating in Spanish in the real world.

After all the *Preguntas* have been gone over, call on the better students to give a review of the conversation. Students can look at the conversation illustration to help them recall the situation presented.

The conversation in this book serves as a springboard for additional personalized conversation that is to follow. Perfect memorization of the conversation without being able to use the language contained in it is *not* one of our objectives.

Escenas

Throughout *Español: A Descubrirlo* the reading narrative appears near the end of the lesson. Once students are familiar with the new vocabulary, the reading selection may be begun. Very few new vocabulary items are added. Those words that are new are explained in the sidenotes.

To teach this narrative, have the students open their books. Give them questions using the new sidenoted vocabulary. Since nothing else in the narrative is new, begin to read. First have the students repeat each sentence after you or the tape in order to maintain good pronunciation. After the students have repeated several sentences, stop and ask the questions (*Preguntas*) that pertain to these sentences. Continue in this way through the entire selection. Then call on individuals to read. Correct pronunciation errors. After an individual has read several sentences, ask questions. Students can reread the narrative as a homework assignment and answer the questions that appear at the end of the selection. Go over the questions the next day in class. In some groups, it may be necessary to reread the selection in class. Upon completion of the reading with the whole group, call on some of the better students to give an oral review of the story. The reading selection does not have to be presented in its entirety. In most cases, it is better to work on just one paragraph at a time while other parts of the lesson are also being taught.

These narratives provide steady growth in the development of the reading skill. They also provide culturally significant content. As the narrative is being read, have the students look at the photographs in the lesson. They permit students to visualize, through authentic scenes (*Escenas*) the topic of the reading selection.

Following the reading selection, there is a special guided composition exercise, *Composición*. In this section, ample opportunity is provided for developing a complete written review of the lesson. All the vocabulary and structure of the lesson are recombined, and students are encouraged to write short summary paragraphs by answering the questions.

Perspectivas

Each lesson ends with a cumulative *Perspectivas* section. In *Español: A Descubrirlo*, this section is divided into three parts: *Pasatiempo/Crucigrama*, *Entrevista*, and *Resumen Oral*. Together, the elements that make up *Perspectivas* recombine and bring into perspective, orally and in written form, all the vocabulary and structure presented in the lesson.

Pasatiempo/Crucigrama In order to add variety, an activity (puzzle or word game) has been incorporated in each lesson. Students will be motivated by success because *no unknown words or concepts are used in these puzzles*. Game playing in the classroom is a worthwhile activity when students use the language as they are playing the games. Webstermasters containing the puzzles that appear in the text are available in the test package.

Entrevista Personalized language is the major goal of the entire program. In this section students are interviewed in order to be given additional opportunity to speak about themselves and to discuss their own lives. Much care has been taken in the choice of the questions to be sure they do not require answers using language concepts or words the students do not know. By answering these questions, the students relate the particular situation presented in the lesson to their own experiences. Students talk about themselves and their own daily lives, express their opinions, and compare and contrast their own culture with the one presented in the lesson.

Resumen oral Each lesson ends with a full-page art illustration. This illustration depicts all of the activities dealt with in the lesson. As students look at the illustration, they can create an oral review based on all of the material they have learned in that lesson. In slower groups, you may wish to ask questions concerning the illustration to aid the students in the development of their oral review. Sometimes students can improvise dialogues based on the illustration.

13

In better groups, the students can also be asked to write a short composition based on the illustration.

The *Resumen oral* can also be used for constructive games. Permit students to have fun as they pose questions of one another concerning the illustration. Permit girls and boys to ask questions of each other; have students in one row question students in the next row; and let students in the back of the room ask questions of students in the front of the room. Have contests. Select students. Give each student one minute to give as many sentences as possible. The student giving the most sentences wins.

Lesson sequence and daily lesson plan for variety

A variety of material aids greatly in making each lesson interesting to the students. It is recommended that the teacher begin to introduce the new *Bases* from the following lesson two or three class sessions before completing the previous lesson. In this way, it will not be necessary to teach all the new vocabulary at once. Once the students are familiar with the new words, small sections of each part of the lesson can be done each day. Therefore, during each class session, the teacher can present a variety of material from each section of the lesson: *Bases, Estructuras, Improvisaciones, Escenas,* and so forth, taught in any order and in segments of 5 to 10 minutes. The key to success is preteaching the *Bases* as suggested here because once this is done *any* part of the lesson can follow. Puzzles and games are also included in each lesson to permit students to have fun with word games.

Below are additional suggestions for some games that pupils may enjoy.

Games

1. Bring six people to the front of the room. Divide the six into two teams of three. Call on another person to serve as master of ceremonies. The master of ceremonies either makes up (more difficult) or reads a statement prepared by the teacher. The statement contains a blank to be filled in with any appropriate completion. (Example: *Los estudiantes bajaron* _____.) If two members of the same team complete the statement in the same way, that team receives a point. (Example: If two members of the same team say *del autobús,* the team receives a point. If each member of the team, however, gives a different response, the team receives no points.) Give each team six to eight items, add up the score, and decide the winning team.

2. Give students a ditto sheet containing a series of simple drawings. Permit them to look at drawings for two minutes. On a separate sheet of paper have them write as many items as they recall. The person who writes the most correct items wins.

3. After several lessons of the book have been completed, students can play *¿Quién soy yo?* Call one student to the front of room or permit him or her to speak from his or her seat. The student gives a statement and calls on an individual to guess who he or she is. If the other person cannot guess, the original student gives another statement or clue and calls on another individual.

This game can be played in the reverse. One student decides who he or she is. Another student asks questions such as *¿Eres de España?*, and so forth. The original student answers *sí* or *no* until questioner guesses who he or she is. Set a time limit of approximately 90 seconds.

4. Have a student give a brief description of a classmate. Other members of class guess who is being described.

5. Quiz Game: Two teams of three students each come to the front of the room. The teacher gives the master of ceremonies a series of questions based on information learned in the text. The first student from either team who rings a bell is called upon to respond. If the student answers incorrectly, five points are deducted. The team receiving more points in 5 minutes wins.

6. The teacher may wish to obtain a copy of *Games for Second Language Learning* by Gertrude Nye Dorry, McGraw-Hill, 1966 (Code 0-07-017653-1) for additional suggestions for games that can be used in the classroom situation.

Símbolos

Following the *Improvisaciones* there is a sound-symbol drill which teaches the student the printed representation for each sound of the Spanish language. We begin with the least difficult sounds and build to those that will produce either pronunciation or spelling problems.

In order to teach this section of the lesson, it is recommended that the teacher write each word on the board and underline the particular sound being studied. Have the class repeat each word. Then have the students open their books and read aloud. Have the students practice writing the words at home. Give a dictation of the words in class. In the course of dictation, you may wish to give the students an unfamiliar word which contains the particular sound being studied to check whether they know how to represent the given sound in print.

Following the list of individual words containing the sound being presented, there is a series of sentences using many words which contain the same sound pattern. These are excellent for pronunciation practice and serve as an additional dictation vehicle.

Use of teaching aids

Filmstrips

Filmstrips are provided to aid in the teaching of new vocabulary from the *Bases* section. With the use of the filmstrips, the attention of the class can be focused on the front of the room for initial presentation of new words so that the teacher can be sure the student is looking at the appropriate object as it is being presented. The filmstrips also facilitate oral presentation of the vocabulary before students have read the utterances in the text. It is recommended that filmstrips be used for *Bases* presentation in segments of 5 to 7 minutes. Please refer to the suggestions on lesson sequencing that appear in this insert. The *Bases* illustrations on the filmstrips are the same as those in the text, except for the fact that they are in full color.

The filmstrips contain, besides the new vocabulary, an additional oral review in full color for each lesson. This oral review is pictorially different from the one in the book and thereby stimulates additional conversation. The use of these oral reviews can greatly assist the teacher in review work. While the class is working on Lesson 5, you may wish to show them the frames for the *Resumen oral* of Lesson 2. Students can discuss the illustrations, thereby reviewing thoroughly the entire lesson, since all the vocabulary and structure of each lesson is reincorporated in its oral review.

Tape recordings

All material presented in the text is recorded on tape, with the exception of the grammatical generalizations (*Reglas*) and the written exercises (*Aplicación escrita*). The conversation is first presented in its entirety, complete with sound effects. It is followed by a repetition of the selection using the backward build-up technique. Pauses after each phrase permit students to imitate the native pronunciation and intonation. In the drill exercises on the tape, the correct response to a question is always given in order to correct or reinforce the concept of that particular pattern.

The tapes have been recorded by native speakers in standard, unaccented Spanish. These multivoiced recordings will help students understand fluent oral Spanish. The variety of voices creates a natural atmosphere, which is lacking when all material is presented exclusively by one voice. It is suggested that the teacher first present and drill all new material in the classroom to be sure the students understand and can accurately reproduce it. When the students practice the material in the lab, they can proceed at their own pace and devote additional time to correcting their own weaknesses. The purpose of the lab is to provide practice of the material that has already been presented in class.

Student workbook

The student workbook contains written exercises of all types. These exercises give a great deal of practice in both vocabulary and structure. Each lesson of the workbook contains review exercises that recombine the vocabulary and structure of the lesson in a slightly different context. Also new in this edition are written exercises accompanied by illustrations for identification, completion, matching items, and written review.

You will note that the workbook includes graded types of exercises from the simplest to the most complex. Therefore, homework assignments can be individualized to meet the needs of the specific student.

Tests

Evaluation is an important part of the teacher's role as judge of the effectiveness of instruction and the progress of the students. To aid in this evaluation, a series of tests is provided on tape and in printed form on spiritmasters to test the four skills: listening, speaking, reading, and writing. There is a written test for every lesson as well as periodic listening comprehension and listening-speaking tests. All tests contain questions similar to those found in national tests. Therefore, exposure to the tests of this program will provide students with useful experience in the mechanics of taking such tests. Please note that all puzzles in text are provided on spiritmasters included in the test package.

Listening comprehension kit

To assist specifically in the teaching of listening comprehension, *Español: A Descubrirlo*, fifth edition, also contains listening comprehension exercises on spiritmasters for each lesson of the book. This listening comprehension kit contains recorded material to which students are asked to respond or react in a variety of ways. Students are asked to identify, through what they hear, either a correct response to a question, an appropriate reaction, or a logical conclusion to an incomplete sentence by designating the correct answer on a separate sheet of paper. In answering, students are not called upon to use any other skill. Thus, the teacher can determine the students' ability to comprehend.

Lexical list

The following is a list of words that appear in each lesson. The list is provided as a convenience to teachers so that they will know in exactly which lesson each word first appears. It is strongly recommended that students not be given this list for a vocabulary test. Note that there is a complete additional vocabulary list at the end of the book. This second list is meant as a reference for students.

17

Lexical List

Lesson 1

alto, –a
americano, –a
amiga
bajo, –a
bonito, –a
¿cómo?

cubano, –a
de
el
él
ella
feo, –a

guapo, –a
hola
la
muchacha
muchacho
no

o
¿qué?
¿quién?
ser
sí
tú

un, uno
una
y
yo

Lesson 2

a
alumna
alumno
amigo

dos
ellas
ellos
en

escuela
hermana
hermano
mexicano, –a

nosotras
nosotros
secundario, –a
si

también
Ud., Uds.

Lesson 3

bien
casa
con
¿dónde?
enseñar
español, –a

estudiar
familia
gracias
hablar
inglés
mirar

mucho, –a
muy
nacionalidad
noche
poco, –a
por

practicar
profesor
profesora
pues
sala
señora

simpático, –a
teléfono
televisión
verdad

Lesson 4

a veces
ahora
bolsa
bueno, –a
calor
cantar
capital
costa
¿cuándo?

chileno, –a
después
estación
famoso, –a
febrero
fino, –a
foto
futuro
guitarra

hacer
hacer buen tiempo
hacer calor
hay
idea
limonada
luna
llevar
mar

mes
mesa
mientras
nadar
océano
pasar
playa
¿por qué?
porque

refresco
sol
tiempo
tocar
tomar
tomar el sol
verano
vez
vosotros, –as

18

Lesson 5

¿adónde?
al aire libre
alquilar
allí
antiguo, –a
barquito
bocadillo
canasta
cien
comida
comprar
cosa
¿cuánto?

dar
de acuerdo
dinero
distinto, –a
domingo
elegante
empleada
empleado
enfrente de
estar
fijo, –a
hoy
imposible

ir
jamón
junto, –a
lago
luego
menos
mercado
merienda
moderno, –a
monumento
nada
necesitar
nuevo, –a

número
otro, –a
pagar
panecillo
para
parque
pero
peso
pipa
popular
precio
preparar
puesto

queso
regatear
regateo
remar
sábado
salchicha
sándwich
señor
señorita
siempre
supermercado
tienda

Lesson 6

a pie
abrir
aislado, –a
calidad
cantidad
capacidad
carne
carta
centro
cerca de
cine
ciudad
cocina
comedor
comer

cultivar
chico
delante de
duda
durante
enorme
ensalada
escribir
fabuloso, –a
facultad
fantástico, –a
generalidad
gente
grande
huerta

iglesia
importante
indio, –a
inteligente
interesante
leer
lejos
lengua
llegar
madre
maíz
mismo, –a
montaña
oportunidad
padre

paja
papa
patata
película
pequeño, –a
periódico
pie
piedra
plaza
producto
pueblo
recibir
sello
sobre
social

suelo
techo
todo, –a
tortilla
universidad
vegetal
vender
ver
vestido
vivir
vida

Lesson 7

abuela
abuelo
alemán, –a
año
argentino, –a
arreglar
bailar
bosque
butaca
calle

cansado, –a
catarro
celebrar
claro
contento, –a
costumbre
¿cuál?
cumpleaños
delicioso, –a
día

disco
echar
echar una siesta
enfermo, –a
escuchar
fiesta
francés, –a
gemelo
generalmente
grupo

hija
hijo
hispánico, –a
hombre
honor
hora
irlandés, –a
italiano, –a
libro
mañana

necesario, –a
nieta
nieto
norte
noviembre
padrino
paquete
pariente
portugués, –a
prima

primo	siesta	sorpresa	tía	ventana
regalo	sobrina	suerte	tío	vuelo
ruido	sobrino	tanto	todavía	
serenata	solamente	tener	triste	

Lesson 8

adivinar	deporte	hacer fresco	mundo	poder
aficionado, –a	empezar	hispanoamericano,	natación	puertorriqueño, –a
aquí	equipo	–a	oficial	¿qué tal?
básquetbol	esquí	individualista	otoño	querer
béisbol	Estados Unidos	joven	país	tener que
blusa	excepción	jugador	palabra	tenis
cabeza	fácil	jugadora	parte	usar
cada	fresco, –a	jugar	participar	varios, –as
campo	fútbol	latinoamericano, –a	partido	visitar
colonial	ganar	mano	pelota	vocabulario
comenzar	general	más	perder	volver
como	golf	mayoría	pierna	zumo

Un chico pobre

aceite	cuidar	llamar	olvidar	salir
alrededor de	difícil	matador	pan	sin
animal	director	miga	persona	terminar
así	enterrado, –a	matar	peseta	típico
ayuda	entrar	millonario	plaza de toros	torear
ayudar	éxito	monja	pobre	torero
bestia	finca	morir	pobreza	toro
blanco, –a	frecuencia	muerto, –a	policía	trabajar
buscar	fuerte	nacer	político, –a	trabajo
cambiar	guerra	nación	prisión	tragedia
cárcel	hambre	nadie	que	tremendo, –a
color	huérfano	naranja	redondel	viaje
completar	humilde	negro, –a	rico, –a	
convento	ídolo	niño	robar	
corrida	ilusión	nombre	rodar	

Lesson 9

a bordo	aeromozo	anunciador	aviación	baúl
a tiempo	aeropuerto	anunciar	avión	bendito, –a
actual	alcapurrias	atención	bacalao	billete
aeromoza	alguno, –a	aterrizar	baile	boleto

borinqueño, –a
camisa
carro
cinturón
cinturón de
    seguridad
compañía
con destino a
construcción
continente
conversación
corbata
cuestión
chaqueta
descansar

despegar
despegue
discutir
estado
estado libre
    asociado
estadista
estudio
gozar de
gusto
hacer la maleta
independentista
independiente
indicar
interés

internacional
isla
luz
llamada
maleta
mi
mostrar
nacional
natal
nena
notar
nuestro, –a
pantalón
pasajero
pasaporte

pensar
piloto
pista
plena
poner
por favor
pronto
puerta
ropa
saludar
saludo
siguiente
sólo
status
su

suburbio
tal
tarde
televisor
traer
tu
último, –a
venir
ventanilla
visita

Lesson 10

accidente
además
árbol
arte
ascendencia
bajar
bife
cancha de esquí
cenar
conocer
continuar
cosmopolita
creer
chiste

chocar con
desear
esquiar
estructura
europeo, –a
examinar
explicar
extraño, –a
filosofía
frío, –a
garganta
gobierno
gramática
guía telefónica

guisante
gusano
hacer frío
historia
hospital
hotel
importar
invierno
jíbaro
jugo
lección
literatura
magnífico, –a
malo, –a

mamá
médica
médico
menú
mesero
música
nevar
norteamericano, –a
paciente
pampa
papá
porteño, –a
recomendar
restaurante

roto, –a
saber
sucursal
taxi
taxista
tener cuidado
término medio
tonto, –a
viejo, –a
ya

Lesson 11

adiós
algo
alguien
altitud
altura
allá
andén
andino, –a
apartamiento
aquel
auto
azul
beber
carne de res

compatriota
cubrir
decir
departamento
despacio
entero, –a
ese
especialidad
esperar
estación de
    ferrocarril
este, –a
garúa
hasta

hawaiano
ida y vuelta
inca
influencia
limeño
lo
llover
máscara
mate
medio, –a
mestizo, –a
neblina
nunca
ola

oxígeno
pico
pollo
producir
puro, –a
querido, –a
rápido, –a
rato
respirar
ruinas
ruta
sala de espera
sangre
sencillo, –a

sierra
sombrero
subir
tabla
tampoco
tipo
tren
turista
veda
verde
viajar

Lesson 12

acostarse
afeitarse
agua
al lado de
almorzar
almuerzo
ayer
bañador
barba
bastante
café
cafetería

cama
camping
cara
cena
cepillarse
ciao
clase
colchón de aire
cuarto
cuarto de baño
charlar
chica

chino, –a
desayunarse
desayuno
diente
discoteca
disfrutar
dormir
espejo
esquí acuático
falda
hasta luego
igual

informal
lado
lavarse
levantarse
llamarse
madrileño, –a
montón
palangana
par
peinarse
península
ponerse

preferir
razón
se
sentarse
tan
temprano
tienda de campaña
vacaciones
veranear

Lesson 13

a propósito
aceituna
acompañar
andaluz
anoche
armar un jaleo
autobús
conmigo
cuadro

cueva
despertar
Edad Media
edificio
entremés
esquina
estudiante
flamenco, –a
frecuentar

imaginar
invitar
me
mejor dicho
mesón
mostrador
museo
nos
novia

opinar
opinión
parar
pasado, –a
patio
picar
planta baja
problema
próximo, –a

sardina
subsuelo
tapa
te
terraza
traje
tras
tunos
universitario, –a

Lesson 14

acabarse
acera
andar
anónimo, –a
aparecer
aprender
autor
barrio
cacahuate
callarse
causar

ciego, –a
cliente
confianza
contrario, –a
costar
de repente
decidir
fenómeno
figura
fruta
jarro

lápiz
le
les
limpiabotas
limpiar
luchar
meter
novela
oficina
ofrecer
origen

peatón
período
pícaro
primero, –a
promesa
prometer
racimo
representar
romper
secretaria
siglo

sobre
sobrevivir
tratar
universal
universitaria
uva
venta
vino
viuda
zapato
zona

Lesson 15

alpaca
canoa
carretera
cercano, –a
compañero

constante
construir
contra
cortar
cruzar

denso, –a
desnudo, –a
diario
duro
eléctrico, –a

en aquel entonces
en seguida
encontrar
establecer
establecimiento

existencia
extensión
geografía
grueso, –a
habitante

inmediatamente
interior
lo que
lucha
lugar
llama
machete

mapa
marea
metrópoli
millón
montañoso, –a
naturaleza
ni

ninguno
orilla
palo
pared
pelo
piel
presente

propio, –a
protección
remoto, –a
río
roca
selva
senda

soldado
sudamericano, –a
tierra
tropical
único
valle
vegetación

Lesson 16

asno
aspa
atacar
ataque
aventura
bondad
brazo
caballero
caballero andante
caballo
camino
conocido, –a

conquistar
consejo
convertir
dama
enemiga
enemigo
episodio
escudero
estimado, –a
expedición
fiel
flaco, –a

furia
gigante
gigantesco, –a
gordo, –a
hacer caso
hacia
herido, –a
ideal
idealista
imaginado, –a
instante
jamás

lanza
loco, –a
mal
misterio
misterioso
molino de viento
montar
mover
mula
noble
pedazo
pensamiento

prisa
protagonista
realista
región
sabio, –a
secretario
simplemente
socorrer
viento

Lesson 17

aceite de oliva
actividad
ajo
alcachofa
almeja
amarillo, –a
añadir
arroz
asado, –a
aspecto
azafrán
base
camarón

cocinar
concha
condimentado, –a
contrariamente
diferente
doblar
encima
enchilada
enrollar
estilo
extenso, –a
favor
festivo

freír
frijol
gustar
horno
langosta
lechón
legumbre
manera
marisco
mediodía
mejillón
paella
panqueque

pedir
pescado
picante
pimienta
pimiento
plátano
plato
principal
rellenar
repetir
rojo, –a
sal
salsa

servir
situación
sobremesa
suave
taco
tomate
tostón
valenciano, –a
variado, –a

Poesía

adaptar
alma

artista
crecer

monte
palma

poeta
sincero, –a

verso

Lesson 18

abierto, –a
agencia de viajes

apetecer
banco

besar
beso

bicicleta
boleto

cajero
cambio

23

cerrado, –a	desde	fila	mejor	reconfirmar
cerrar	en punto	gaseosa	motivo	seguir
cita	encantar	horario	ocupar	suficiente
comprender	exactamente	instrumento	permitir	tener prisa
cheque de viajero	exacto, –a	interrumpir	poesía	
de nuevo	expresión	mejilla	prestar	

Marianela

a lo lejos	colina	estrella	mina	rincón
absurdo, –a	contar	estúpido, –a	moneda	santa
acercarse	contestar	extender	mujer	serio, –a
adorar	correr	farol	nacimiento	situado, –a
alarma	cruel	feliz	niña	sofá
alegría	cuerpo	generoso, –a	oír	solemne
almohada	desaparecer	gritar	ojo	solo, –a
antepecho	desgraciadamente	inclinar	operación	sonrisa
antes de	Dios	ingeniera	operar	subterráneo, –a
boca	distancia	ingeniero	parecer	tontería
brillar	doctor	insistir	perderse	tristeza
caer	doméstico	lástima	perro	tumba
casarse	educación	llorar	puente	unirse
cesta	en cuanto	ladrar	rápidamente	venda
cielo	encender	matrimonio	raro, –a	vista
cierto, –a	entre	menor	religión	voz
coincidencia	estatura	melancólico, –a	resultado	

Lesson 19

aula	escolar	poema	religioso, –a	variar
cartera	gratis	pregunta	separado, –a	
club	hispano, –a	primario, –a	sistema	
colegio	invitación	privado, –a	soler	
deportivo, –a	miembro	público, –a	uniforme	

Lesson 20

abogado	casi	emisora	idioma	radio
actualmente	comunicar	empresa	importación	realidad
agente social	conocimiento	enfermero	intérprete	selección
anuncio de	contacto	enriquecer	mercancías	seleccionar
publicidad	cualquier	escoger	mil	trabajador
apagar	cultura	exportación	por consiguiente	transmitir
basado, –a	cultural	extranjero, –a	posiblemente	útil
bilingüe	dependiente	fábrica	profesión	utilizar
bombero	diario, –a	fuego	publicar	
callado, –a	dominical	heterogéneo, –a	quedarse	
carrera	economía	hoy día	quizás	

Español
A Descubrirlo

Español
A Descubrirlo

Fifth Edition

Conrad J. Schmitt
Protase E. Woodford
Randall G. Marshall

Webster Division
McGraw-Hill Book Company

New York St. Louis San Francisco Atlanta Auckland Bogotá Dallas
Hamburg Johannesburg London Madrid Mexico Montreal New Delhi
Panama Paris São Paulo Singapore Sydney Tokyo Toronto

Credits

Editor: Joan Saslow

Design Supervisor: Tracy Glasner
Production Supervisor: Angela Kardovich
Illustrations: Ray Skibinski
Layout: Bill Dippel
Photo Research: Marcia Jean Kurtz, Randy Matusow
Photo Editor: Suzanne Volkman

The cover photograph is of a pottery stamp from Huaca Prieta, Chicama Valley, Peru.

Library of Congress Cataloging in Publication Data

Schmitt, Conrad J
  Español: a descubrirlo.
  Includes index.
  SUMMARY: A basic text containing vocabulary,
structure, dialogue, narratives, and exercises for students
beginning the study of Spanish at the senior high school
level.

  1. Spanish language—Grammar—1950– [1. Spanish
language—Grammar]   I. Woodford, Protase E., joint
author.   II. Marshall, Randall G., joint author.   III. Title.
PC4112.S34   1981   468'.3'421   80-39710
ISBN 0-07-055404-8

  3 4 5 6 7 8 9 10   VHVH   91 90 89 88 87 86 85 84 83 82

Acknowledgments

The authors wish to express their appreciation to the many foreign language teachers throughout the United States who have shared with us their thoughts and experiences. A particular word of thanks is owed to those teachers who have used the previous edition of this text and have willingly given of their time to express both their negative and positive comments. With the aid of the information supplied to us by these educators we have attempted to produce a text that is interesting, appealing, and useful to a wide variety of students from all geographic areas.

We express our particular gratitude to Ms. Suzanne Shetler for her untiring assistance in the development of the manuscript and to Mr. John DeMado and Mr. William Lionetti, McGraw-Hill consultants, who have been so faithful in reporting to us teachers' comments from all areas of the country.

The authors are also indebted to the following persons and organizations for permission to include the following photographs:

Opener Frank Siteman/Stock, Boston; 2 (top) American Field Service, (others) Beryl Goldberg; 3 Owen Franken; 4 (left) Owen Franken/Stock, Boston, (right) Beryl Goldberg; 6 Chilean Mission to the United Nations; 7 Owen Franken; 8 (left) Beryl Goldberg, (right) Owen Franken; 9 (top left) Suzanne Anderson/Photo Researchers, (top center) Robert Frerck, (top right) Owen Franken, (bottom left) Beryl Goldberg, (bottom right) Owen Franken; 12 Owen Franken; 14 Owen Franken; 15 Andrew Sacks/Editorial Photocolor Archives; 17 (left) Beryl Goldberg, (right) Farrell Grehan/The Image Bank; 18 Peter Menzel/Stock, Boston; 19 Cary Wolinsky/Stock, Boston; 20 Owen Franken; 22 Beryl Goldberg; 23 Editorial Photocolor Archives; 26 Owen Franken; 30 Editorial Photocolor Archives; 31 Emma Rivera/Peace Corps; 32 Jerry Frank/United Nations; 33 Cary Wolinsky/Stock, Boston; 34 Beryl Goldberg; 35 Frank Siteman/Stock, Boston; 36 (left) Owen Franken; (right) Editorial Photocolor Archives; 37 Owen Franken; 40 Tom McHugh/Photo Researchers; 44 Cary Wolinsky/Stock, Boston; 45 Puerto Rico Information Service; 46 Robert Frerck; 47 Toge Fujihira/Monkmeyer; 48 Tom McHugh/Photo Researchers; 49 Jonathan T. Wright/Bruce Coleman, Inc.; 50 Sergio Larrain/Magnum; 54 Hugh Rogers/Monkmeyer; 59 Editorial Photocolor Archives; 60 Cary Wolinsky/Stock, Boston; 62 Mexican National Tourist Council; 63 Beryl Goldberg; 67 John Henebry, Jr.; 68 Beryl Goldberg; 69 Editorial Photocolor Archives; 70 Peter Menzel; 74 John Henebry, Jr.; 77 John Henebry, Jr.; 79 Emma Rivera/Peace Corps; 80 John Henebry, Jr.; 81 Peter R. Dickerson/Editorial Photocolor Archives; 83 Cortesia Inguat/Consulate of Guatemala; 85 John Henebry, Jr.; 86 J. G. Sidaner/Editorial Photocolor Archives; 88 Consulate of Guatemala; 89 (all) John Henebry, Jr.; 90 Consulate of Guatemala; 94 Randy Matusow/McGraw-Hill; 99 Owen Franken/Stock, Boston; 100 Beryl Goldberg/McGraw-Hill; 101 Beryl Goldberg/McGraw-Hill; 103 Peter Southwick/Stock, Boston; 104 Russ Kinne/Photo Researchers; 106 Beryl Goldberg/McGraw-Hill; 109 Robert Capece/McGraw-Hill; 110 Peter Menzel; 114 Editorial Photocolor Archives; 117 Mimi Forsyth/Monkmeyer; 118 Peter Menzel; 119 Owen Franken/Stock, Boston; 121 Peace Corps; 125 Alvis Upitis/The Image Bank; 126 Peter Menzel/Stock, Boston; 127 Editorial Photocolor Archives; 128 Robin Forbes/McGraw-Hill; 129 Peter Vadnai/McGraw-Hill; 132 Marvullo/The Image Bank; 136 Robert Rapelye/Editorial Photocolor Archives; 137 Peter Menzel/Stock, Boston; 138 Ronny Jaques/Photo Researchers; 139 Jessica Anne Ehlers/Bruce Coleman, Inc; 140 Peter Menzel; 144 Arthur Grace/Stock, Boston; 145 Puerto Rico Tourist Office; 149 Owen Franken; 151 Editorial Photocolor Archives; 153 (all) Editorial Photocolor Archives; 154 Eastern Air Lines; 155 AeroPeru; 156–157 Owen Franken; 158 Owen Franken; 159 Editorial Photocolor Archives; 162 Peter Miller/The Image Bank; 165 Harvey Lloyd/The Image Bank; 170 Robert Rattner; 171 (all) Editorial Photocolor Archives; 173 Victor Englebert; 177 (all) Hotel Portillo; 178 Hotel Portillo; 179 Robert Rattner; 182 Peter Menzel; 186 United Nations; 187 Editorial Photocolor Archives; 190 Peter Menzel/Stock, Boston; 191 Jacques Jangoux/Peter Arnold, Inc.; 195 Randy Matusow; 197 Susan McCartney/Photo Researchers; 198 (all) Victor Englebert; 199 Victor Englebert; 202 Pat Canova/The Image Bank; 211 Editorial Photocolor Archives; 212 Michael Salas/The Image Bank; 214 Keith Gunnar/Photo Researchers; 215 Juergen Schmitt/The Image Bank; 216 Peter Arnold/Peter Arnold, Inc.; 220 Susan McCartney/Photo Researchers; 230 Porterfield-Chickering/Photo Researchers; 231 Claudio Edinger/Kay Reese & Associates; 232 Peter Menzel/Stock, Boston; 236 Editorial Photocolor Archives; 240 United Nations; 241 Ira Kirschenbaum/Stock, Boston; 244 Luis Villota/The Image Bank; 246 Ginger Chih/Peter Arnold, Inc.; 248 (left) Murillos/Picture Collection, New York Public Library (right) Gustave Doré; 249 Jack Fields/Photo Researchers; 250 Robert Frerck; 251 A. Jongen/United Nations; 254 Loren McIntyre/Woodfin Camp; 259 Loren McIntyre/Woodfin Camp; 260 Luis Villota/The Image Bank; 261 Victor Englebert; 262 Peter Menzel/Stock, Boston; 264 Loren McIntyre/Woodfin Camp; 266 Victor Englebert; 267 Victor Englebert; 268 Martha Cooper Guthrie/Editorial Photocolor Archives; 269 (left) Victor Englebert; (top right) Martha Cooper Guthrie/Editorial Photocolor Archives; (bottom right) Victor Englebert; 272 The Bettmann Archive; 275 Peter Menzel; 276 Peter Menzel; The Bettman Archive; 278 Peter Menzel; 286 Paul Slaughter/The Image Bank; 295 Freelance Photographers Guild; 296 Peter Menzel; 297 (all) Robert Capece/McGraw-Hill; 300 Hugh Rogers/Monkmeyer; 301 Victor Englebert; 302 Banco De Bilbao; 306 (left) Randy Matusow/McGraw-Hill; (right) Simone Oudot; 310 Sybil Shelton/Monkmeyer; 311 Peter Menzel; 316 Morton Beebe/The Image Bank; 322 Wilhelm Braga/Photo Researchers; 327 Spanish National Tourist Agency; 333 Wilhelm Braga/Photo Researchers; 334 Owen Franken; 336 Owen Franken; 343 Alain Keller/Editorial Photocolor Archives; 344 Own Franken; 346 (left) Owen Franken; (right) Daniel Brody/Stock, Boston; 348 Michal Heron/McGraw-Hill; 352 Guy Gillette/Photo Researchers; 353 Patricia Hollander Gross/Stock, Boston; 354 Michal Heron/McGraw-Hill; the color photographs appearing between pages xx and 1, and on pages 61, 67 (top), 153, 171, 187, and 211, and between pages 164 and 165 are from Editorial Photocolor Archives; the cover photograph is from the American Museum of Natural History.

Preface

The fifth editions of *Español: A Descubrirlo* and *Español: A Sentirlo* represent a logical and pragmatic approach to teaching the basic concepts of the Spanish language over a two-year period at the senior high school level.   In this new edition of *Español: A Descubrirlo*, the authors have maintained those qualities such as structure control, enforced reentry, variety and wealth of practice, and balance of skills, which have made it the most widely used Spanish text in the nation.   Minimal changes have been made in the organization of structure. Almost all stories have been rewritten to place more emphasis on the day-to-day activities of people throughout the Spanish-speaking world, always contrasting and comparing these activities with those of our own culture.   New to this edition are: full-color format throughout, with all new art and photographs; puzzles and games in every lesson; comic strips and cartoons for teaching and for enjoyment; composition; immediate reinforcement of oral skills with written practice; a more basic and explanatory approach to grammar terminology, and the *Entrevista*, a personalized activity unique to this series to enable students to personalize the content of each lesson by building strictly on what the students know.   For each hour of language study, the student will be rewarded with tangible gains in the ability to communicate and a visible and measurable step toward mastery.

About the Authors

Conrad J. Schmitt

Mr. Schmitt was Editor in Chief of Foreign Language Publishing with McGraw-Hill Book Company for many years. He is the author of *Español: Comencemos, Español: Sigamos,* the Schaum Outline Series of Spanish Grammar, the *Let's Speak Spanish* series, and the *A Cada Paso: Lengua, Lectura y Cultura* series. He is also coauthor of *La Fuente Hispana.* Mr. Schmitt has taught at all levels of instruction, from elementary school through college. He has taught Spanish and French at Upsala College, East Orange, New Jersey, and at Montclair State College, Upper Montclair, New Jersey. He has also taught methods at the Graduate School of Education, Rutgers University, New Brunswick, New Jersey. He served as Coordinator of Foreign Languages for the Hackensack, New Jersey, Public Schools. Mr. Schmitt has traveled extensively throughout Spain, Mexico, the Caribbean, Central America, and South America.

Protase E. Woodford

Mr. Woodford is Associate Director of the International Office with Educational Testing Service, Princeton, New Jersey. He has taught Spanish at all academic levels. He has also served as department chairperson in New Jersey high schools and recently has worked extensively with Latin American and Asian ministries of education in the areas of tests and measurements. He has taught Spanish at Newark State College, Union, New Jersey, and methods at the University of Texas. Mr. Woodford has traveled extensively throughout Spain, the Caribbean, Central America, South America, Europe, and Asia. He is coauthor of *Español: Lengua y Letras* and *La Fuente Hispana.* He is also the author of *Spanish Language, Hispanic Culture.*

Randall G. Marshall

Mr. Marshall is Editorial Director with the Webster Division, McGraw-Hill Book Company and is an experienced foreign language instructor at all academic levels. He was formerly Consultant in Modern Foreign Languages with the New Jersey State Department of Education. Mr. Marshall has served as methods and demonstration teacher at Iona College, New Rochelle, New York; at Rutgers University; and at the University of Colorado. He has traveled extensively throughout Spain, Mexico, the Caribbean, and South America. He is coauthor of *La Fuente Hispana.*

Contents

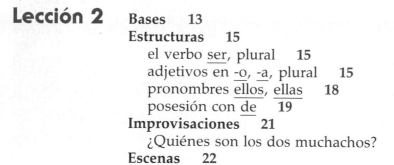

Un chico pobre 133

Introduction
to the
Spanish-speaking
world

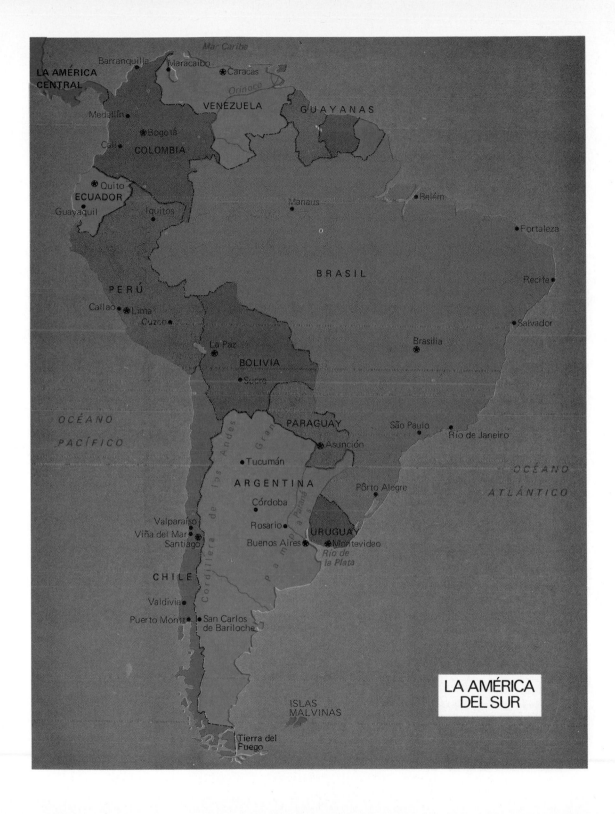

LA AMÉRICA
DEL SUR

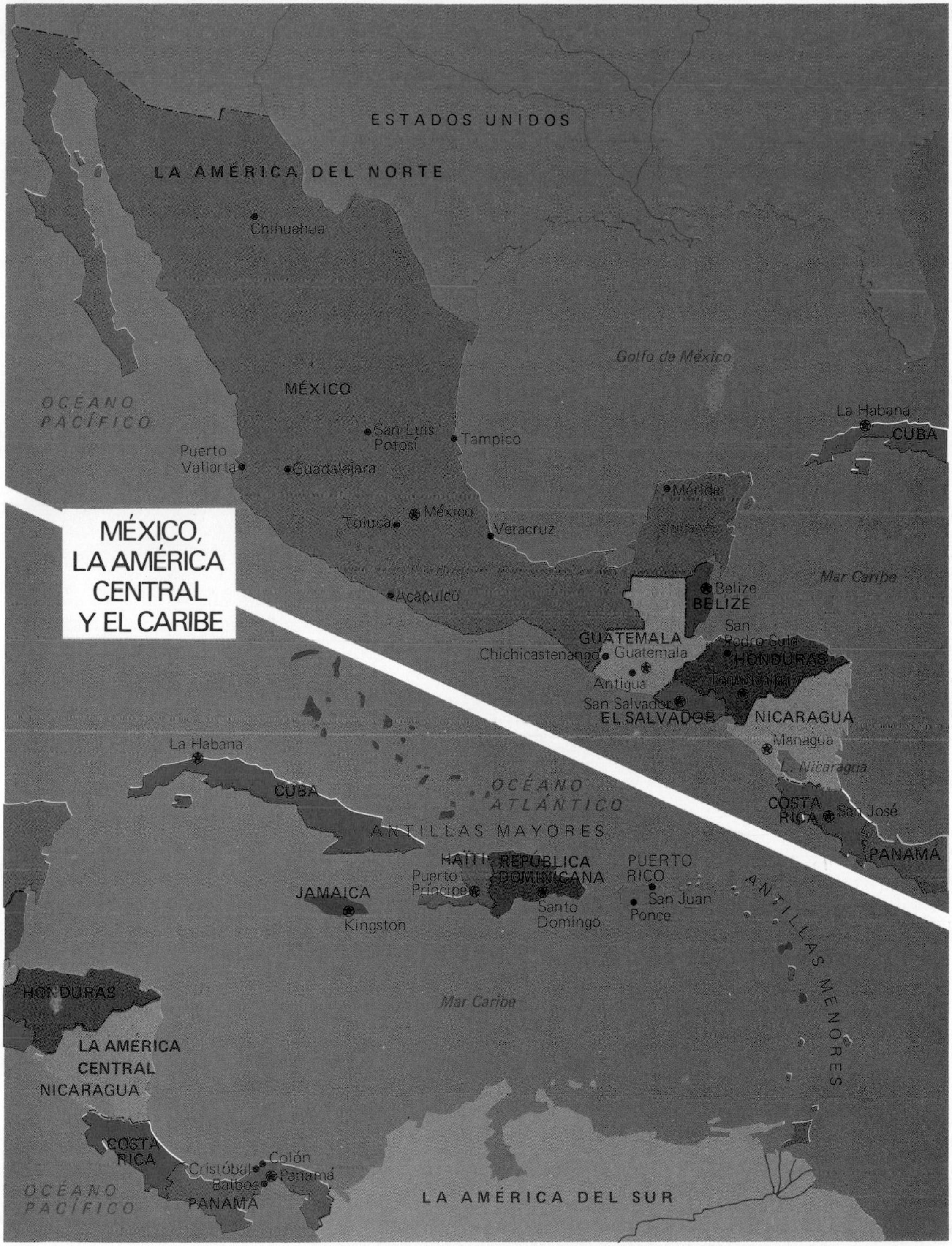

MÉXICO, LA AMÉRICA CENTRAL Y EL CARIBE

ESTADOS UNIDOS

LA AMÉRICA DEL NORTE

Chihuahua

OCÉANO PACÍFICO

MÉXICO

Golfo de México

San Luis Potosí
Tampico

Puerto Vallarta
Guadalajara

Mérida

Toluca · México
Veracruz

Acapulco

La Habana
CUBA

Mar Caribe

Belize
BELIZE

GUATEMALA
San Pedro Sula

Chichicastenango · Guatemala
HONDURAS

Antigua
Tegucigalpa

San Salvador
EL SALVADOR
NICARAGUA

Managua
L. Nicaragua

OCÉANO ATLÁNTICO

ANTILLAS MAYORES

COSTA RICA · San José

PANAMÁ

La Habana

CUBA

HAITÍ
REPÚBLICA DOMINICANA
PUERTO RICO

JAMAICA
Puerto Príncipe

San Juan
Ponce

Kingston
Santo Domingo

ANTILLAS MENORES

HONDURAS

Mar Caribe

LA AMÉRICA CENTRAL

NICARAGUA

COSTA RICA
Colón
Cristóbal · Panamá
Balboa
PANAMÁ

LA AMÉRICA DEL SUR

OCÉANO PACÍFICO

Escuelas y universidades

La Facultad de Bellas Artes, San José

La Facultad de Medicina,
México

Una clase de gimnasia, Asunción

Caracas, Venezuela

Ciudades hispánicas

San José, Costa Rica

Montevideo, Uruguay

Quito, Ecuador

La agricultura, Victoria,
México

Los esposos hacen ladrillos, Pasto, Colombia

La vida rural

El señor rema su canoa,
Guayaquil, Ecuador

Las niñas saltan cuerda, México

Un matador,
España

Los niños juegan al fútbol, México

Espectadores,
Guatemala

En una oficina,
España

El trabajo

El gaucho argentino

Exportación de plátanos, Ecuador

Artesanía, México

Escaparate de una tienda, Buenos Aires

El mercado, Chichicastenango

Tiendas y mercados

Un mercado de
Tegucigalpa

Playas del mundo hispánico

Puerto Vallarta,
México

La costa del Caribe,
Nicaragua

Tossa del Mar,
España

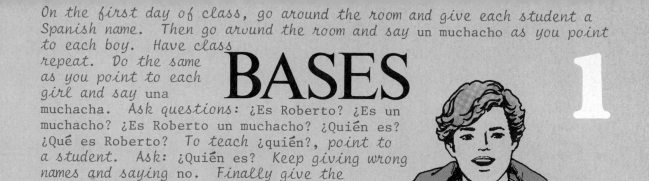

On the first day of class, go around the room and give each student a Spanish name. Then go around the room and say un muchacho as you point to each boy. Have class repeat. Do the same as you point to each girl and say una muchacha. Ask questions: ¿Es Roberto? ¿Es un muchacho? ¿Es Roberto un muchacho? ¿Quién es? ¿Qué es Roberto? To teach ¿quién?, point to a student. Ask: ¿Quién es? Keep giving wrong names and saying no. Finally give the correct name and say sí.

BASES

1

1. Es Roberto.
Roberto es un muchacho.
El muchacho es guapo, no feo.
Roberto es alto.
Él no es bajo.
Roberto es americano.

Have students repeat each new sentence as they look at filmstrip. Present one word at a time

2. Teresa es una muchacha. and build to the complete
La muchacha es bonita, no fea. utterance. All
Teresa es alta. vocabulary should be
Ella no es baja. thoroughly presented first with
Teresa es cubana. books closed.

As soon as students are familiar with the vocabulary, go over Práctica exercises.

← un muchacho y una muchacha, España

1

Teach twenty numbers with each lesson. Each day of the week, introduce the Spanish name for that particular day.

PRÁCTICA

A. Answer each question with a complete sentence.
1. ¿Es Roberto un muchacho? Sí
2. ¿Quién es un muchacho? Roberto
3. ¿Qué es Roberto? un muchacho
4. ¿Es guapo Roberto? Sí
5. ¿Cómo es Roberto? guapo
6. ¿Es Roberto americano o cubano? americano
7. ¿Es Teresa una muchacha? Sí
8. ¿Quién es una muchacha? Teresa
9. ¿Qué es Teresa? una muchacha
10. ¿Es Teresa bonita o fea? bonita
11. ¿Es Teresa alta o baja? alta
12. ¿Cómo es Teresa? alta

Not recorded **B. Form a question according to the model.**

Paco es guapo.
¿Quién es guapo?

1. *María* es bonita. ¿Quién es bonita?
2. Juan es *guapo*. ¿Cómo es Juan?
3. Rosita es *una muchacha*. ¿Qué es Rosita?
4. *La muchacha* es americana. ¿Quién es americana?
5. El muchacho es *bajo*. ¿Cómo es el muchacho?

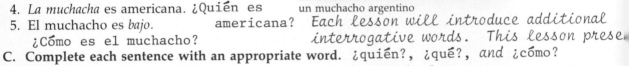
un muchacho argentino

Each lesson will introduce additional interrogative words. This lesson prese...

C. Complete each sentence with an appropriate word. ¿quién?, ¿qué?, and ¿cómo?
1. Elena es una _____. No es un _____. muchacha, muchacho
2. Tomás es un _____. No es una _____. ← una muchacha mexicana muchacho, muchacha
3. Elena es _____. No es baja. alta
4. Pablo es _____. No es feo. guapo
5. La muchacha es _____. No es americana. cubana

un muchacho mexicano

2

ESTRUCTURAS

Do structure drills first with books closed.

Call on individuals at random. If student makes an error, go on to next student. Return to student who made error and have him or her give correct response.

el verbo ser
adjetivos en -o, -a

formas singulares

él, ella

Have class repeat rapidly and loudly three times.

A. Repitan.
Carlos es un muchacho.
Roberto es guapo.
María es una muchacha.
Elena es bonita.

All answers are with es.

B. Contesten.
¿Es Juan un muchacho?
¿Quién es un muchacho?
¿Qué es Juan?
¿Es guapo Carlos?
¿Es feo Tomás?
¿Cómo es Tomás?
¿Es americano José?
¿Es cubano el muchacho?

¿Es María una muchacha?
¿Quién es una muchacha?
¿Qué es María?
¿Es bonita Teresa?
¿Es fea Elena?
¿Cómo es Elena?
¿Es cubana Carmen?
¿Es americana la muchacha?

yo

Ask students what they say in English when speaking about themselves. Then have them repeat yo as they point to themselves.

C. Repitan.
Yo soy un muchacho.
Yo soy _____.
Yo soy una muchacha.
Yo soy _____.

D. Contesten.
¿Eres tú Juan?
¿Eres tú un muchacho?
¿Eres guapo?
¿Eres feo?
¿Eres alto?
¿Eres bajo?
¿Eres alto o bajo?
¿Eres americano?
¿Eres cubano?
¿Eres americano o cubano?
¿Quién eres?
¿Qué eres?
¿Cómo eres?

All answers are with soy.

¿Eres tú María?
¿Eres tú una muchacha?
¿Eres bonita?
¿Eres fea?
¿Eres alta?
¿Eres baja?
¿Eres alta o baja?
¿Eres americana?
¿Eres cubana?
¿Eres americana o cubana?
¿Quién eres?
¿Qué eres?
¿Cómo eres?

tú

All students should understand the basic concept of agreement. No patterns other than -o, -a are presented in order to eliminate confusion. It is recommended that other types of nouns and adjectives not be added to this lesson.

E. Repitan.
¿Eres Juan?
¿Quién eres?
¿Eres Elena?
¿Quién eres?

un muchacho puertorriqueño

3

Have students look at a neighbor when they say

F. Sigan el modelo. *tú.*

Yo soy un muchacho.
Y tú eres un muchacho
también.

Yo soy una muchacha.
Yo soy bonita. *All*
Yo soy guapo. *statements*
Yo soy alta. *are with*
Yo soy americano. *eres.*
Yo soy cubana.

La muchacha es de España.
El muchacho es mexicano.

Reglas

Not recorded

The singular of the verb *ser* (to be) has three forms: *soy, eres, es.*

Yo soy Juan.	Tú eres alto.	Roberto es un muchacho.
Soy María.	Eres alta.	María es una muchacha.

Note that the subjects *yo* and *tú* can be expressed or omitted.

The *yo* form is often referred to as the first person. The *tú* form is often referred to as the second person. The *él, ella* form is often referred to as the third person.

In Spanish every noun has a gender, either masculine or feminine. The definite article (the) that accompanies a masculine noun is *el*. The definite article that accompanies a feminine noun is *la*.

noun

el muchacho   la muchacha

Have students tell you the part of speech that muchacha is.

Most masculine nouns end in *–o* and most feminine nouns end in *–a*.

An adjective or descriptive word must agree with the noun it modifies. This means that if the noun is masculine, the adjective is masculine; and if the noun is feminine, the adjective is feminine. Many common adjectives end in *–o* to modify or describe a masculine noun and end in *–a* to modify or describe a feminine noun.

masculine noun	masculine adjective	feminine noun	feminine adjective

El muchacho es americano.   La muchacha es americana.
Arturo es alto.
Cristina es alta.

4

APLICACIÓN ESCRITA

G. Complete each sentence with the correct form of the verb *ser*.
1. Carlos __es__ un muchacho.
2. María __es__ una muchacha.
3. Yo __soy__ Ana.
4. ¿Quién __eres__ tú?
5. Yo __soy__ americano(a).
6. Y Teresa __es__ americana también.
7. Tú no __eres__ americano.
8. Yo __soy__ alto.
9. La muchacha __es__ alta.
10. Eduardo __es__ bajo.

Additional writing exercises appear in the accompanying Cuaderno de ejercicios.

H. Complete each sentence with the correct adjective ending.
1. Sofía es bonit__a__.
2. Yo soy american__o(a)__
3. Roberto, tú eres guap__o__.
4. Tomás es cuban__o__.
5. Elena es american__a__.
6. La muchacha es alt__a__.
7. El muchacho es alt__o__ también.
8. Susana es baj__a__.

I. Write one sentence to describe each of the cartoons.
Accept any meaningful and correct answers.

5

Go around room and point to each boy as class repeats él.
Do the same with girls as
class repeats ella.

los pronombres <u>él</u>, <u>ella</u>

A. Repitan.
Juan es un muchacho.
Él es un muchacho.
María es una muchacha.
Ella es una muchacha.

B. Contesten según el modelo.

¿Es guapo Carlos?
Sí, él es guapo.

¿Es americano José? él
¿Es feo Tomás? él
¿Es cubano el muchacho? él
¿Es bonita María? ella
¿Es fea Teresa? ella
¿Es cubana la muchacha? ella

La muchacha alta es chilena.

Not recorded ── Reglas ──

A pronoun is a word that replaces a noun. The subject pronoun that replaces a masculine noun is *él*. The subject pronoun that replaces a feminine noun is *ella*. These subject pronouns can either be expressed or omitted in Spanish.

Luis es guapo.	Mariana es bonita.
pronoun	pronoun
Él es guapo.	Ella es bonita.
pronoun omitted	pronoun omitted
Es guapo.	Es bonita.

As a game, have students make up original sentences with nouns as subjects. Have other students express the same thing with a subject pronoun.

Not recorded **APLICACIÓN ESCRITA**

C. Rewrite each sentence, substituting *él* or *ella* for the subject.
1. Pablo es guapo. Él es guapo.
2. Bárbara es americana. Ella es americana.
3. La muchacha es alta. Ella es alta.
4. Martín no es feo. Él no es feo.
5. El muchacho es cubano. Él es cubano.

IMPROVISACIONES

¿Quién es ella?

Conversation can be begun before all structure drills have been mastered. Have students repeat each line after you. Stress intonation.

No new elements are presented in the conversation.

Miguel	Hola, Pedro.
Pedro	Hola, Miguel.
Miguel	¿Quién es la muchacha?
Pedro	Es Anita.
Miguel	¿Es americana ella?
Pedro	No, no es americana.
Miguel	¿Qué es?
Pedro	Es cubana.

Do not insist upon memorization of the conversation.

Underscore indicates this lesson's structure concepts

Students can personalize the conversation by using names of class members.

PREGUNTAS

1. ¿Quién es la muchacha?
2. ¿Es americana Anita?
3. ¿Qué es?

Read and complete the following cartoon.

HOLA, _____.

¿QUIÉN ES _____?

¿ES AMERICANO?

¿QUÉ _____?

HOLA, _____.

ES _____?

NO, NO ES _____.

ES _____.

ACTIVITY:
Students can draw their own cartoon, changing sexes, names, adjectives, etc.

ESCENAS
¿Quién es?

Roberto es un muchacho.   Él es alto.   No es bajo.   Es un muchacho guapo.   Roberto es americano.

Teresa es una muchacha.   Es una muchacha bonita.   Es alta.   Teresa no es americana.   Ella es cubana.   Teresa es una amiga de Roberto.   *The underlined words indicate the structure concepts presented in this lesson.*

Have class repeat each sentence after you. At the end of each paragraph, ask questions.

amiga   friend

PREGUNTAS   *Not recorded*

1. ¿Quién es un muchacho?
2. ¿Es alto o bajo él?
3. ¿Cómo es el muchacho?
4. ¿Es americano o cubano?
5. ¿Quién es una muchacha?
6. ¿Cómo es la muchacha?
7. ¿Es ella baja o alta?
8. ¿Es ella cubana o americana?
9. ¿Quién es una amiga de Roberto?

8

Composición

Rewrite the following paragraph, changing *Martín* to *Bárbara*.

Martín es un muchacho. Él no es feo. Es guapo. Martín es alto, no bajo.
Él es el amigo de Roberto. Bárbara es una muchacha. Ella no es fea.
Es bonita. Bárbara es alta, no baja. Ella es la amiga de Roberto.

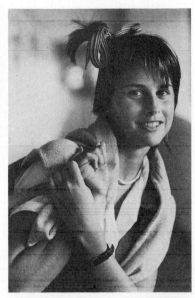

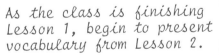

Clockwise from lower left: un muchacho guapo de México; una americana bonita; un muchacho de Granada, España; una amiga de San Juan, Puerto Rico; una muchacha alta de España.

As the class is finishing Lesson 1, begin to present vocabulary from Lesson 2.

PERSPECTIVAS

Dittomasters for puzzles are provided in the test package.

Rearrange the letters below to form words. Each word is an adjective that can be used to describe a person. Then rearrange the circled letters to reveal a special person.

1. T A L A (A) _L_ _T_ _A_

2. B U O N A C _C_ (U) _B_ (A) _N_ _O_

3. A G O U P (G) _U_ _A_ _P_ _O_

4. N O B A I T _B_ _O_ (N) _I_ _T_ _A_

5. M A C N A R I E A _A_ (M) _E_ _R_ (I) _C_ _A_ _N_ _A_

6. J B O A _B_ (A) _J_ _O_

_U_ _N_ _A_   _A_ _M_ _I_ _G_ _A_

This interview permits students to personalize the language learned.

Entrevista *Not recorded*

¿Quién eres? • ¿Eres alto(a) o bajo(a)? • ¿Eres guapo(a)? • ¿Eres americano(a) o cubano(a)?

variety of activities based on the illustration
an take place: 1. Ask questions concerning the
llustration.
. Have students
sk you
uestions based
n the
llustration.
. Have more
ble students
ell a story
bout the
llustra-
ion.

. Some
tudents
an
rite

hort
omposi-
ion about
he
llustration.

Resumen oral

11

BASES

Present vocabulary first with books closed. Present one word at a time and build to a complete utterance. Ask questions about each sentence.

1. Son Felipe y Tomás.
   Felipe y Tomás son muchachos.
   Son hermanos.
   Es una escuela.
   Felipe y Tomás son alumnos.
   Son alumnos en la escuela
      secundaria.
   Ellos son americanos.

2. Son Juana y Carolina.
   Juana y Carolina son muchachas.
   Son hermanas.
   Las muchachas son alumnas.
   Son alumnas en la Escuela
      Nacional.
   Ellas son mexicanas.

PRÁCTICA

A. Answer each question based on the model sentence.

This lesson introduces the plural interrogative ¿quiénes?

1. Felipe y Tomás son alumnos.
   ¿Son alumnos Felipe y Tomás? Sí
   ¿Quiénes son alumnos? Felipe y Tomás
   ¿Qué son Felipe y Tomás? alumnos

Have students answer first with a complete sentence. Repeat exercise and have them answer with the appropriate word or expression only.

2. Las muchachas son mexicanas.
   ¿Son mexicanas las muchachas? Sí
   ¿Quiénes son mexicanas? Las muchachas
   ¿Qué son las muchachas? mexicanas

3. Los dos hermanos son altos.
   ¿Son altos los dos hermanos? Sí
   ¿Quiénes son altos? Los dos hermanos
   ¿Cómo son los dos hermanos? altos

Not recorded

B. Complete each sentence with an appropriate word. *Note that some answers can vary.*

1. Felipe y Tomás son _____. alumnos (hermanos, muchachos, americanos)
2. Felipe es el _____ de Tomás. hermano
3. Los dos muchachos son _____ en la escuela secundaria. alumnos
4. Ellos no son mexicanos. Son _____. americanos
5. Juana y Carolina son _____. alumnas (hermanas, muchachas, americanas)
6. Juana es la _____ de Carolina. hermana
7. Ellas también son alumnas en la _____ secundaria. escuela
8. Las muchachas no son americanas. Son _____. mexicanas

C. Give the opposite of each of the following words. *Not recorded*

1. alto   bajo
2. bonita   fea
3. feo   guapo, bonito
4. las muchachas   los
5. el hermano   muchachos

la hermana

dos alumnos, España

This lesson presents the plural of structure concepts introduced in Lesson 1.
Avoid teaching additional nouns and adjectives that are either irregular, end
in -e, or end in a consonant. This confuses the basic concept of -o, -o; -a,
-a; -os, -os; -as, -as.

ESTRUCTURAS

el verbo <u>ser</u>

Keep pace lively and fast for drills. All drills should be presented orally and read only after students are quite familiar with them.

adjetivos en <u>-o, -a</u>

formas plurales

ellos, ellas

A. Repitan.
Martín y David son muchachos.
Los dos muchachos son amigos.
Sarita y Susana son hermanas.
Las dos muchachas son americanas.

B. Contesten. *All answers are with son.*
¿Son amigos Juan y Carlos?
¿Quiénes son amigos?
¿Son guapos los dos muchachos?
¿Son alumnos?
¿Son altos Tomás y José?
¿Son bajos Roberto y Eduardo?
¿Quiénes son bajos?

¿Son hermanas las dos muchachas?
¿Son bonitas las hermanas?
¿Son amigas Elena y Luisa?
¿Son alumnas?
¿Son altas Rosita y Bárbara?
¿Quiénes son altas?
¿Son mexicanas Carmen y María?
¿Qué son Carmen y María?

nosotros, nosotras *When first presenting nosotros(as), have students point to themselves and a friend.*

C. Repitan.
Nosotros somos amigos.
No somos hermanos.
Nosotras somos alumnas.
Y somos hermanas.

D. Contesten. *All answers are with somos.*
¿Quiénes son Uds.?
¿Son Uds. amigos?
¿Son Uds. hermanos?
¿Son Uds. alumnos?
¿Son Uds. altos o bajos?
¿Son Uds. americanos o cubanos?
¿Qué son Uds.?

¿Quiénes son Uds.?
¿Son Uds. amigas?
¿Son Uds. hermanas?
¿Son Uds. alumnas?
¿Son Uds. altas o bajas?
¿Son Uds. americanas o mexicanas?
¿Qué son Uds.?

Uds.

E. Repitan.
¿Son Uds. hermanos?
¿Son Uds. americanos?
¿Son Uds. amigas?
¿Son Uds. alumnas?

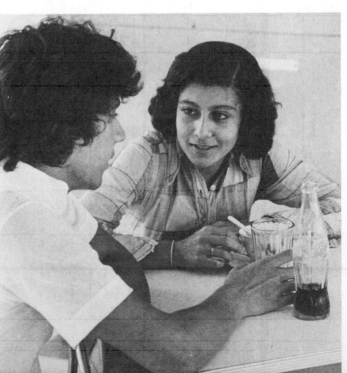

Carmen y Paco son alumnos.

F. Sigan las instrucciones.

Pregúnteles a los muchachos si son hermanos.
Pregúnteles a los muchachos si son amigos.
Pregúnteles a los muchachos si son alumnos.
Pregúnteles a los muchachos si son guapos.
Pregúnteles a los muchachos si son mexicanos.
Pregúnteles a las muchachas si son hermanas.
Pregúnteles a las muchachas si son amigas.
Pregúnteles a las muchachas si son bonitas.
Pregúnteles a las muchachas si son americanas.

All questions are with ¿Son Uds. __?

At first, students find guided conversation drills difficult. Go over drill supplying answers until students understand what is expected.

Not recorded ——— Reglas ———

Study the following plural forms of the verb *ser*.

Nosotros somos amigos.
Nosotras somos amigas.
Juan y Roberto son hermanos.
María y Teresa son hermanas.
Uds. son americanos(as).

Have students point to the conjugated form of the verb ser.

The *nosotros(as)* form is referred to as the first-person plural form. The *ellos, ellas,* and *Uds.* form is referred to as the third-person plural form.

The masculine definite article *el* becomes *los* in the plural. The feminine definite article *la* becomes *las.*

singular	plural
el hermano	los hermanos
el amigo	los amigos
la hermana	las hermanas
la amiga	las amigas

Have students point to the definite article. Ask them what the definite article is in an English sentence.

The masculine plural form is used when referring to a group that includes both sexes. Therefore *los hermanos* can mean "brothers" and "sisters," and *los amigos* can mean "boyfriends and girlfriends."

When an adjective describes a plural noun or more than one noun, that adjective must be plural. Study the following.

plural adjective

Claudio y Alberto son guapos.
Los dos muchachos altos son hermanos.
María y Alicia son bonitas.
Las dos muchachas altas son hermanas.

16

APLICACIÓN ESCRITA

G. Complete each sentence with the correct form of the verb *ser*.
1. Carlos y Juan _son_ amigos.
2. Nosotros _somos_ cubanos.
3. Uds. _son_ guapos.
4. Nosotras _somos_ americanas.
5. Las dos muchachas _son_ hermanas.
6. ¿ _Son_ Uds. americanos?
7. Uds. _son_ alumnos, ¿no?
8. Sí, nosotros _somos_ alumnos.

H. Rewrite each sentence in the plural.   Make all necessary changes.
1. La muchacha es bonita.   Las muchachas son bonitas.
2. El muchacho es guapo. Los muchachos son guapos.
3. El amigo es alto.   Los amigos son altos.
4. La hermana es alta.   Las hermanas son altas.
5. El muchacho es cubano. Los muchachos son cubanos.
6. La amiga es mexicana.   Las amigas son mexicanas.

I. Write as many sentences as you can about each photograph.
   Accept any correct and meaningful answers.

See suggestions on page 6.

los pronombres <u>ellos</u>, <u>ellas</u>

A. Repitan.

Los dos muchachos son guapos.
Ellos son guapos.
Las dos muchachas son bonitas.
Ellas son bonitas.

B. Contesten según el modelo.

¿Son americanas Carmen y María?
Sí, ellas son americanas.

¿Son hermanas María y Luisa? ellas
¿Son hermanos José y Luis? ellos
¿Son alumnos los muchachos? ellos
¿Son alumnas las muchachas? ellas
¿Son amigos Carlos y Ana? ellos
¿Son amigas Bárbara y Rosa? ellas

Not recorded

Reglas

The subject pronoun that replaces a masculine plural noun is *ellos*. The subject pronoun that replaces a feminine plural noun is *ellas*. These subject pronouns can be expressed or omitted in Spanish. Note that *ellos* is used in referring to mixed groups of boys and girls.

Los muchachos son americanos.
Ellos son americanos.
Son americanos.
Las dos muchachas son hermanas.
Ellas son hermanas.
Son hermanas.
Juana y Tomás son amigos.
Ellos son amigos.
Son amigos.

Ask students to point out the nouns replaced by ellos *or* ellas *in these sentences.*

una escuela en San Juan, Puerto Rico

las amigas

Not recorded

APLICACIÓN ESCRITA

C. Rewrite each sentence, substituting *ellos* or *ellas* for the subject.
1. Eduardo y Víctor son hermanos. `Ellos son hermanos.`
2. Las dos muchachas son alumnas. `Ellas son alumnas.`
3. Susana y Ricardo son cubanos. `Ellos son cubanos.`
4. María y Carmen son altas. `Ellas son altas.`
5. Las muchachas son americanas. `Ellas son americanas.`

posesión con de

A. Repitan.
María es la hermana de Carlos.
Juan es el amigo de Carlos.

B. Contesten.
¿Es María la amiga de Teresa?
¿Es Elena la hermana de Bárbara?
¿Es Carmen la amiga de Paco?

¿Es Teresa la hermana de José?
¿Es Carlos el amigo de José?
¿Es Tomás el hermano de Roberto?
¿Es Pepe el amigo de Elena?
¿Es Eduardo el hermano de Carmen?
¿De quién es Teresa la amiga?
¿De quién es Juan el hermano?

19

— Reglas —

In English the possessive is expressed by 's (Linda's brother).   In Spanish a prepositional phrase with *de* is used.

prepositional phrase

el amigo de Carmen
la hermana de Pepe

APLICACIÓN ESCRITA

Not recorded

C. Complete each sentence with the appropriate words.
1. Juan es __el__ amigo __de__ Bárbara.
2. María es __la__ hermana __de__ Carlos.
3. Alicia y Juan son __los__ amigos __de__ Enrique.
4. Tomás es __el__ hermano __de__ Teresa.
5. Carmen y Pepita son __las__ hermanas __de__ Rafael.
6. Rafael es __el__ amigo __de__ Elena.

un grupo de amigos, Puerto Rico

IMPROVISACIONES

Have students dramatize content of cartoon as if it were a conversation.

As a fun activity, have students improvise and substitute other adjectives they have learned.

PREGUNTAS

1. ¿Son altos los dos muchachos?
2. ¿Quiénes son los muchachos?
3. ¿Son americanos o cubanos ellos?
4. ¿Son ellos alumnos?

Have students take great care to pronounce vowels carefully. Special attention should be given to unstressed vowels to assure that they are not anglicized. You may wish to use this as a spelling lesson or a dictation when you have finished the pronunciation practice.

SÍMBOLOS

a	e	i	o	u
amigo	Elena	Inés	o	uno
amiga	feo	sí	no	cubano
americana	de	amigo	Paco	muchacho

Have class repeat each sentence after you in unison. At end of each paragraph, ask questions. Read a second time.
Call on individuals to read aloud.
Correct pronunciation errors. Ask questions after each sentence.

ESCENAS
Los amigos

Underlined words reinforce the structure concepts presented in this lesson.

Roberto y José son dos muchachos. Roberto es americano y José es mexicano. Los dos muchachos son amigos. Ellos son alumnos en la Escuela Nacional.

Carmen y Elena son dos muchachas. Ellas también son alumnas en la Escuela Nacional. Elena es americana y Carmen es cubana. Las dos muchachas son amigas de Roberto y José.

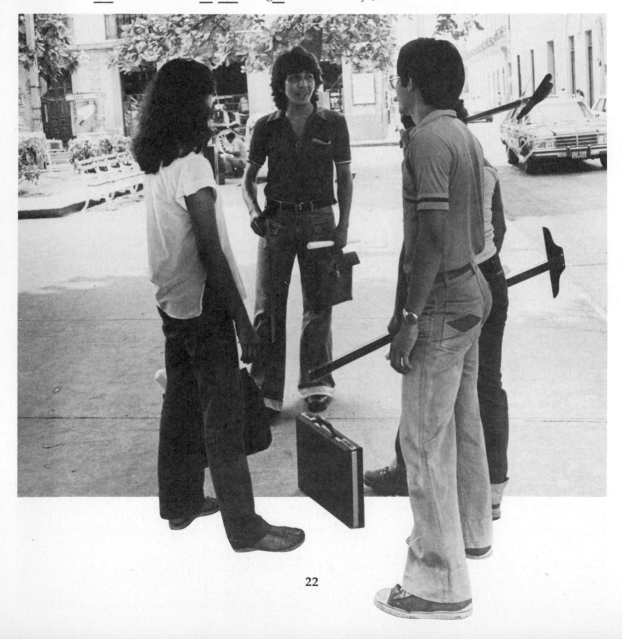

1. ¿Quiénes son dos muchachos?
2. ¿Es americano Roberto?
3. ¿Qué es José?
4. ¿Son amigos los dos muchachos?
5. ¿Son ellos alumnos?
6. ¿Quiénes son dos muchachas?
7. ¿Qué son ellas?
8. ¿Quién es americana?
9. ¿Qué es Carmen?
10. ¿De quiénes son amigas las dos muchachas?

Not recorded

Composición

Rewrite the following paragraph, changing *Inés* to *Inés y Elena*.

Inés es una muchacha.   Ella no es fea.   Es bonita.   Inés es alta, no baja.
Ella es la amiga de Roberto.   Es la hermana de Carlos.

Inés y Elena son muchachas.   Ellas no son feas.   Son bonitas.
Inés y Elena son altas, no bajas.   Ellas son (las) amigas de Roberto.
Son las hermanas de Carlos.

un grupo de alumnos, México

Pasatiempo

In each one of these groups of words, there is
one word that does not belong. Which one is it?

1. cubano, muchacho, americano, mexicano   muchacho

2. alta, baja, hola, bonita, fea   hola

3. hermano, escuela, alumna, secundaria   hermano

4. ¿qué? ¿quién? nosotros ¿cómo?   nosotros

5. muchacho, alumno, hermana, amigo   hermana

Resumen oral: *In better groups, call on individuals to give
an oral review based on illustration. In slower groups, ask
questions about illustration to aid students in development
of oral review. Have students role play and talk about
themselves and a friend. Have them play the part of various
characters in the illustration.*

Entrevista Not recorded

¿Quién eres? • ¿Eres amigo(a) de David? • ¿Son
guapos tú y David? • ¿Son Uds. americanos o
cubanos? • ¿Son Uds. alumnos? • ¿En qué escuela
son Uds. alumnos?

*Have students give correct
information and name their
own school.*

Resumen oral

BASES

La alumna es americana

For initial presentation of vocabulary, show the filmstrip. Point to each individual item and have students repeat only the name of the item to which you are pointing. Refer to the teacher commentary insert in this Teacher's Edition for detailed suggestions.

1. Daniel es un alumno.
Estudia español.
Estudia español en la escuela.
Estudia mucho.
Estudia inglés también.

Ask questions:
¿Es una alumna Adela?
¿Quién es una alumna?
¿Qué es Adela?
¿Habla español ella?
¿Qué habla?
¿Habla bien?
¿Cómo habla?
¿Habla Adela con la profesora?
¿Con quién habla?
etc.

2. Adela es una alumna.
Ella habla español.
Habla muy bien.
Habla con la profesora.
La profesora enseña.

La alumna es americana

← Las amigas hablan por teléfono.

27

3. Es la familia de Adela.
Adela mira la televisión.
Mira la televisión con la familia.
Mira la televisión en la sala.
Mira la televisión en casa.

4. Es el teléfono.
Tomás habla.
Tomás habla por teléfono.

This lesson introduces the interrogative word ¿dónde?
Have students answer Exercise A first with a complete sentence. Repeat the exercise and have
them answer with the
appropriate word or expression only.

PRÁCTICA

A. Answer each question based on the model sentence.

1. Daniel estudia español en la escuela.
   ¿Quién estudia español? Daniel
   ¿Qué estudia Daniel? español
   ¿Dónde estudia Daniel español? en la escuela

2. Adela habla español con la profesora en la escuela.
   ¿Quién habla español? Adela
   ¿Qué habla Adela? español
   ¿Con quién habla Adela español? con la profesora
   ¿Dónde habla español Adela? en la escuela

3. Adela mira la televisión en la sala con la familia.
   ¿Quién mira la televisión? Adela
   ¿Qué mira Adela? la televisión
   ¿Con quién mira Adela la televisión? con la familia
   ¿Dónde mira Adela la televisión? en la sala

4. Tomás habla por teléfono en la sala con un amigo.
   ¿Quién habla por teléfono? Tomás
   ¿Dónde habla Tomás por teléfono? en la sala
   ¿Con quién habla Tomás por teléfono? con un
   amigo

B. Form a question according to the model. Not recorded

   Carlos mira la televisión *en la sala.*
   ¿Dónde mira Carlos la televisión?

1. Ella habla *en la escuela.* ¿Dónde ___?
2. Ella habla *muy bien.* ¿Cómo ___?
3. *Martín* estudia inglés. ¿Quién ___?
4. Teresa mira *la televisión* con la familia. ¿Qué ___?
5. *Tomás* habla por teléfono. ¿Quién ___?
6. *La profesora* enseña. ¿Quién ___?
7. La profesora enseña *en la escuela.* ¿Dónde ___?
8. La profesora enseña *español.* ¿Qué ___?

C. Complete each sentence with an appropriate word. Not recorded
1. El alumno _____ y la profesora _____. estudia, enseña
2. El muchacho estudia en la _____. escuela
3. La familia mira la _____. televisión
4. La muchacha habla _____ con la profesora. español
5. La _____ de Teresa mira la televisión. familia
6. Ella mira la televisión en la _____. sala
7. El muchacho habla muy _____ el español. bien
8. Carmen habla por _____. teléfono

INFORME ESCOLAR
ESCUELAS SECUNDARIAS CATOLICAS

Ana María Delgado
NOMBRE DEL ALUMNO

Colegio del Sagrado Corazón
NOMBRE DEL COLEGIO

Puebla nueva
PUEBLO

19 80 19 81
GRADO 11

		1	2	Pr.	1	2	Pr.
EDUCACION EN LA FE							
ESPAÑOL	III	III					
INGLES	III		95				
ALGEBRA			85				
MATEMATICA GENERAL			90				
GEOMETRIA							
ALGEBRA II							
TRIGONOMETRIA							
MATEMATICA AVANZADA			93				
HISTORIA GENERAL I							
HISTORIA GENERAL II							
HISTORIA DE PUERTO RICO							
HISTORIA DE ESTADOS UNIDOS			87				
IPS			85				
ESCP							
BIOLOGIA							
QUIMICA							
FISICA							
			97				

INDICE	
AUSENCIAS	
TARDANZAS	90
CONDUCTA	0
	I
	A

ESTRUCTURAS

los verbos en –ar

formas singulares

él, ella

Drills with él, ella should move quickly since students are already familiar with verb forms from presentation of vocabulary.

A. Repitan.
Julia mira la televisión.
Miguel habla por teléfono.
Teresa estudia mucho.

¿Estudia mucho el muchacho?

B. Contesten. *All answers are*
¿Mira María la televisión? *with –a.*
¿Mira Carlos la televisión?
¿Mira el muchacho la televisión?
¿Mira la muchacha la televisión?
¿Mira ella la televisión?
¿Mira él la televisión? *Keep pace*
¿Habla Elena? *rapid. Call on*
¿Habla Elena español? *individuals*
¿Habla inglés el muchacho? *at random.*
¿Habla la muchacha con la profesora?
¿Estudia el alumno?
¿Estudia la alumna?
¿Estudia Víctor español?
¿Estudia Teresa inglés?
¿Estudia en la escuela?
¿Dónde estudia?

yo *Have class repeat several times. Isolate the –o*
C. Repitan. *sound as the students*
Yo miro la televisión. *point to*
Hablo español. *themselves.*
Estudio mucho.

D. Contesten. *All answers are*
¿Miras la televisión? *with –o.*
¿Miras la televisión en la sala?
¿Miras la televisión con la familia?
¿Qué miras?
¿Dónde miras la televisión?
¿Hablas inglés?
¿Hablas inglés con la familia?
¿Hablas español?
¿Hablas español con la profesora?
¿Con quién hablas español?
¿Hablas por teléfono?
¿Hablas por teléfono con una amiga?
¿Estudias?
¿Estudias mucho?
¿Estudias en la escuela?
¿Dónde estudias?
Drills can be done a second time with books open for reinforcement.

tú Have students look at a classmate as they say -as.

E. Repitan.

¿Miras (tú) la televisión?
¿Hablas por teléfono?
¿Estudias mucho?

F. Sigan el modelo. *All statements are with -as.*

Yo hablo español.
Y tú también hablas español.

Yo miro la televisión.
Yo estudio inglés.
Yo hablo por teléfono.
Yo estudio mucho.
Yo hablo con Carmen.

All questions are with -as.

G. Sigan las instrucciones.
Pregúntele a una muchacha si mira la televisión.
Pregúntele a un muchacho si mira la televisión en la sala.
Pregúntele a una muchacha si estudia.
Pregúntele a un muchacho si habla por teléfono.
Pregúntele a una muchacha si habla con un amigo.

El profesor habla con la alumna, El Salvador.

Not recorded

Reglas

Many verbs, or action words, in Spanish belong to a family, or conjugation. The first-conjugation verbs are referred to as the *–ar* verbs because one important form, the infinitive (*hablar, mirar*), ends in *–ar*. Note that Spanish verbs change endings according to the subject. Study the following singular forms.

	mirar	**hablar**	**estudiar**
yo	miro	hablo	estudio
tú	miras	hablas	estudias
él, ella	mira	habla	estudia

As you explain, write verbs on board and underline endings.

Read the following. *Write paragraph on board and have students find the verb endings.*

Ahora yo miro la televisión. Tú no miras la televisión. Tú estudias. Y Elena habla con un amigo.

What verb ending is used when you speak about yourself? *-o* What ending is used when you speak to a friend? *-as* And what ending is used when you speak about someone else? *-a*

GAMES: 1. Have students make up false statements about the photograph above. Other students can correct false **31** statements. 2. Have students make up as many questions as they can about the photograph.

APLICACIÓN ESCRITA

H. Complete each sentence with the correct verb ending.

1. Isabel mir_a_ la televisión.
2. Yo habl_o_ por teléfono.
3. ¿Habl_as_ tú español?
4. La profesora enseñ_a_.
5. Yo estudi_o_ mucho.
6. Jaime estudi_a_ mucho también.
7. La profesora habl_a_ con el alumno.
8. Tú estudi_as_ español, ¿no?
9. Yo habl_o_ español.
10. Él mir_a_ la televisión en la sala.

Additional writing exercises are found in the accompanying Cuaderno de ejercicios.

Exercises can be assigned for homework.

El profesor enseña la clase.

I. Complete each sentence based on the illustration.

1. Elena <u>mira la televisión</u>
   Yo <u>miro la televisión</u>.
   Tú <u>miras la televisión</u>

2. El muchacho <u>estudia</u>.
   Tú <u>estudias</u>.
   Yo <u>estudio</u>.

3. Marlena <u>habla por teléfono</u>
   Yo <u>hablo por teléfono</u>.
   Tú <u>hablas por teléfono</u>

J. Write each sentence in the negative according to the model.

Cristina habla por teléfono.
Cristina no habla por teléfono.

1. Hablo inglés.
2. Elena mira la televisión en la escuela.
3. Tú estudias mucho.
4. La profesora habla por teléfono.
5. El alumno habla con la profesora en la sala.

1. No hablo inglés. 2. Elena no mira
la televisión en la escuela. 3. Tú
Ud. no estudias mucho. 4. La profesora
no habla por teléfono. 5. El alumno
no habla con la profesora

A. Repitan.
¿Mira Ud. la televisión, señor López? en la sala
¿Habla Ud. inglés, señorita Gómez?
¿Estudia Ud., señora Iglesias?
                            All questions are

B. Sigan las instrucciones. *with* –a Ud.?
Pregúntele al señor si mira la televisión.
Pregúntele a la señorita si mira la televisión.
Pregúntele a la señora si habla inglés.
Pregúntele al señor si habla por teléfono.
Pregúntele a la señorita si enseña.

una clase de español, Dallas, Texas

33

In Spanish there are two ways to express "you." When addressing a friend, relative, or person of the same age, you would use *tú*. However, when speaking to an adult or a person whom you do not know very well, it is necessary to use the formal *usted*, which is commonly abbreviated *Ud.* Note that the ending for the *Ud.* form of *–ar* verbs is *–a*.

Ud. mira   Ud. habla   Ud. estudia   Ud. enseña   *Not recorded*

Not recorded **APLICACIÓN ESCRITA**

C. **Follow the model.**

Juanito, ¿hablas español?
Señora Gómez, ¿habla Ud. español?

1. Juanito, ¿miras la televisión? Señora Gómez, ¿mira Ud. la televisión?
2. Juanito, ¿estudias español? Señora Gómez, ¿estudia Ud. español?
3. Juanito, ¿hablas inglés? Señora Gómez, ¿habla Ud. inglés?
4. Juanito, ¿enseñas? Señora Gómez, ¿enseña Ud.?

¿Qué mira la señora?

34

IMPROVISACIONES

Hablas muy bien.

For review, have students describe people in photograph using vocabulary from Lessons 1 and 2.

Elena   Daniel, ¿dónde <u>estudias</u> español?

Daniel   <u>Estudio</u> español en la Escuela _____.

Elena   ¿Quién es el (la) profesor(a)?

Daniel   Es _____.

Elena   Tú <u>hablas</u> muy bien.

Daniel   Pues, gracias. Eres muy simpática.

Elena   No, amigo.   Es verdad.   <u>Hablas</u> bien.

Daniel   Sí, <u>hablo</u> un poco.   No mucho.

Underscore indicates this lesson's structure concepts.

PREGUNTAS

1. ¿Estudia Daniel español?
2. ¿Dónde estudia español?
3. ¿Quién es el (la) profesor(a)?
4. ¿Habla muy bien?
5. ¿Con quién habla Daniel?
6. ¿Es simpática Elena?
7. ¿Habla Daniel mucho o poco español?

Have students give the name of their own school and your name.

As you present conversation, ask questions about each line. This permits students to use the language of the conversation and lessens the amount of repetition.

Es verdad is new. Tell students No es falso. For un poco, gesture "a small amount" with your thumb and index finger.

ESCENAS
En casa de María Julia

María Julia es una muchacha. Ella es muy simpática. Ella es alumna en la Escuela Austin. En la escuela <u>estudia</u> español. <u>Habla</u> mucho con la señora Ureña. La señora Ureña es la profesora de español.

De noche, María <u>estudia</u> en casa. Y también <u>mira</u> la televisión. <u>Mira</u> la televisión en la sala con la familia. Y <u>habla</u> por teléfono. ¿Con quién <u>habla</u>? Ella <u>habla</u> con Nando. Nando es un amigo de la escuela. Ella <u>habla</u> español con Nando. Él es cubano. Ella <u>practica</u> el español con Nando.

Underscore indicates the structure concepts presented in this lesson.

36

De noche   At night

GAME: Have students play a guessing game based on the photograph. ¿Con quién habla? ¿Con un amigo, una amiga, un hermano, el profesor, la profesora? ¿Qué habla? ¿Español? ¿Inglés?

PREGUNTAS Not recorded

Answers to questions can also be written at home.

1. ¿Quién es una muchacha?
2. ¿Es simpática ella?
3. ¿Dónde es alumna ella?
4. ¿Qué estudia en la escuela?
5. ¿Con quién habla mucho?
6. ¿Quién es la profesora de español?
7. ¿Dónde estudia María Julia de noche?
8. ¿Dónde mira la televisión?
9. ¿Con quién mira la televisión?
10. ¿Con quién habla por teléfono?
11. ¿Quién es Nando?
12. ¿Habla ella español o inglés con Nando?
13. ¿Qué es Nando?
14. ¿Qué practica María Julia con Nando?

Not recorded

Composición

Answer the following questions to form a paragraph.

¿Es Teresa una muchacha?

¿Es alumna ella?

¿Estudia español en la escuela?

¿Habla español con la profesora?

¿Quién es la profesora?

¿Es simpática ella?

De noche, ¿estudia Teresa en casa?

¿Mira ella la televisión también?

¿Mira la televisión con la familia o con un(a) amigo(a)?

La profesora enseña inglés, San Juan.

PERSPECTIVAS

Pasatiempo

In the following crucigram, there are eight Spanish words related to school. On a separate sheet of paper, write the letters of the crucigram. Then circle each word you can find. The words can go from left to right, from right to left, from the top down, or from the bottom up.

ALUMNO
ESCUELA
ENSEÑAR
ESTUDIA
PROFESOR
INGLÉS
SALA
ALUMNA

```
A  S  A  L  A  B  C  E  H
D  A  L  U  M  N  O  G  F
J  I  E  N  S  E  Ñ  A  R
A  L  U  M  N  A  K  O  M
P  L  C  I  N  G  L  É  S
R  O  S  E  F  O  R  P  N
R  Q  E  S  T  U  D  I  A
```

Entrevista Not recorded

¿Quién eres? • ¿De qué nacionalidad eres? • ¿Hablas inglés? • ¿Eres alumno(a)? • ¿Estudias español? • ¿Dónde estudias español? • ¿En qué escuela estudias? • ¿Quién es el (la) profesor(a) de español? • ¿Es simpático(a)? • ¿Miras la televisión? • ¿Dónde miras la televisión? • ¿Con quién miras la televisión? • ¿Hablas mucho por teléfono? • ¿Con quién hablas por teléfono?

Students should provide real answers about themselves.

Resumen oral

ACTIVITY: Give students three minutes to write statements about the illustration. The person who writes the most statements wins.

BASES

4

1. Es el verano.
Hace calor.
Hay sol.
Hace buen tiempo.

← Viña del Mar, Chile: mar y playa

As you present each utterance, ask questions: ¿Es la playa? ¿Qué es? ¿Nadan Carlos y Anita? ¿Quiénes nadan? ¿Nadan en el mar? ¿Dónde nadan?

2. Es la playa.
Es el mar.
Carlos y Anita nadan.
Ellos nadan en el mar.
Elena y Tomás no nadan.
Ellos toman el sol.

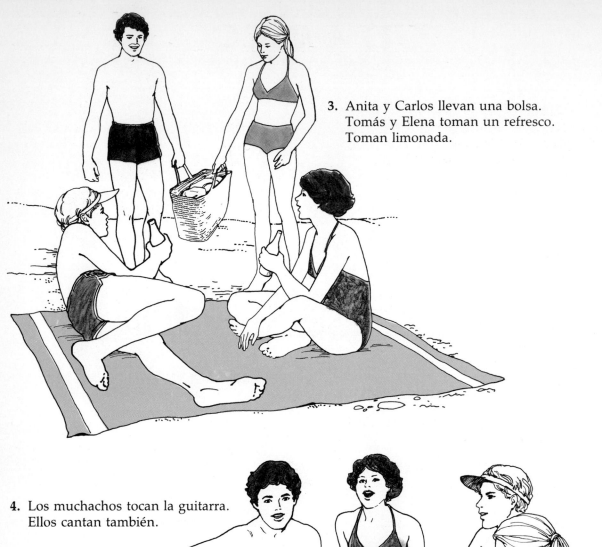

3. Anita y Carlos llevan una bolsa.
   Tomás y Elena toman un refresco.
   Toman limonada.

4. Los muchachos tocan la guitarra.
   Ellos cantan también.

42

PRÁCTICA

A. Answer each question based on the model sentence.

1. Ellos nadan en el mar en el verano.
   ¿Nadan ellos? Sí
   ¿Nadan ellos en el mar? Sí
   ¿Dónde nadan ellos? en el mar
   ¿Nadan ellos en el verano? Sí
   ¿Cuándo nadan ellos? en el verano

2. Los muchachos toman el sol en la playa.
   ¿Toman los muchachos el sol? Sí
   ¿Quiénes toman el sol? Los muchachos
   ¿Qué toman los muchachos? el sol
   ¿Dónde toman ellos el sol? en la playa

3. Hace buen tiempo en el verano.
   ¿Hace buen tiempo? Sí
   ¿Qué tiempo hace? buen tiempo
   ¿Hace buen tiempo en el verano? Sí
   ¿Cuándo hace buen tiempo? en el verano

4. Anita y Carlos llevan los refrescos en la bolsa.
   ¿Llevan los refrescos Anita y Carlos? Sí
   ¿Quiénes llevan los refrescos? Anita y Carlos
   ¿Llevan los refrescos en la bolsa? Sí
   ¿Qué llevan en la bolsa? los refrescos
   ¿En qué llevan los refrescos? en la bolsa

5. Los muchachos tocan la guitarra en la playa.
   ¿Tocan la guitarra los muchachos? Sí
   ¿Qué tocan los muchachos? la guitarra
   ¿Quiénes tocan la guitarra? Los muchachos
   ¿Tocan ellos la guitarra en la playa? Sí
   ¿Dónde tocan ellos la guitarra? en la playa

B. Form a question according to the model. *Not recorded*

Hace buen tiempo *en el verano*.
¿Cuándo hace buen tiempo?

1. Ellas nadan *en el verano*. ¿Cuándo __?
2. Ellos toman el sol *en la playa*. ¿Dónde __?
3. Los muchachos cantan *de noche*. ¿Cuándo __?
4. *Carlos y María* toman un refresco. ¿Quiénes __?
5. Las muchachas llevan *la bolsa*. ¿Qué __?

43

C. Complete each sentence based on the illustration.

1. Hay _____ en el verano.   sol

2. Ellos _____ el sol.   toman

3. Carlos y Elena _____ en el mar.   nadan

4. Ellas no tocan la _____. _____ la guitarra.

guitarra,
llevan

5. Los amigos _____ de noche.   cantan

Los amigos nadan.

ESTRUCTURAS

los verbos en —ar

To animate the drills, dramatize many of the verbs quickly as you ask questions.

formas plurales

ellos, ellas

A. Repitan.
Los hermanos cantan.
Las amigas nadan.
Ellos hablan.

La alumna de Pablo Casals toca el violoncelo.

B. Contesten. *All answers are with —an.*
¿Nadan Carmen y Tomás?
¿Nadan ellos en el mar?
¿Toman refrescos los amigos?
¿Toman un refresco en la playa?
¿Dónde toman ellos un refresco?
¿Tocan las muchachas la guitarra?
¿Cantan ellas también?
¿Hablan español los amigos?
¿Hablan los alumnos español en la escuela?
¿Miran Isabel y Pablo la televisión?
¿Miran la televisión en casa?
¿Estudian los alumnos?
¿Estudian inglés?
¿Qué estudian?

nosotros, nosotras

When presenting nosotros(as), ask students what they say when they talk about themselves and another person.

C. Repitan.
Nosotros nadamos en el mar.
Cantamos bien.
Nosotras hablamos español.

D. Contesten. *All answers are with —amos.*
¿Nadan Uds.?
¿Nadan Uds. mucho?
¿Nadan Uds. en el verano?
¿Toman Uds. el sol?
¿Toman Uds. el sol en la playa?
¿Dónde toman Uds. el sol?
¿Cantan Uds.?
¿Cantan Uds. en la escuela?
¿Llevan Uds. una bolsa?
¿Llevan Uds. una bolsa a la playa?
¿Qué llevan Uds.?
¿Miran tú y Juan la televisión?
¿Miran Uds. la televisión con la familia?
¿Hablan Uds. inglés?
¿Estudian Uds. español?
¿Qué estudian Uds.?

As students answer, have them point to a neighbor and themselves.

Uds.

E. Repitan.

Uds. hablan bien.
Uds. llevan la guitarra.
Uds. toman el sol.

F. Sigan el modelo.

Cantamos.
Y Uds. cantan también.

Nadamos. Uds. nadan
Llevamos la bolsa. Uds. llevan
Tocamos la guitarra. Uds. tocan
Hablamos español. Uds. hablan
Tomamos un refresco. Uds. toman
Miramos la televisión. Uds. miran
Estudiamos español. Uds.
estudian

Las amigas cantan y tocan la guitarra, Salamanca, España.

Not recorded

─ Reglas ─

Study the following plural forms of regular first-conjugation verbs.

	hablar	cantar	tomar
nosotros, nosotras	hablamos	cantamos	tomamos
ellos, ellas, Uds.	hablan	cantan	toman

Note that, except in Spain, in the plural there is no difference between the familiar and the formal "you." In Spain the familiar plural "you" is *vosotros*.

	hablar	cantar	tomar
vosotros, vosotras	habláis	cantáis	tomáis

You have now learned all the forms of the present tense of regular first-conjugation (or –*ar*) verbs. Review the following.

	hablar	cantar	tomar
yo	hablo	canto	tomo
tú	hablas	cantas	tomas
él, ella, Ud.	habla	canta	toma
nosotros, nosotras	hablamos	cantamos	tomamos
vosotros, vosotras	habláis	cantáis	tomáis
ellos, ellas, Uds.	hablan	cantan	toman

APLICACIÓN ESCRITA

G. Complete each sentence with the correct form of the italicized verb.
1. Ellos _____ el sol. *tomar* toman
2. Nosotras _____ en el verano. *nadar* nadamos
3. ¿_____ Uds. un refresco? *Tomar* Toman
4. Luisa y Tomás _____ la guitarra. *tocar* tocan
5. Nosotros _____ bien. *cantar* cantamos
6. Los hermanos _____ la bolsa. *llevar* llevan
7. Nosotros _____ español. *estudiar* estudiamos
8. Uds. _____ mucho por teléfono. *hablar* hablan
9. Las muchachas _____ la televisión. *mirar* miran
10. Uds. _____ bien. *cantar* cantan

H. Rewrite each sentence in the plural.
1. Yo nado en el mar. Nosotros nadamos en el mar.
2. El muchacho toca la guitarra. Los muchachos tocan la guitarra.
3. La muchacha toma el sol. Las muchachas toman el sol.
4. Yo hablo español. Nosotros hablamos español.
5. Ud. estudia mucho. Uds. estudian mucho.

Viña del Mar: Playa Recreo

IMPROVISACIONES

¡A la playa!

Underscore indicates the structure concepts presented in this lesson.

Ana y Paco	¡A la playa!
Bárbara	Buena idea. Hace calor.
Paco	¿Por qué no llevan Uds. la guitarra?
Bárbara	Sí, Carlos y yo llevamos la guitarra. Y Uds. la bolsa.
	(*en la playa*)
Bárbara	¿Nadan Uds. ahora?
Paco	Ahora, no. Después, sí.
Bárbara	OK. Nosotros nadamos ahora y Uds. toman el sol y guardan la bolsa.

Después is new. Tell students no ahora--después or draw clocks on the board.

Dramatize meaning of guardan.

PREGUNTAS

1. ¿Qué tiempo hace?
2. ¿Llevan la guitarra Bárbara y Carlos?
3. ¿Llevan ellos la guitarra a la playa?
4. ¿Qué llevan Paco y Ana?
5. ¿Nadan ahora Bárbara y Carlos?
6. ¿Toman Paco y Ana el sol?

Hace calor en el verano en la playa, Chile.

SÍMBOLOS

fa	fe	fi	fo	fu
(famoso)	feo	(fino)	(foto)	(futuro)
familia	fea			
	Felipe			
la	le	li	lo	lu
la	Elena	Lolita	Lolita	(luna)
playa				
ma	me	mi	mo	mu
María	mexicano	amigo	tomo	muchacho
toma	mesa	amiga		muchacha
				mucho

Trabalenguas

Elena no es una muchacha fea.
El amigo de Lolita toma fotos.
La playa Luna es famosa.
La amiga de María es Elena.

Have students repeat sentences carefully with accurate pronunciation. These sentences can also serve as a dictation exercise.

Underlined words indicate the structure concepts presented in this lesson.

ESCENAS
¿A la playa en febrero?

Luis y Gabriela son dos muchachos. Ellos son de Santiago, la capital de Chile. Ellos pasan el mes de febrero en la costa del Pacífico, en Viña del Mar. Hay muchas playas famosas en Viña. Una de las playas es Caleta Abarca. ¿Por qué pasan el mes de febrero en la playa? Porque en febrero hace mucho calor en Chile. Es el verano.

pasan spend
mes month

Luis y Gabriela pasan mucho tiempo en la playa. Toman el sol y nadan en el océano Pacífico. Llevan una bolsa a la playa. En la bolsa llevan refrescos. Toman los refrescos en la playa mientras hablan con los amigos. A veces cantan y tocan la guitarra.

tiempo time

mientras while
A veces Sometimes

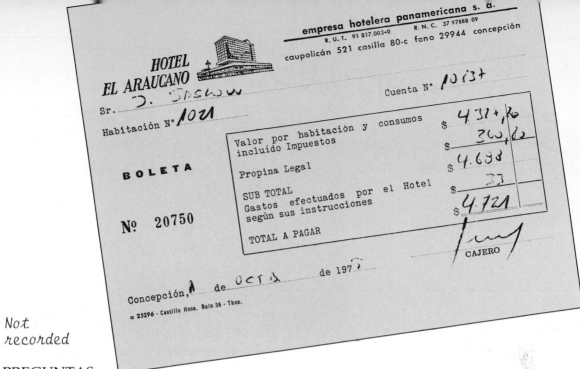

Not
recorded

PREGUNTAS

1. ¿Quiénes son dos muchachos?
2. ¿De dónde son ellos?
3. ¿Qué mes pasan ellos en Viña del Mar?
4. ¿Qué hay en Viña?
5. ¿Qué estación es en febrero en Chile?
6. ¿Pasan Luis y Gabriela mucho tiempo en la playa?
7. ¿Qué toman?
8. ¿Dónde nadan?
9. ¿Qué llevan a la playa?
10. ¿Qué llevan en la bolsa?
11. ¿Dónde toman los refrescos?
12. ¿Con quiénes hablan?
13. ¿Cantan a veces?
14. ¿Qué tocan?

Not recorded

Composición

Answer the following questions in paragraph form.

¿Es el verano?

¿Hay sol?

¿Hace calor?

¿Pasan los amigos mucho tiempo en la playa?

¿Nadan ellos en el mar?

¿Toman el sol?

¿Toca la guitarra Susana?

¿Canta Gerardo?

¿Toman ellos un refresco en la playa?

¿Llevan los refrescos en una bolsa?

PERSPECTIVAS

Pasatiempo

Fill in the missing letter in each word. Then arrange all the letters to reveal the name of a place.

1. H A _Y_

2. S O L _L_

3. V E R _A_ N O

4. _P_ A S A R

5. G U I T _A_ R R A

6. C A L _L_ O R

7. N _A_ D A R

_L_ _A_ _P_ _L_ _A_ _Y_ _A_

Adivinanzas

Not recorded

Gabriela es de Santiago de Chile . . .
Gabriela, ¿es americana o chilena? • ¿Es alumna o profesora? • ¿Estudia o enseña? • ¿Es alta o baja? • ¿Habla español o inglés? • ¿Qué estudia en la escuela?

Entrevista *Not recorded*

¿Quién eres? • ¿De dónde eres? • ¿Qué tiempo hace en el verano? • ¿Pasas mucho tiempo en la playa en el verano? • ¿En qué playa pasas mucho tiempo? • ¿Nadas mucho o poco? • ¿Tomas el sol?

Resumen oral

Have students take the parts of the four teenagers on the blanket. Have them talk about themselves, where they are, what they are doing, and have them ask questions of each other.

As you present the vocabulary with the filmstrip, indicate each individual word and build to the complete utterance. Ask questions about each utterance:

¿Es el mercado?
¿Qué es?
¿Es antiguo el mercado?
¿Cómo es el mercado?

BASES

1. Es el mercado.
El mercado es antiguo.
No es moderno.
Es un mercado al aire libre.
En el mercado hay muchos
   puestos.
Inés va al mercado.
Inés va con María.
Las dos van juntas.

Note that for review purposes, additional -ar verbs are presented in this lesson. They are: comprar, necesitar, pagar, preparar, alquilar, remar.

2. Inés compra salchichas.
Compra también jamón y queso.
María necesita panecillos.
Ella compra muchas cosas.
Compra comida.
Ella lleva una canasta.

3. Es una tienda.
Mario da el dinero a la empleada.
Mario paga.

Present all vocabulary orally.
Once students are familiar with
words, they can read the
sentences in the book.

4. Es un parque.
Los amigos están en el parque.
Los muchachos preparan una
merienda.
Preparan un bocadillo (un
sándwich).

To present alquilan, *say* no compran el barquito, alquilan el barquito. *If there is confusion, give the English equivalent.*

5. En el parque hay un lago.
   Los muchachos alquilan un barquito.
   Reman en el lago.

PRÁCTICA

A. Answer each question with a complete sentence.

1. ¿Es antiguo o moderno el mercado?   antiguo
2. ¿Qué hay en el mercado?   muchos puestos
3. ¿Con quién va Inés al mercado?   con María
4. ¿Qué compra Inés en el mercado?   salchichas, jamón y queso
5. ¿Qué necesita María?   panecillos
6. ¿Qué lleva ella?   una canasta
7. ¿Qué da Mario a la empleada en la tienda?   el dinero
8. ¿Qué preparan los muchachos en el parque?   una merienda / un bocadillo
9. ¿Qué hay en el parque?   un lago
10. ¿Qué alquilan los muchachos?   un barquito
11. ¿Dónde reman ellos?   en el lago

B. Form a question according to the models.

Ellos van *al mercado.*
¿Adónde van ellos?

This lesson introduces the interrogative word ¿adónde?

Ellas van al lago.
¿Quiénes van al lago?

1. Los muchachos van *al parque.* ¿Adónde van los muchachos?
2. Alquilan un barquito *en el parque.* ¿Dónde alquilan un barquito?
3. Inés necesita *panecillos.* ¿Qué necesita Inés?
4. *Ellas* compran pan en el mercado. ¿Quiénes compran pan en el mercado?
5. El mercado es *antiguo.* ¿Cómo es el mercado?

C. Choose the word that does not belong.

1. el bocadillo, los panecillos, <u>el dinero,</u> el jamón, el queso
2. alquilan, compran, <u>reman,</u> pagan
3. <u>la canasta,</u> el lago, el mar, el océano
4. la bolsa, <u>la salchicha,</u> la canasta
5. moderno, antiguo, <u>bajo</u>

D. Identify each number from the drawing.

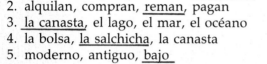

5. la canasta
6. el jamón
7. el queso

1. el mercado
2. el puesto

8. los bocadillos

9. el lago
10. el barquito

3. la tienda
4. el dinero

58

ESTRUCTURAS

los verbos **ir**, **dar**, **estar**

yo *Drills begin with* yo *since this is the only irregular form of these three verbs. Have students point to themselves as they say* yo.

A. Repitan.

Yo voy al mercado.
Yo voy al parque.
Yo doy el sándwich a Juan.
Yo doy el dinero al empleado.
Yo estoy en el mercado.
Yo estoy en la escuela.

B. Contesten.

¿Vas al mercado? Voy
¿Vas al mercado con Carmen? Voy
¿Adónde vas? Voy
¿Con quién vas? Voy con
¿Vas a la playa? Voy
¿Vas a la playa en el verano? Voy
¿Adónde vas? Voy
¿Cuándo vas? Voy
¿Das el dinero a la empleada? Doy
¿Qué das a la empleada? Doy
¿Das la limonada a Nilda? Doy
¿Estás en la playa? Estoy
¿Estás en la playa con María? Estoy
¿Dónde estás? Estoy
¿Con quién estás en la playa? Estoy con
¿Estás en el mercado? Estoy
¿Estás en el mercado con Marisol?
¿Dónde estás? Estoy   Estoy
¿Con quién estás en el mercado?
                          Estoy

las otras formas

After students are familiar

C. Repitan. *with the* yo *form*

Carlos va al mercado. *of the verb,*
Margarita da el queso a Tomás. *you*
La muchacha está en la sala. *can begin the* Improvisaciones.

La señora vende frutas, México.

D. **Contesten.**

¿Va Carlos al mercado?

¿Va Elena al parque?   Va

¿Va el muchacho a la playa?

¿Va el alumno a la escuela?

¿Da Juan el bocadillo a María?

¿Da María el dinero al empleado?   Da

¿Da la muchacha la limonada a Juan?

¿Está en el mercado Eduardo?

¿Está en la playa Elena?

¿Está la empleada en la tienda?

¿Está el alumno en la escuela?   Está

¿Está la sala en la casa?

¿Está la televisión en la sala?

E. **Repitan.**

Los amigos van a la playa.

Ellas dan el dinero al empleado.

Ellos están en el parque.

Go over drills orally before having students read them.

F. **Contesten.**

¿Van los muchachos a la playa?

¿Van ellos al mercado?

¿Van las muchachas al parque?

¿Van ellas a la tienda?   Van

¿Adónde van ellas?

¿Van los alumnos a la escuela?

¿Adónde van ellos?

¿Dan ellos el dinero al empleado?

¿Dan ellas el bocadillo a Tomás?   Dan

¿Están en el mercado los empleados?

¿Dónde están los empleados?

¿Están en la playa los amigos?

¿Dónde están los amigos?   Están

¿Están en la sala los hermanos?

¿Están en la escuela las alumnas?

¿Quiénes están en la escuela?

G. **Repitan.**

Nosotras vamos a casa.

Damos el dinero a Javier.

Estamos en la escuela.

el lago en el Bosque de Chapultepec

Municipal parks are used very often by inhabitants of cities in the Spanish-speaking world.

60

This picture shows a Sunday crowd on the lake at Chapultepec park.

H. Contesten.

¿Van Uds. al mercado?
¿Van Uds. al mercado con Carmen?
¿Adónde van Uds.?
¿Con quién van Uds.?   *Vamos*
¿Van Uds. a la playa?
¿Van Uds. a la playa cuando hace calor?
¿Adónde van Uds?
¿Cuándo van Uds. a la playa?
¿Dan Uds. el dinero al empleado?
¿Dan Uds. los panecillos a Inés?   *Damos*
¿Están Uds. en el parque.
¿Dónde están Uds.?
¿Están Uds. con Teresa?
¿Con quién están Uds.?   *Estamos*
¿Están Uds. en el lago?

la bandera mexicana

I. Repitan.

¿Vas a la playa en el verano?
¿Estás en la escuela?

J. Sigan las instrucciones.

Pregúntele a un muchacho si va al mercado.
Pregúntele a una muchacha si va a la tienda.
Pregúntele a un muchacho si va al parque.   *vas*
Pregúntele a una muchacha si va a la playa.
Pregúntele a una muchacha si da el dinero a
    Carmen.
Pregúntele a un muchacho si da la comida al
    señor.   *das*
Pregúntele a una muchacha dónde está.   *estás*
Pregúntele a la muchacha con quién está.

K. Repitan.

¿Adónde va Ud., señor?
¿Adónde van Uds., señoras?

L. Sigan las instrucciones.

Pregúntele a la señora si va a la playa.
Pregúntele a la señorita adónde va.   *va Ud.*
Pregúntele al señor con quién está.   *está Ud.*

Pregúnteles a los muchachos si van a la tienda.
Pregúnteles con quién van.
Pregúnteles cuándo van.   *van Uds.*
Pregúnteles a las muchachas si están en la
    escuela.   *están Uds.*
Pregúnteles con quién están.

Not recorded

Reglas

The verbs *ir, dar,* and *estar* are considered to be irregular verbs since they do not conform to the same pattern as other verbs.   Note, however, that in the present tense these verbs have the same forms as regular first-conjugation verbs, with the exception of the *yo* form.

	ir	dar	estar
yo	voy	doy	estoy
tú	vas	das	estás
él, ella, Ud.	va	da	está
nosotros, nosotras	vamos	damos	estamos
(vosotros, vosotras)	(vais)	(dais)	(estáis)
ellos, ellas, Uds.	van	dan	están

Write verbs on the board. Encourage students to make up original sentences using verbs.

APLICACIÓN ESCRITA

Exercises should be assigned for homework.

M. Answer each question according to the model.

Carmen da el dinero. ¿Y tú?
Yo doy el dinero también.

1. María va al mercado. ¿Y tú? Yo voy al mercado también.
2. La muchacha está en el parque. ¿Y tú? Yo estoy en el parque también.
3. Carmen da el refresco a Pepe. ¿Y tú? Yo doy el refresco a Pepe también.
4. Pepe va a la playa. ¿Y tú? Yo voy a la playa también.
5. Ella está en el lago. ¿Y tú? Yo estoy en el lago también.
6. Tomás va al parque. ¿Y tú? Yo voy al parque también.

N. Complete each sentence with the correct form of the italicized verb.

1. Ellos _____ el dinero a la empleada. *dar* dan
2. Nosotros _____ a una merienda. *ir* vamos
3. Tú _____ con el empleado, ¿no? *estar* estás
4. Las muchachas _____ a la playa. *ir* van
5. Yo _____ el bocadillo a Pilar. *dar* doy
6. Nosotros _____ en la tienda. *estar* estamos
7. El lago _____ en el parque. *estar* está
8. Tú _____ con Eduardo. *ir* vas
9. El empleado _____ los panecillos a Carmen. *dar* da
10. Nosotros _____ en la playa. *estar* estamos

En el mercado hay frutas y vegetales.

la contracción al

A. Repitan.

Voy al mercado.
Voy al lago.

B. Sustituyan.

Vamos al { mercado.
lago.
puesto.
parque.

C. Contesten.

¿Va Juan al mercado?
¿Adónde va Juan?
¿Va el muchacho al lago?
¿Adónde va el muchacho?
¿Va María al parque?
¿Adónde va María?
¿Va Carmen a la playa?
¿Adónde va Carmen?
¿Va la muchacha a la tienda?
¿Adónde va la muchacha?
¿Va el alumno a la escuela?
¿Adónde va el alumno?
¿Va la familia a la sala?
¿Adónde va la familia?

La señora lleva una canasta.

Not recorded

Reglas

When the preposition *a* is followed by the definite article *el*, it is contracted to form one word *al*.   With the articles *la*, *los*, and *las* there is no contraction.

contraction
Voy al mercado.
Voy a la playa.
Voy a los puestos.
Voy a las tiendas.

APLICACIÓN ESCRITA

D. Complete each sentence based on the illustration.

1. Yo voy __al mercado__.

2. Ellas van __a la playa__.

3. Nosotros vamos __al lago__.

4. Él va __a la sala__.

la expresión impersonal <u>hay</u>

A. Sustituyan.

Hay
$\begin{cases} \text{una bolsa} \\ \text{una guitarra} \\ \text{una canasta} \\ \text{un muchacho} \end{cases}$ en la tienda.

Hay
$\begin{cases} \text{puestos} \\ \text{salchichas} \\ \text{panecillos} \\ \text{empleados} \end{cases}$ en el mercado.

B. Contesten.

¿Hay un lago en el parque?
¿Hay un barquito en el lago?
¿Hay una bolsa en la tienda?
¿Hay dinero en la bolsa?
¿Hay una sala en la casa?
¿Hay una televisión en la sala?
¿Hay muchos puestos en la tienda?
¿Hay muchas canastas en el puesto?
¿Hay muchos alumnos en la escuela?
¿Hay muchos amigos en la playa?

Reglas

The impersonal expression *hay* means "there is" or "there are." Note that it does not change when it refers to a plural noun.

Hay un barquito en el mar.

plural noun
Hay muchos puestos en el mercado.

APLICACIÓN ESCRITA

C. Write a sentence about each illustration. Use the word *hay* in each sentence

1. Hay un lago en el parque.

Hay un barquito en el parque.

2. Hay alumnos en la escuela.

3.

Hay canastas en el puesto (mercado).
Hay un puesto en el mercado.

4. Hay un teléfono en la sala.

D. Rewrite each sentence according to the model.

Los puestos están en el mercado.
Hay puestos en el mercado.

1. Los bocadillos están en la canasta. Hay bocadillos en la canasta.
2. El lago está en el parque. Hay un lago en el parque.
3. La canasta está en el puesto. Hay una canasta en el puesto.
4. Las playas están en la costa. Hay playas en la costa.
5. Los barquitos están en la playa. Hay barquitos en la playa.

65

IMPROVISACIONES
Al mercado

The Improvisaciones can be done orally first. Students can also dramatize it and make any changes they want.

Present one segment each day.

Point to convey meaning of allí.

Words underlined reinforce the structure concepts presented in this lesson.

Show students the peso note on the following page. Write 100 on the board to convey meaning of cien.

ACTIVITY:
Have students draw their own cartoons and make up an appropriate dialogue.

PREGUNTAS

1. ¿Adónde va Inés?
2. ¿Adónde va María?
3. ¿Van juntas las dos muchachas?
4. ¿Qué necesita Inés?
5. ¿Qué hay en el mercado?
6. ¿Con quién habla Inés?
7. ¿Cuánto es la canasta?
8. ¿Paga Inés cien pesos?
9. ¿Cuánto paga Inés?

veinte pesos mexicanos

un mercado en Centroamérica

SÍMBOLOS

na	ne	ni	no	nu
nada	necesita	bonita	no	(monumento)
limonada		Anita	cubano	(número)
cubana			americano	
americana				

pa	pe	pi	po	pu
panecillo	peso	(pipa)	guapo	(popular)
paga	Pepe			
español	Pedro			

Trabalenguas

Pepe no paga con pesos.
Anita toma una limonada.
Pepe paga.
Pepe paga con dinero americano.
El monumento cubano es popular.

These sentences can also serve as a dictation exercise.

en el Bosque de Chapultepec

You can begin reading selection before drills and Improvisaciones are complete. Break reading selection into paragraphs and present one paragraph each day.

ESCENAS

El regateo

Inés es mexicana. Es de la capital, la Ciudad de México. Hoy, sábado, Inés <u>va</u> <u>al</u> mercado. Necesita unas cosas para una merienda.

Inés no <u>va</u> a un supermercado moderno. Ella <u>va</u> a un mercado antiguo al aire libre. En el mercado <u>hay</u> muchos puestos distintos. Inés <u>va</u> de un puesto a otro. En uno compra salchichas y jamón. En otro compra queso y en otro panecillos.

Underscore indicates the structure concepts presented in this lesson.

distintos   different
otro   another

69

En un puesto hay una canasta bonita.   Inés mira la canasta.

—¿Cuánto es la canasta, señor?

—Cien pesos, señorita.

—No, señor.   No pago cien pesos.   Pago ochenta.

—Ochenta.   No, señorita.   Imposible.

—¿Noventa?

—OK.   De acuerdo.   Noventa pesos.

Sí, el señor da un precio, pero Inés paga otro.   Paga menos.
Es el regateo.   Inés siempre regatea en el mercado.   Pero en
una tienda elegante o en un supermercado moderno, no regatea.   Paga un precio fijo.

El domingo Inés va al parque con unos amigos.   Van al
Bosque de Chapultepec, un parque famoso en la capital.

Inés lleva la canasta nueva al parque.   En la canasta lleva
comida para una merienda.   En el parque los amigos hablan,
tocan la guitarra y cantan.   Luego toman una merienda.   Toman la merienda enfrente de un lago bonito.   Y después, alquilan un barquito y reman en el lago.

*Note that for review
purposes, the verbs
ser, llevar, hablar,
tocar, cantar, and
tomar from previous
lessons are
reintroduced.*

precio   price
menos   less

fijo   fixed

nueva   new

PREGUNTAS *Not recorded*

1. ¿Quién es mexicana?
2. ¿De dónde es ella?
3. ¿Adónde va Inés?
4. ¿Qué necesita ella?
5. ¿A qué tipo de mercado va Inés?
6. ¿Qué hay en el mercado?
7. ¿Qué compra en un puesto?
8. ¿Qué compra en otro? ¿Y en otro?
9. ¿Qué mira Inés?
10. ¿Paga Inés el precio que da el señor?
11. ¿Paga menos?
12. ¿Regatea Inés?
13. ¿Dónde no regatea ella?
14. ¿Adónde va Inés el domingo?
15. ¿Con quiénes va?
16. ¿Qué lleva ella en la canasta?
17. ¿Hablan los amigos?
18. ¿Cantan y tocan la guitarra?
19. ¿Dónde toman la merienda?
20. ¿Qué alquilan?
21. ¿Dónde reman?

As you are completing this lesson, begin to introduce the vocabulary from Lesson 6.

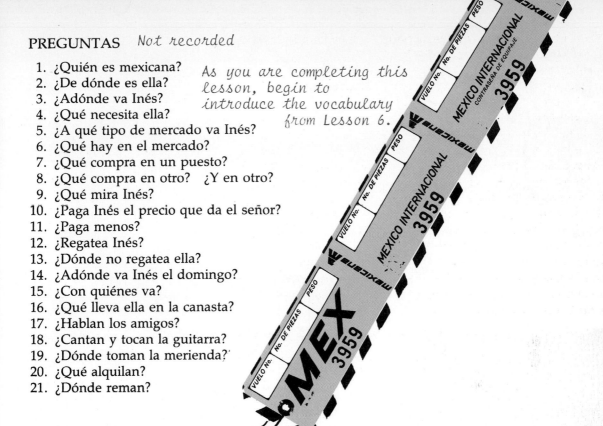

Not recorded

Composición

A. Answer the following questions to form a paragraph.

¿Es el domingo?

¿Están todos los amigos en el parque?

¿Es bonito el parque?

¿Qué hay en el parque?

¿Toman los muchachos un refresco?

¿Preparan ellos bocadillos de jamón y queso?

¿Tocan ellos la guitarra?

¿Cantan también?

¿Alquilan un barquito?

¿Reman ellos en el lago?

B. Rewrite the composition, changing the subject to *nosotros.*

PERSPECTIVAS

Crucigrama

Complete the following crossword puzzle.

¹P	²A	³S	⁴A	N		⁵V	⁶A	⁷S
⁸A	L	A	S		⁹N	O		E
A	G		L		¹⁰H	A	Y	Ñ
¹¹A	¹²L	A	S		D		¹³N	O
	L			¹⁴C	A	L	O	R
¹⁵R	E	¹⁶M	¹⁷A		S			¹⁸Á
	¹⁹V	A		²⁰Q			²¹V	
²²P	A	R	Q	U	²³E		²⁴Á	²⁵N
	N			²⁶E	L		²⁷N	O

Horizontal

1. Ellos ____ mucho tiempo en el mercado.
5. ¿____ tú al parque?
8. Voy ____ ____ tiendas.
9. ____, no compro salchichas.
10. ____ mucha comida en la canasta.
11. Doy el dinero ____ ____ empleadas.
13. ____ compro jamón, compro queso.
14. Hay mucho sol. Hace ____.
15. Ella ____ un barquito en el lago.
18. Doy el panecillo ____ Paco.
19. Él ____ al mercado al aire libre.
22. Hay un lago en el ____.
24. Ellos prepar____ un bocadillo.
26. ____ es amigo de Angélica.
27. Necesita salchichas. ____ necesita panecillos.

Vertical

1. Bárbara ____. Da el dinero a la empleada.
2. Héctor va ____ lago.
3. Mira la televisión en la ____.
4. ¿Llev____ tú la canasta?
5. Yo ____ al parque.
6. Doy el bocadillo ____ Felicia.
7. ¿Dónde está la ____ Martínez?
9. ¿____ tú en el océano?
12. Las muchachas ____ la canasta al parque.
13. Yo ____ pago. Elena paga.
16. Nadamos en el ____.
17. Los alumnos van ____ la escuela.
18. Ellos van ____ la tienda.
20. ¿____ tienes en la canasta?
21. Los amigos ____ a los puestos.
23. ____ parque es bonito.
25. ¿Por qué ____ vamos juntas?

Entrevista *Not recorded*

A veces, ¿compras comida? • ¿Vas a un mercado antiguo o a un supermercado? • ¿A qué supermercado vas? • ¿Dónde está? • ¿Hay muchos puestos distintos en el supermercado? • En el supermercado, ¿regateas? • ¿Pagas un precio fijo? • ¿Regatean los mexicanos en un supermercado? • ¿Regatean los mexicanos en los mercados antiguos? • ¿Regateas tú a veces? • ¿Dónde regateas?

Resumen oral

BASES

6

As students look at filmstrip, point to each item and build to complete utterance. Ask questions building from simple to complex. Students should be able to answer questions but they do not have to recite the sentences.

1. La familia come en el comedor.
   La familia no come en la cocina.
   Alicia come carne.
   Guillermo come ensalada.
   El padre come papas (patatas).

The meaning of the verbs comer, ver, recibir, abrir, escribir, and leer can be reinforced by simple dramatizations.

2. El padre ve una película interesante.
   Ve la película en la televisión.
   Guillermo recibe una carta.
   Guillermo abre la carta.
   Alicia escribe una carta.
   En la mesa hay sobres y un sello.
   La madre lee el periódico.

3. La casa está en un pueblo.
   El pueblo está en las montañas.
   La casa es pequeña, no grande.
   La casa es de piedra.
   El techo es de paja.
   María vive en la casa.
   María lleva un vestido.
   La familia come en el suelo.
   La huerta está cerca de la casa.

*Much of the vocabulary
presented in illustrations
3 and 4 is needed for
the Escenas section.*

4. Es una ciudad.
   Hay una cantidad enorme de
      gente.
   El señor vende vegetales.
   La iglesia está en la plaza.

PRÁCTICA

A. Answer each question based on the model sentence.

1. La familia come carne, ensalada y papas en el comedor.
   ¿Quién come en el comedor? La familia
   ¿Qué come la familia? carne, ensalada y papas
   ¿Dónde come la familia? en el comedor

2. Guillermo recibe una carta, abre la carta y lee.
   ¿Quién recibe una carta? Guillermo
   ¿Qué recibe Guillermo? una carta
   ¿Qué abre? la carta
   ¿Qué lee? la carta

3. En la sala, el padre ve una película y la madre lee el periódico.
   ¿Dónde están el padre y la madre? en la sala
   ¿Quién ve una película? el padre
   ¿Qué ve el padre? una película
   ¿Qué lee la madre? el periódico

4. La casa pequeña de piedra con techo de paja está en un pueblo en las montañas.
   ¿Cómo es la casa? pequeña
   ¿De qué es la casa? de piedra
   ¿De qué es el techo de la casa? de paja
   ¿Dónde está la casa? en un pueblo
   ¿Dónde está el pueblo? en las montañas

La familia mira la foto, Guatemala.

B. Answer each question with a complete sentence.

1. ¿Dónde come la familia, <u>en el comedor</u> o en la cocina?
2. ¿Qué ve el padre, <u>una película</u> o una carta?
3. ¿Qué recibe Guillermo, un periódico o <u>una carta</u>?
4. ¿Qué lee la madre, una carta o <u>un periódico?</u>
5. ¿Qué hay en la mesa, <u>un sobre</u> o un periódico?
6. ¿De qué es la casa, <u>de piedra</u> o de paja?
7. ¿De qué es el techo, de piedra o <u>de paja?</u>
8. ¿Dónde está el pueblo, en la costa o <u>en las montañas?</u>
9. ¿Qué vende el señor, <u>vegetales</u> o vestidos?
10. ¿Dónde está la iglesia, <u>en la plaza</u> o en la playa?

C. Complete each series based on the illustration.

1. La _____ está en la _____. En la mesa
hay un _____ y unos _____. La _____
está también en la mesa.

   familia, sala, sello, sobres, carta

2. La familia come en el _____ enfrente de la
_____. Cerca de la casa hay una _____.

   suelo, casa, huerta

3. La familia está en la _____. El padre ve
una _____ en la televisión. La madre
no _____ la televisión. Ella _____ el
_____.

   sala, película, mira, lee, periódico

ESTRUCTURAS

los verbos en –er, –ir

él, ella

A. Repitan.
Luisa come un bocadillo.
El padre vende la casa.
Carlos recibe una carta.
La familia vive en Guatemala.

B. Contesten.
¿Lee Juan la carta? *All answers are*
¿Qué lee Juan? *with –e.*
¿Vende la madre la casa?
¿Qué vende la madre?
¿Quién vende la casa?
¿Come papas Pablo?
¿Come la familia en el comedor?
¿Dónde come la familia?
¿Vive la familia en Guatemala?
¿Dónde vive la familia?
¿Recibe el periódico el padre?
¿Abre María la bolsa?

en el mercado, Guatemala

ellos, ellas

C. Repitan.
Los muchachos venden limonada.
Ellos leen el periódico.
María y Juan escriben en español.
Ellas reciben mucho dinero.

All answers are
D. Contesten. *with –en.*
¿Leen las muchachas los periódicos?
¿Venden ellas vegetales?
¿Comen una ensalada los amigos?
¿Viven ellos en una casa de piedra?
¿Reciben una carta Juan y Carlos?
¿Abren los muchachos la carta?
¿Escriben las amigas la carta en español?

yo *Have students look at photographs since they pertain to the*

E. Repitan. *cultural content*
Como salchichas. *of the lesson.*
Vendo panecillos. *Ask questions*
Escribo una carta. *using known*
Recibo muchas cartas. *vocabulary.*
Have students talk about pictures.

F. Contesten. *All answers are with –o.*

¿Comes mucho?
¿Comes en el comedor?
¿Dónde comes?
¿Vendes la casa?

Have students point to themselves as they respond.

¿Qué vendes?
¿Lees el periódico?
¿Qué periódico lees?
¿Abres la bolsa?
¿Abres la bolsa en la playa?
¿Vives en una casa moderna?
¿Vives en una ciudad?
¿Recibes el periódico?
¿Escribes una carta?

tú

G. Repitan.
¿Comes mucho?
¿Vendes periódicos?
¿Vives en un pueblo pequeño?
¿Escribes en español?

H. Sigan el modelo.

Leo la carta.
¿Por qué no lees tú la carta?

Leo el periódico. *All questions*
Vendo la casa. *are with –es.*
Como la ensalada.
Abro la bolsa.
Escribo una carta.
Recibo el periódico.

nosotros, nosotras

I. Repitan.
Nosotras vendemos la casa.
Leemos el periódico.
Comemos papas.

J. Contesten. *All answers are with –emos.*
¿Leen Uds. mucho?
¿Leen Uds. el periódico?
¿Qué leen Uds.?
¿Venden Uds. limonada?
¿Venden Uds. la casa?
¿Qué venden Uds.?
¿Comen Uds. papas?
¿Comen Uds. salchichas?
¿Comen Uds. queso?
¿Comen Uds. en el comedor?
¿Dónde comen Uds.?

K. Repitan.
Nosotros vivimos en México.
Abrimos la bolsa.
Recibimos una carta.

Chichicastenango, Guatemala: iglesia y mercado

L. Contesten. *All answers are with -imos.*

¿Viven Uds. en una casa antigua?
¿Viven Uds. en una casa moderna?
¿Viven Uds. en una casa de piedra?
¿Viven Uds. en una casa pequeña?
¿Dónde viven Uds.?
¿Abren Uds. la bolsa?
¿Abren Uds. la carta?
¿Qué abren Uds.?
¿Reciben Uds. mucho dinero?
¿Reciben Uds. el periódico?
¿Reciben Uds. muchas cartas?
¿Escriben Uds. en español?
¿Escriben Uds. en la escuela?

Uds.

M. Repitan.

¿Comen Uds. salchichas?
¿Venden Uds. la casa?
Uds. abren la bolsa.
Uds. escriben la carta.

N. Sigan las instrucciones. *All questions are with -en.*

Pregúnteles a los señores si venden vegetales.
Pregúnteles a los amigos si leen la carta.
Pregúnteles a las señoras si viven en la ciudad.
Pregúnteles a las señoritas si reciben muchas cartas.

Ud.

O. Repitan.

¿Qué lee Ud.?
¿A quién escribe Ud.?
¿Dónde vive Ud.?

P. Sigan las instrucciones. *All questions are with -e.*

Pregúntele a la señorita dónde come.
Pregúntele al señor qué lee.
Pregúntele al señor cuándo vende la casa.
Pregúntele a la señorita cómo escribe.

fiesta religiosa en Santiago Atitlán, Guatemala

Reglas

There are two more families, or conjugations, of verbs. The infinitive form of second-conjugation verbs ends in *-er,* and the infinitive form of third-conjugation verbs ends in *-ir.* Note that the endings for the second- and third-conjugation verbs are the same in all forms except the *nosotros* (and *vosotros*) forms.

second-conjugation verbs

	leer	comer	vender
yo	leo	como	vendo
tú	lees	comes	vendes
él, ella, Ud.	lee	come	vende
nosotros, nosotras	leemos	comemos	vendemos
(vosotros, vosotras)	(leéis)	(coméis)	(vendéis)
ellos, ellas, Uds.	leen	comen	venden

third-conjugation verbs

	vivir	abrir	escribir
yo	vivo	abro	escribo
tú	vives	abres	escribes
él, ella, Ud.	vive	abre	escribe
nosotros, nosotras	vivimos	abrimos	escribimos
(vosotros, vosotras)	(vivís)	(abrís)	(escribís)
ellos, ellas, Uds.	viven	abren	escriben

GAME: Write all the -er and -ir verbs on the board. Divide class into three or four groups. Give them four minutes to make up as many questions as they can using the verbs on the board. The group with the most correct questions wins. Then each group can ask its questions of other members of the class.

The verb *ver* is conjugated as an *-er* verb.

	ver
yo	veo
tú	ves
él, ella, Ud.	ve
nosotros, nosotras	vemos
(vosotros, vosotras)	(veis)
ellos, ellas, Uds.	ven

Additional writing exercises appear in the accompanying Cuaderno de Ejercicios.

APLICACIÓN ESCRITA

Q. Answer each question with a complete sentence.
1. ¿Dónde viven Uds.?   Vivimos en ___.
2. ¿Qué leen Uds.?   Leemos ___.
3. ¿Qué venden Uds.?   Vendemos ___.
4. ¿Qué reciben Uds.?   Recibimos ___.

Completions can vary.

R. Complete each sentence with the correct form of the italicized verb.
1. María _____ la bolsa. *abrir* abre
2. Los muchachos _____ la carta. *leer* leen
3. Yo _____ un periódico. *recibir* recibo
4. ¿Por qué no _____ tú la casa? *vender* vendes
5. Nosotros no _____ en el comedor. *comer* comemos
6. Tú _____ una carta interesante. *escribir* escribes
7. Nosotros _____ el dinero. *recibir* recibimos
8. El empleado _____ salchichas en un puesto. *vender* vende
9. Ud. _____ el bocadillo. *comer* come
10. Nosotros _____ una película en la televisión. *ver* vemos
11. Nosotras _____ la tienda. *abrir* abrimos
12. Uds. _____ en Guatemala. *vivir* viven

S. Complete each sentence with the correct verb ending.
1. Los muchachos nad___ en el mar. nadan
2. ¿Por qué no vend___ tú la casa? vendes
3. Nosotras viv___ en Viña del Mar. vivimos
4. Tú escrib___ mucho. escribes
5. Nosotros toc___ la guitarra. tocamos
6. Uds. abr___ la bolsa. abren
7. Ella recib___ el periódico. recibe
8. Yo llev___ las bolsas al mercado. llevo
9. Ellos alquil___ un barquito. alquilan
10. Yo com___ carne y ensalada. como

los sustantivos en –dad

A. Contesten.
¿Vive Dolores en la ciudad?
¿Está el parque en la ciudad?
¿Es moderna la ciudad?
¿Hay una cantidad enorme de gente en el mercado?
¿Hay una cantidad enorme de vegetales en la huerta?
¿Son modernas las ciudades?
¿Son bonitas las ciudades?
¿Hay muchas tiendas en las ciudades?
¿Hay cantidades enormes de canastas en el mercado?

Una señora vende vegetales, Guatemala.

83

Reglas

All Spanish nouns that end in *–dad* are feminine. The plural of nouns ending in *–dad* (or in any other consonant) is formed by adding *–es*.

    la ciudad   las ciudades
    la cantidad   las cantidades

The *–dad* or *–tad* ending in Spanish usually corresponds to the "–ty" ending in English. Guess the meaning of the following words.

    la universidad   la oportunidad   la calidad
    la generalidad   la capacidad   la facultad

APLICACIÓN ESCRITA

B. Give the Spanish for each of the following words.
1. facility   la facilidad
2. mentality   la mentalidad
3. universality   la universalidad
4. entity   la entidad

C. Rewrite each sentence in the plural.
1. La ciudad es moderna. Las ciudades son modernas.
2. La oportunidad es fabulosa. Las oportunidades son fabulosas.
3. La universidad es antigua. Las universidades son antiguas.
4. La cantidad es fantástica. Las cantidades son fantásticas.
5. La ciudad es bonita. Las ciudades son bonitas.

adjetivos en –e

A. Repitan.
El mercado es interesante.
La carta es interesante.
Los mercados son interesantes.
Las cartas son interesantes.

B. Contesten.
¿Es interesante el mercado?
¿Es grande el supermercado?
¿Es enorme el parque?

¿Es importante la carta?
¿Es grande la casa?
¿Es enorme la ciudad?
¿Es interesante el periódico?
¿Son interesantes los puestos?
¿Son grandes los mercados?
¿Son enormes los bocadillos?
¿Son interesantes las películas?
¿Son grandes las casas?
¿Son enormes las ciudades?
¿Son importantes las cartas?

—— Reglas ——

Adjectives that end in –e have only two forms, singular and plural. Study the following.

el mercado interesante	los mercados interesantes	*Have students make up*
la carta interesante	las cartas interesantes	*additional sentences,*

substituting other –e
adjectives. You might
even make a game of it.

APLICACIÓN ESCRITA

C. Complete each sentence with the correct form of *interesante*.
1. La carta es _____.   interesante
2. El pueblo es _____.   interesante
3. Las ciudades son _____.   interesantes
4. Los mercados son _____.   interesantes

D. Complete each sentence with the correct form of *importante*.
1. Las cartas son _____.   importantes
2. El dinero es _____.   importante
3. La cantidad es _____.   importante
4. Los amigos son _____.   importantes

E. Rewrite each sentence substituting *grande* for *pequeño*.
1. El mercado es pequeño.   El mercado es grande.
2. Las bolsas son pequeñas.   Las bolsas son grandes.
3. Los lagos son pequeños.   Los lagos son grandes.
4. La playa es pequeña.   La playa es grande.

la contracción del

A. Contesten.

¿Es grande el lago del parque?
¿Es mexicana la amiga del muchacho?
¿Es bonita la plaza del pueblo?
¿Son grandes los puestos del mercado?
¿Es inteligente el amigo de la muchacha?
¿Es de paja el techo de la casa?
¿Son inteligentes los alumnos de la escuela?
¿Son grandes los puestos de los mercados?
¿Son pequeñas las plazas de los pueblos?
¿Son bonitos los vestidos de las muchachas?
¿Son interesantes las cartas de las amigas?

Compran y venden en el mercado, Guatemala.

Reglas

When the preposition *de* is followed by the definite article *el*, it is contracted to form one word, *del*. With *la, los, las* there is no contraction.

contraction

la plaza del pueblo   las plazas de los pueblos
cerca de la iglesia   cerca de las iglesias

It might be helpful to ask students about contractions in English. Have them go to the board and show what is dropped from "don't," "I'll," "it's," etc.

APLICACIÓN ESCRITA

B. Complete each sentence with the correct form of *de* plus the definite article.
1. El comedor _____ casa es grande.   de la
2. La amiga _____ muchacho vive en Santiago de Chile.   del
3. La gente _____ pueblos vive en casas pequeñas.   de los
4. El vestido _____ señora es bonito.   de la
5. La iglesia _____ pueblo es famosa.   del
6. Los puestos _____ mercado son pequeños. del
7. El techo _____ comedor no es de paja.   del
8. Los techos _____ casas _____ pueblo son de paja. de las / del

el lago Atitlán, Guatemala

IMPROVISACIONES

¿Qué escribes?

Underscore indicates the structure concepts presented in this lesson.

Conversation can be presented in small segments as you are teaching other parts of the lesson.

Fernando	¿Qué <u>escribes</u>, Eduardo?
Eduardo	<u>Escribo</u> una carta.
Fernando	¿Una carta? ¿A quién?
Eduardo	A un chico que <u>vive</u> en Guatemala.
Fernando	¿<u>Escriben Uds.</u> en español o en inglés?
Eduardo	A veces <u>escribimos</u> en español y a veces en inglés.
Fernando	¿Necesitas sellos?
Eduardo	No, están allí con el sobre.

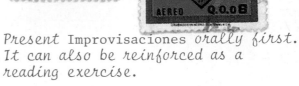

Present Improvisaciones orally first. It can also be reinforced as a reading exercise.

PREGUNTAS

1. ¿Qué escribe Eduardo?
2. ¿A quién escribe una carta?
3. ¿Dónde vive el amigo?
4. ¿Escriben ellos en español o en inglés?
5. ¿Necesita Eduardo sellos?
6. ¿Dónde están los sellos?

Students will probably have problems with these sounds. To make a d, tell them to place the tongue between the upper and lower teeth. To make a t, the tongue should strike the back of the upper teeth.

SÍMBOLOS

da	de	di	do	du
da	de	dinero	Donato	(duda)
nada	donde	periódico	dos	
limonada	vende	bocadillo	mercado	
comida			empleado	
ciudad			vestido	
cantidad			(todo)	

ta	te	ti	to	tu
Anita	Teresa	tienda	(todo)	tú
carta	techo	antiguo	toma	oportunidad
canta	interesante		Tomás	
está	importante		Donato	

Trabalenguas

Have students pronounce the sentences carefully. These sentences can also be used for dictation.

El empleado de Donato nada.
La tienda de Teresa está en la ciudad.
Donato da el dinero al empleado.
¿De dónde es el indio?
Tomás, tú tomas una limonada en la tienda.
El vestido de la empleada de la tienda es bonito.

una ceremonia religiosa con pétalos de rosas, Guatemala

ESCENAS

En un pueblo indio de Guatemala

María Tujab es una muchacha india.   Ella <u>vive</u> en un pueblo pequeño en las montañas de Guatemala.   La casa de la familia de María no es <u>grande</u>.   Es pequeña.   Es una casa de piedra con techo de paja.   La familia de María no <u>come</u> en el comedor.   En la casa no hay comedor.   La familia <u>come</u> en el suelo delante de la casa.   Ellos no <u>comen</u> carne, ensalada y papas. <u>Comen</u> tortillas de maíz.

Durante la comida, la familia habla.   Pero ellos no hablan español.   Hablan una lengua india.   Después de la comida, María no <u>lee</u> un periódico.   No <u>reciben</u> periódicos en el pueblo aislado donde <u>vive</u> María.

Los amigos de María no <u>ven</u> una película en el cine.   No van al cine porque en el pueblo no hay cine.

See suggestions in the teacher's insert of this Teacher's Edition for detailed instructions for the presentation of the story.

delante de   in front of

maíz   corn

Durante   During

lengua   language

aislado   isolated

cine   movies

Underlined words reinforce the structure concepts presented in this lesson.

89

Los domingos María va al mercado con la familia. El mercado no está cerca de la casa. Está lejos del pueblo donde viven. Ellos van al mercado a pie. Llevan muchas bolsas y canastas. En las bolsas y canastas hay productos que venden en el mercado. Cuando llegan al mercado abren las bolsas. En un puesto del mercado la madre y el padre de María venden vegetales. Cultivan los vegetales en una huerta cerca de la casa. Con el dinero que reciben, compran cosas que necesitan en casa.

En el mercado María va a la iglesia. Habla con amigos que viven en otros pueblos. Las muchachas de otros pueblos no llevan el mismo vestido que María. Todas las señoras y todas las muchachas del mismo pueblo llevan el mismo vestido.

Para María, los domingos son muy importantes. ¿Por qué son importantes? Porque los domingos ella va al mercado y el mercado es el centro de la vida social de María.

lejos   far

a pie   on foot

llegan   they arrive

Todas   All

mismo   same

vida   life

PREGUNTAS Not recorded

1. ¿Quién es una muchacha india?
2. ¿Dónde vive ella?
3. ¿Es grande o pequeña la casa de María?
4. ¿Cómo es la casa?
5. ¿Dónde come la familia de María?
6. ¿Por qué no comen en el comedor?
7. ¿Qué comen ellos?
8. ¿Habla la familia durante la comida?
9. ¿Hablan español?
10. ¿Qué hablan?
11. ¿Lee María un periódico?
12. ¿Por qué no lee un periódico?
13. ¿Va María al cine?
14. ¿Adónde va María los domingos?
15. ¿Dónde está el mercado?
16. ¿Cómo van al mercado?
17. ¿Qué llevan al mercado?
18. ¿Qué hay en las bolsas y canastas?
19. ¿Qué venden la madre y el padre de María?
20. ¿Qué compran con el dinero que reciben?
21. ¿Adónde va María en el mercado?
22. ¿Con quiénes habla ella?
23. ¿Qué llevan todas las muchachas del mismo pueblo?
24. Para María, ¿por qué son importantes los domingos?

You may wish to explain to students that a high percentage of the Guatemalan population is of Indian origin. This indigenous population tends to live in the isolated mountainous villages, rather than the large, modern cities such as Guatemala city. The Indians do not live in what one would consider urban or rural poverty. Traditionally, the Indian population has preferred not to change its lifestyle. They believe in eternity and frequently pray to their ancestors. In order not to offend their ancestors, they prefer to live the same way their forebears did. Recently, however, there has been increasing social and political unrest among the indigenous population of Guatemala.

Not recorded

Composición

Answer the following questions to form a paragraph.

¿Dónde vive la muchacha india?

¿De qué es la casa?

¿Come la familia en el comedor?

¿Dónde come la familia?

Después de la comida, ¿lee la muchacha el periódico?

¿Reciben periódicos en el pueblo donde vive?

¿Adónde va la muchacha los domingos?

¿Qué llevan al mercado?

¿Qué venden el padre y la madre en el mercado?

¿Qué compran con el dinero que reciben?

¿Habla la muchacha con amigos de otros pueblos?

¿Es el mercado el centro de la vida social de la muchacha?

Pasatiempo

Below is a list of words. Only those items that are edible will fit into the puzzle. Can you choose those items and fit them into the puzzle in the proper order?

carne	paja	iglesia
techo	papas	canasta
patata	piedra	plaza
ensalada	tortillas	vegetal

(Crossword puzzle with the following filled entries:)

P
V E G E T A L
C · · · · · P
A · · · · · A
T O R T I L L A S
N · · · · · · P
E N S A L A D A
· · · · · · · T
· · · · · · · A
· · · · · · · T
· · · · · · · A

Entrevista   *Not recorded*

¿Comes en el comedor o en la cocina? • ¿Quién prepara la comida en casa? • Después de la comida, ¿vas a la sala? • En la sala, ¿estudias? • ¿Hablas con la familia? • ¿Miras la televisión? • ¿Ves una película en la televisión? • ¿Lees el periódico? • ¿Qué periódico lees? • A veces, ¿vas al cine? • ¿Qué ves en el cine? • ¿Con quién vas al cine?

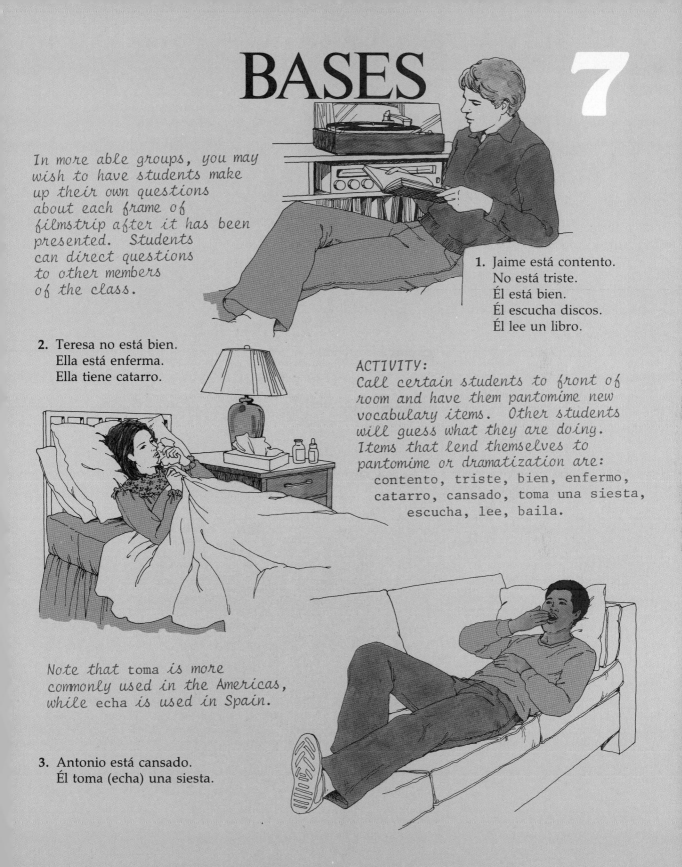

BASES

7

In more able groups, you may wish to have students make up their own questions about each frame of filmstrip after it has been presented. Students can direct questions to other members of the class.

1. Jaime está contento.
No está triste.
Él está bien.
Él escucha discos.
Él lee un libro.

2. Teresa no está bien.
Ella está enferma.
Ella tiene catarro.

ACTIVITY:
Call certain students to front of room and have them pantomime new vocabulary items. Other students will guess what they are doing. Items that lend themselves to pantomime or dramatization are:
contento, triste, bien, enfermo,
catarro, cansado, toma una siesta,
escucha, lee, baila.

Note that toma is more commonly used in the Americas, while echa is used in Spain.

3. Antonio está cansado.
Él toma (echa) una siesta.

4. Es una ventana.
   Hay una fiesta.
   Hay paquetes en la mesa.
   Son regalos.
   Todos bailan en la calle.

5. Es el 28 de noviembre.
   Hoy es el día del cumpleaños de
      Elena y Tomás.
   Ellos tienen quince años.
   Elena y Tomás son hermanos.
   Tienen el mismo cumpleaños.
   Ellos son gemelos.

Although Spanish-surnamed individuals have both the apellido paterno and the apellido materno, they are commonly referred to socially by the father's name only. Note that married women may use their own name(s) or may use husband's name with or without a de. For example: Ana María Echeverría Brown may call herself that, even though she is married. Or she may be Ana María Echeverría de Guzmán, Ana María Guzmán, or Ana María de Guzmán. The usage will vary from country to country and from person to person within a particular country.

It might be fun, where appropriate, to have students do their own family trees, or at least figure out their own "Spanish-style" names.

La Familia

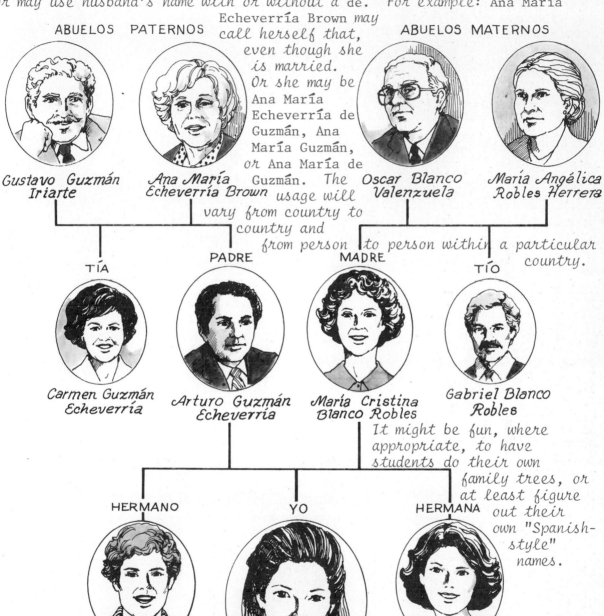

ABUELOS PATERNOS

Gustavo Guzmán Iriarte

Ana María Echeverría Brown

ABUELOS MATERNOS

Oscar Blanco Valenzuela

María Angélica Robles Herrera

TÍA — Carmen Guzmán Echeverría

PADRE — Arturo Guzmán Echeverría

MADRE — María Cristina Blanco Robles

TÍO — Gabriel Blanco Robles

HERMANO — José Antonio Guzmán Blanco

YO — Alicia Guzmán Blanco

HERMANA — Susana Guzmán Blanco

PRÁCTICA

A. **Answer each question with a complete sentence.**
1. ¿Cómo está Jaime? contento
2. ¿Qué escucha él? discos
3. ¿Y qué lee? un libro
4. ¿Está bien Teresa? No
5. ¿Está enferma? Sí
6. ¿Qué tiene ella? catarro
7. ¿Está cansado Antonio? Sí
8. ¿Qué toma él? una siesta
9. ¿Qué hay en la mesa? paquetes / regalos
10. ¿Bailan todos durante la fiesta? Sí
11. ¿Qué día es hoy? Hoy es __. (Have students give correct date.)
12. ¿Son gemelos Elena y Tomás? Sí

B. **Answer each question based on the model sentence.**
1. Teresa tiene catarro y está enferma.
    ¿Tiene catarro Teresa? Sí
    ¿Está enferma ella? Sí
    ¿Cómo está Teresa? enferma

2. Antonio toma una siesta porque está cansado.
    ¿Toma Antonio una siesta? Sí
    ¿Qué toma él? una siesta
    ¿Está cansado Antonio? Sí
    ¿Cómo está él? cansado
    ¿Por qué toma Antonio una siesta? porque está cansado

C. **Look at the following cartoon of people at a party. Say as much as you can about it.**

Not recorded   Answers
                                                               can vary.

98

ESTRUCTURAS

el verbo tener

Go over drills orally. Call on students at random.

él, ella

A. Repitan.
Juan tiene catarro.
La muchacha tiene discos.
Él tiene muchos regalos.

B. Contesten.

Students can make up questions using other nouns they know.

¿Tiene Patricia la guitarra?
¿Tiene Gabriel la bolsa?
¿Tiene la muchacha el dinero?
¿Tiene los pesos el empleado?
¿Tiene muchos puestos el mercado?
¿Tiene muchas ventanas la casa?
¿Tiene un lago el parque?

All answers are with tiene.

ellos, ellas

C. Repitan.
Ellas tienen el dinero.
Ellos tienen la guitarra.

D. Contesten.

All answers are with tienen.

¿Tienen regalos las amigas?
¿Tienen dinero los empleados?
¿Tienen refrescos Carmen y Eduardo?
¿Tienen el mismo cumpleaños los gemelos?
¿Tienen ellos una carta importante?
¿Tienen ellas una casa antigua?

yo

Have students point to themselves as they say tengo.

E. Repitan.
Yo tengo dinero.
Yo tengo la guitarra.
Yo tengo dos hermanas.

F. Contesten.
¿Tienes panecillos?
¿Tienes queso?
¿Tienes jamón?
¿Tienes regalos?
¿Tienes discos?
¿Tienes los refrescos?
¿Tienes los periódicos?

All answers are with tengo.

tú

Have students make up questions with ¿tienes?

G. Repitan.
¿Tienes mucho dinero?
¿Tienes muchos regalos?
¿Tienes muchos discos?

Other nouns they can use are: periódico, carta, sello, sobre, canasta, limonada, jamón, queso, peso, etc.

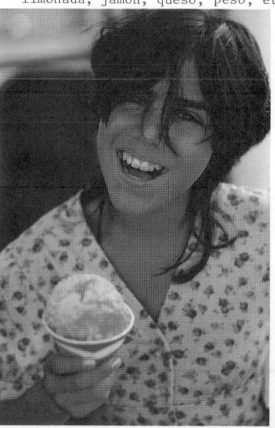

La joven está contenta, Houston, Texas.

99

All questions are with tienes.

H. Sigan las instrucciones.
Pregúntele a una muchacha si tiene libros.
Pregúntele a una muchacha si tiene regalos.
Pregúntele a una muchacha si tiene los refrescos.
Pregúntele a un muchacho si tiene discos.
Pregúntele a un muchacho si tiene un gemelo.
Pregúntele a un muchacho si tiene hermanos.

nosotros, nosotras

I. Repitan.
Nosotros tenemos dinero.
Tenemos un barquito.
Tenemos un amigo mexicano.

J. Contesten. *All answers are with* tenemos.
¿Tienen Uds. la carta?
¿Tienen Uds. la canasta?
¿Tienen Uds. el dinero?
¿Tienen Uds. el regalo?
¿Tienen Uds. los bocadillos?
¿Tienen Uds. los refrescos?
¿Tienen Uds. los discos?
¿Tienen Uds. los sobres?
¿Tienen Uds. los sellos?

Uds.

K. Repitan.
Uds. tienen mucho dinero.
¿Tienen Uds. la guitarra?
¿Tienen Uds. la carta?

All questions are with tienen Uds.

L. Sigan las instrucciones.
Pregúnteles a los muchachos si tienen la guitarra.
Pregúnteles a los muchachos si tienen los libros.
Pregúnteles a los muchachos si tienen la carta.
Pregúnteles a las muchachas si tienen los regalos.
Pregúnteles a las muchachas si tienen el dinero.
Pregúnteles a las muchachas si tienen hermanos.
Pregúnteles a los señores si tienen las canastas.
Pregúnteles a las señoras si tienen las bolsas.

Ud.

M. Repitan.
¿Tiene Ud. hermanos, señor?
¿Tiene Ud. los discos, señora?
All questions are with tiene Ud.

N. Sigan las instrucciones.
Pregúntele al señor si tiene una casa en la playa.
Pregúntele a la señora si tiene amigas en la capital.
Pregúntele a la señorita si tiene familia en la ciudad.

¡Feliz Cumpleaños!

100

La señora tiene catarro.

Reglas

The verb *tener* (to have) is irregular. Study the following forms.

	tener
yo	tengo
tú	tienes
él, ella, Ud.	tiene
nosotros, nosotras	tenemos
(vosotros, vosotras)	(tenéis)
ellos, ellas, Uds.	tienen

GAME: Play a guessing game. Call a student to front of room. Have him/her think of what he/she has. One student asks ¿Qué tiene __? Classmates ask questions and student responds No, no tengo __. or Sí, tengo __. Continue until response is sí. The same game can be played with two students to elicit the plural forms.

APLICACIÓN ESCRITA

O. Complete each sentence with the correct form of the verb *tener* based on the illustration.

1. Yo __tengo discos__.
   Ella __tiene discos__.
   Nosotros __tenemos discos__
   Tú __tienes discos__.

2. Ella __tiene un periódico__
   Tú __tienes un periódico__
   Nosotros __tenemos un periódico__
   Ellos __tienen un periódico__

3. Juan y Carlos __tienen vegetales__
   Él __tiene vegetales__.
   Nosotros __tenemos vegetales__
   Yo __tengo vegetales__.

   Answers can also be with una canasta or una canasta de vegetales.

101

P. Complete each sentence with the correct form of the verb *tener*.

1. Elena _____ mucho tiempo. tiene
2. Yo _____ cinco pesos. tengo
3. La ciudad _____ muchas calles. tiene
4. Carlos _____ catarro. tiene
5. Los gemelos _____ quince años. tienen
6. Nosotros _____ otro periódico. tenemos
7. Tú _____ la misma oportunidad. tienes
8. Ellas no _____ el mismo cumpleaños. tienen
9. Nosotros _____ una merienda en el Bosque de Chapultepec. tenemos
10. Yo _____ la bolsa. tengo

Additional writing exercises appear in the accompanying Cuaderno de Ejercicios.

Q. Rewrite each sentence in the plural.

1. Él tiene mucho tiempo. Ellos tienen mucho tiempo.
2. Tengo ocho pesos. Tenemos ocho pesos.
3. Ella tiene muchos discos. Ellas tienen muchos discos.
4. Tengo una casa bonita. Tenemos una casa bonita.
5. El indio tiene una casa con techo de paja. Los indios tienen una casa con techo de paja.

los verbos <u>ser</u> y <u>estar</u>

origen y colocación

A. Repitan.
Rosita es de Cuba.
Carlos es de México.
Ellos son de España.

B. Contesten.
¿Es de Cuba Juan?
¿De dónde es Juan?
¿Es de España Carmen?
¿De dónde es Carmen?
¿Es de Guatemala Teresa?
¿De dónde es Teresa?
¿Son de México los gemelos?
¿De dónde son los gemelos?
¿Son de España los quesos?
¿De dónde son los quesos?
¿Son de Puerto Rico los discos?
¿De dónde son los discos?
¿Eres de los Estados Unidos? Sí, soy de ___.
¿De dónde eres? Soy de ___.

C. Repitan.
Madrid está en España.
El Bosque de Chapultepec está en México.
Yo estoy en los Estados Unidos.
Estamos en el mercado.

D. Contesten.
¿Está en España Madrid?
¿Está en Chile Viña?
¿Está en la calle la tienda?
¿Está en la tienda la guitarra?
¿Está en la mesa el sobre?
¿Está en el sobre el sello?
¿Están en el mercado los puestos?
¿Están en la bolsa los bocadillos?
¿Están en la canasta los vegetales?
¿Están en la escuela los alumnos?
¿Están en el parque los amigos?
¿Estás en los Estados Unidos? Sí, estoy en __
¿Dónde estás? Estoy en la escuela.
¿Estás con Teresa? Sí (No), (no) estoy con
¿Con quién estás? Estoy con ___. Teresa.

¿Es de San Juan Rosita?

To show the difference between es de and está en, draw a map on the board. Draw a cradle or baby and say: Es de __. Draw a map of another country and put in map a stick figure of an adult and say: Ahora está en __.

¿Está ahora en España Rosita?

¿De dónde es Rosita y dónde está ahora?

¿Es de España Jesús?

¿Está ahora en Chile Jesús?

¿De dónde es Jesús y dónde está ahora?

¿Es de Guatemala María?

¿Está ahora en Chicago?

¿De dónde es María y dónde está ahora?

Not recorded

Reglas

Both the verbs *ser* and *estar* mean "to be." However, they have very distinct uses. The verb *ser* is used to express origin, where someone or something is from.

María es de Cuba.
Los quesos son de España. } where they are from

The verb *estar* is used to express location, be it temporary or permanent.

Nosotros estamos en la escuela. } temporary location
Viña del Mar está en Chile. } permanent location

característica y condición

F. Repitan.
La playa es pequeña.
Carlos es guapo.
Los gemelos son altos.
Las tiendas son modernas.

G. Contesten.
¿Es guapo el muchacho?
¿Es bonita la playa?
¿Es pequeña la bolsa?
¿Es antiguo el mercado?
¿Es moderna la ciudad?
¿Es necesario el dinero?
¿Es nueva la canasta?
¿Son importantes los periódicos?
¿Son interesantes las cartas?
¿Son grandes las ciudades?
¿Son pequeños los pueblos?
¿Eres guapo o feo? *Answers are*
¿Eres alto o bajo? *with* soy.
¿Eres bonita o fea?
¿Eres alta o baja?

El gato echa una siesta.

H. Repitan.
Silvia está contenta.
Silvia no está triste.
Carlos está enfermo.

I. Contesten.
¿Está bien Javier?
¿Está enferma Pilar?
¿Está triste Arturo?
¿Está contenta la muchacha?
¿Está cansado Claudio?
¿Estás bien?   *Answers*
¿Estás enfermo?   *are with*
¿Cómo estás?   *estoy.*

unos gemelos norteamericanos

Not recorded

Reglas

The verb *ser* is used to express a characteristic. *Note that for this initial presentation of ser and estar, we are presenting only the most salient differences. Intricacies will be presented at a later point.*

El mercado es moderno.
Las alumnas son altas.

The verb *estar* is used to express a temporary condition.

María Julia está enferma.
Los muchachos están cansados.

Not recorded   **APLICACIÓN ESCRITA**

J. Complete each sentence with the correct form of *ser* or *estar*.
 1. Ellos _____ de Caracas.   son
 2. Todos _____ en la playa.   están
 3. Yo _____ en los Estados Unidos.   estoy
 4. El queso _____ de España.   es
 5. Guanajuato _____ en México.   está
 6. Los indios _____ en el mercado.   están
 7. Los indios _____ de Guatemala.   son
 8. Yo no _____ de España.   soy
 9. Carmen _____ de Puerto Rico.   es
 10. Los mercados _____ en la calle.   están

104

K. Follow the model.

carta / interesante
La carta es interesante.

Eduardo / enfermo
Eduardo está enfermo.

1. María Angélica / alta   La carta es interesante.
2. ellos / bien   Ellos están bien.
3. playas / bonitas   Las playas son bonitas.
4. Carlos / cansado   Carlos está cansado.
5. puestos / pequeños   Los puestos son pequeños.
6. ciudad / elegante   La ciudad es elegante.
7. nosotras / contentas   Nosotras estamos contentas.
8. Elena / triste   Elena está triste.
9. muchachas / inteligentes   Las muchachas son inteligentes.
10. Arturo / enfermo   Arturo está enfermo.

L. Complete each sentence with the correct form of *ser* or *estar*.

1. El muchacho _____ enfermo.   está
2. Marlena _____ de México pero ahora _____ en España.   es / está
3. Nosotros _____ contentos.   estamos
4. Yo _____ de los Estados Unidos.   soy
5. El pueblo _____ bonito.   es
6. Ellos _____ cansados.   están
7. Guanajuato no _____ en Panamá.   está
8. Los regalos _____ interesantes.   son
9. Federico _____ triste.   está
10. El parque _____ en México y _____ famoso.   está / es

M. Follow the model.

¿Interesante? ¿La carta?
Sí, la carta es interesante.

¿En México? ¿Mariluz?
Sí, Mariluz está en México.

1. ¿De Cuba? ¿Rosita?   Sí, Rosita es de Cuba.
2. ¿En Venezuela? ¿Caracas?   Sí, Caracas está en Venezuela.
3. ¿Triste? ¿El padre?   Sí, el padre está triste.
4. ¿Antiguos? ¿Los mercados?   Sí, los mercados son antiguos.
5. ¿De España? ¿Los quesos?   Sí, los quesos son de España.
6. ¿Enfermo? ¿Juanito?   Sí, Juanito está enfermo.
7. ¿Contenta? ¿Juana?   Sí, Juana está contenta.
8. ¿Modernas? ¿Las casas?   Sí, las casas son modernas.

los adjetivos de nacionalidad

A. Repitan.

Carlos es chileno.
María es chilena.
Los muchachos son chilenos.
Las muchachas son chilenas.

B. Contesten.

¿Es cubano Enrique?
¿Es mexicana Isabel?
¿Son chilenos Juan y Eduardo?
¿Son argentinas María y Elena?
¿Es americano el muchacho?
¿Son italianas las muchachas?

C. Repitan.

Jesús es español.
Carmen es española.
Los muchachos son españoles.
Las muchachas son españolas.

D. Sustituyan.

Elena es { española. / alemana. / inglesa. / francesa.

Ellos son { portugueses. / españoles. / irlandeses. / ingleses.

E. Contesten.

¿Es francés Pedro?
¿Es alemana Gertrudis?
¿Son ingleses Juan y Federico?
¿Son irlandesas María y Teresa?
¿Es portugués Pablo?
¿Es francesa Francisca?
¿Son españoles los muchachos?
¿Son alemanas las muchachas?

El joven está triste.

106

Reglas

Many adjectives of nationality end in *–o* or *–a*.   These adjectives conform to the regular pattern for *–o, –a* adjectives. Study the following.

    el muchacho cubano   los muchachos cubanos
    la muchacha cubana   las muchachas cubanas

Many other adjectives of nationality end in a consonant.   These adjectives also have four forms.   Study the following.

    el muchacho español   los muchachos españoles
    la muchacha española   las muchachas españolas

Many adjectives of nationality have an accent in the masculine singular.   The accent is dropped in all other forms.

    portugués, portuguesa, portugueses, portuguesas
    francés, francesa, franceses, francesas

Note the following adjectives of nationality having only two forms: costarricense(s), nicaragüense(s), canadiense(s).

Other nationalities students may want to know because of their own
—————————————————————————————— backgrounds are:

APLICACIÓN ESCRITA austriaco, belga, noruego,
dinamarqués, sueco, finlandés,
checoslovaco,
polaco,
yugoslavo, ruso, suizo,
griego, africano, árabe,
japonés, chino, israelí.

F. Complete each sentence with the correct form of the italicized adjective.
1. Carlos es _____. *español.* español
2. Teresa y Carmen son _____. *mexicano* mexicanas
3. Ellos son _____. *argentino* argentinos
4. Isabel es _____. *portugués* portuguesa
5. Las alumnas son _____. *francés* francesas
6. Los señores son _____. *irlandés* irlandeses
7. Ella es _____. *americano* americana
8. Él es _____. *inglés* inglés

G. Follow the model.

    Klaus es de Alemania.
    Klaus es alemán.

1. Jesús es de España. Jesús es español.
2. Los indios son de México.   Los indios son mexicanos.
3. Annette es de Francia. Annette es francesa.
4. Ellos son de Alemania. Ellos son alemanes.
5. Los vestidos son de Inglaterra.   Los vestidos son ingleses.
6. Los muchachos son de Cuba. Los muchachos son cubanos.
7. Elena es de Irlanda. Elena es irlandesa.
8. Ellos son de Portugal. Ellos son portugueses.

IMPROVISACIONES

Underlined words indicate the structure concepts presented in this lesson.

To convey meaning of claro, say sí emphatically as if there could be no doubt.

Arreglar is new. Give the words preparar and organizar to convey the meaning.

PREGUNTAS

1. ¿Cómo está Rafael?
2. ¿Tiene Patricio muchos paquetes?
3. ¿Por qué tiene tantos paquetes?
4. ¿Son gemelos Elena y Tomás?
5. ¿Qué arreglan los muchachos para Elena y Tomás?

SÍMBOLOS

ba	be	bi	bo	bu
bajo	escribe	bien	bonito	(butaca)
sábado	recibe	recibimos	bocadillo	bueno
		escribimos		

va	ve	vi	vo	vu
va	ve	vida	vosotros	(vuelo)
vamos	vemos	vivimos		
	verano	vive		

Trabalenguas

According to Spanish phonetics, there is no difference in pronunciation between b and v. In certain areas of Latin America, however, a slight differentiation will sometimes be heard.

En el verano vivo en una casa vieja.
Benito recibe y también escribe una carta.
Vamos al bosque y vemos bocadillos buenos.
Bárbara va a la ventana.

La familia celebra el cumpleaños de la muchacha.

ESCENAS
Una serenata

Hoy es el cumpleaños de Elena y Tomás.   Elena <u>tiene</u> quince años y Tomás también <u>tiene</u> quince años.   Ellos son gemelos. <u>Son</u> de Guanajuato, un pueblo al norte de la Ciudad de México.

Son las seis de la mañana.   Hay un ruido en la calle.   Elena <u>está</u> todavía <u>cansada</u> pero va a la ventana.   ¿Y qué ve?   En la calle ve un grupo de amigos.   Ellos tocan la guitarra y cantan «Las mañanitas».   Pero, ¿por qué <u>están</u> los amigos <u>en la calle</u> a las seis de la mañana?   ¿Y por qué cantan?   Porque es una serenata en honor del cumpleaños de Elena y Tomás.   Las serenatas son generalmente solamente para las muchachas. Pero Tomás <u>tiene</u> suerte.   Como él <u>tiene</u> una gemela, la serenata es también para él.

Por la tarde hay una fiesta.   Llegan los primos, los tíos, los abuelos y los amigos.   Y claro llegan también los padrinos. Todos <u>están</u> <u>contentos</u>.   Y todos <u>tienen</u> regalos para Elena y Tomás.   Ellos reciben discos, libros, *blue jeans* y *T-shirts*.

Durante la fiesta todos hablan, escuchan discos y bailan. Toman muchos refrescos.   Y luego todo el mundo come una comida deliciosa.

La serenata por la mañana es una costumbre típicamente <u>mexicana</u>.   Pero la fiesta para celebrar el cumpleaños de un pariente no es solamente una costumbre <u>mexicana</u>.   Es una costumbre universal.

ruido noise
todavía still
A recording of Las Mañanitas *is readily available in many record shops.*
solamente only
suerte luck

padrinos godparents
Underscore indicates the structure concepts presented in this lesson. All other structures are included for review
costumbre custom   *and*
        reinforcement.
pariente relative

PREGUNTAS Not recorded

1. ¿Qué día es hoy?
2. ¿Cuántos años tienen ellos?
3. ¿Son gemelos ellos?
4. ¿De dónde son ellos?
5. ¿Qué hora es?
6. ¿Qué hay en la calle?
7. ¿Cómo está Elena?
8. ¿Adónde va ella?
9. ¿Qué ve ella?
10. ¿Por qué cantan los amigos en la calle?
11. ¿Para quiénes son las serenatas?
12. ¿Por qué tiene suerte Tomás?
13. ¿Qué hay por la tarde?
14. ¿Quiénes llegan?
15. ¿Cómo están todos?
16. ¿Qué tienen?
17. ¿Qué reciben como regalos Elena y Tomás?
18. ¿Qué comen todos durante la fiesta?
19. ¿Cuál es una costumbre típicamente mexicana?
20. ¿Cuál es una costumbre universal?

You may begin the story after students are familiar with the new vocabulary. Have class repeat two or three sentences after you or the tape. Ask pertinent questions. Call on individuals to read and correct pronunciation errors. After a student has read, ask questions of other members of the class.

Not recorded

Composición

Answer the following questions to form a paragraph.

¿Son gemelos Elena y Tomás?.

¿De dónde son ellos?

¿Qué día es?

¿Qué hay en la calle a las seis de la mañana?

¿Quién va a la ventana?

¿Qué abre ella?

¿Qué ve?

¿Qué tocan los amigos?.

¿Y qué cantan?

¿Por qué tocan la guitarra y cantan a las seis de la mañana?

¿Para quiénes son las serenatas generalmente?

¿Por qué es la serenata para Tomás también?

PERSPECTIVAS

Emociones
Not recorded

¿Estás triste o contento(a) cuando . . .

¿Recibes un regalo? • ¿Vas a una fiesta? • ¿Estás enfermo? • ¿Comes? • ¿Estás cansado(a)? • ¿Hablas con el profesor o la profesora? • ¿Estudias? • ¿Ves una película?

Pasatiempo

Rearrange the letters below to form words. Then rearrange the circled letters to reveal a place where all the unscrambled items can be found.

1. I D O S C   D I S C O
2. R E R F E O S C   R E F R E S C O
3. O I A M D C   C O M I D A
4. E A O L G R   R E G A L O
5. U O I R D   R U I D O
6. A I P E N E R T S   P A R I E N T E S
7. U A G R T A I R   G U I T A R R A

U N A   F I E S T A

Entrevista
Not recorded

¿Vas a muchas fiestas? • ¿Vas a veces a una fiesta en honor del cumpleaños de un amigo o de una amiga? • ¿Es a veces una sorpresa la fiesta? • ¿Quiénes van a la fiesta? • ¿Tienen regalos? • ¿Qué tipo de regalos tienen? • Durante la fiesta, ¿escuchan Uds. discos? • ¿Bailan Uds? • ¿Toman Uds. refrescos? • ¿Hay una serenata? • ¿Dónde hay serenatas? ¿Cuántos años tienes? • ¿Cuántos hermanos tienes? • ¿Tienes un(a) gemelo(a)? • ¿Tienes muchos primos?

Resumen oral

GAME: Have students make up true and false statements based on the illustration.

BASES

8

Per the grammatical note on page 122, you may wish to teach jugar *without the preposition* a.

1. Es el otoño.
   Hace fresco.
   Los jóvenes juegan al fútbol.
   Carlos tiene la pelota.

2. El fútbol es un deporte.
   Es un deporte popular en muchos
       países del mundo.
   Es el equipo.
   El equipo es bueno.
   Hay once jugadores en el equipo.
   Es un partido de fútbol.
   Un jugador vuelve al campo de
       fútbol.

3. Las jóvenes juegan al básquetbol.
El partido empieza (comienza) a las
dos.
Cada equipo quiere ganar.
Los dos equipos no pueden ganar.
Un equipo tiene que perder.

4. la mano

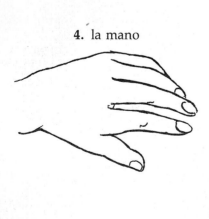

la cabeza

las piernas

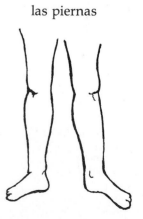

A. Answer each question with a complete sentence.

1. ¿Qué tiempo hace en el otoño? Hace fresco.
2. ¿Juegan al fútbol los jóvenes? Sí, los jóvenes juegan al fútbol.
3. ¿Quién tiene la pelota? Carlos tiene la pelota.
4. ¿Cuál es un deporte? El fútbol es un deporte.
5. ¿Cuál es un deporte popular en muchos países del mundo? El fútbol es un deporte popular en muchos países del mundo.
6. ¿Cuántos jugadores hay en un equipo de fútbol? Hay once jugadores.
7. ¿Adónde vuelve un jugador? Vuelve al campo de fútbol.
8. ¿A qué deporte juegan las jóvenes? Juegan al básquetbol.
9. ¿A qué hora empieza el partido de básquetbol? Empieza a las dos.
10. ¿Quiere ganar cada equipo? Sí, cada equipo quiere ganar.
11. ¿Pueden ganar los dos equipos? No, los dos equipos no pueden ganar.
12. ¿Tiene que perder un equipo? Sí, un equipo tiene que perder.

B. Form a question according to the model. *Not recorded*

Hay *once* jugadores en el equipo.
¿Cuántos jugadores hay en el equipo?

1. Hay *dos* equipos en el campo de fútbol. ¿Cuántos?
2. El equipo es *muy bueno*. ¿Cómo?
3. *Los jóvenes* juegan al fútbol. ¿Quiénes?
4. Las jugadoras están *en el campo de béisbol*. ¿Dónde?
5. Hay *tres* partidos hoy. ¿Cuántos?

C. Correct each false statement. *Not recorded*

1. <u>La serenata</u> es un deporte. El fútbol
2. Hay <u>veinte</u> jugadores en el equipo de fútbol. once
3. Hace <u>calor</u> en el otoño. fresco
4. Un equipo bueno quiere <u>perder</u>. ganar

Not recorded
D. Complete each sentence with an appropriate word.

1. Hay once _____ en un equipo de fútbol. jugadores
2. Cada equipo quiere <u>ganar</u> pero un equipo tiene que <u>perder</u>.
3. El básquetbol es un _____ popular. deporte
4. Chile es un _____. país
5. El partido _____ a las dos. empieza

ESTRUCTURAS

los verbos de cambio radical

los verbos con el cambio e→ie

nosotros, nosotras

A. Repitan.
We begin with nosotros *since it is the only form that does not conform to a regular pattern.*
Empezamos a tocar.
Comenzamos a hablar.
Queremos jugar.
Perdemos el tiempo.

B. Contesten.
¿Empiezan Uds. a cantar?   Empezamos
¿Empiezan Uds. a comer?   Empezamos
¿Comienzan Uds. a nadar? Comenzamos
¿Comienzan Uds. a escribir? Comenzamos
¿Quieren Uds. hablar?   Queremos
¿Quieren Uds. leer?   Queremos
¿Quieren Uds. el periódico? Queremos
¿Quieren Uds. los regalos?   Queremos
¿Quieren Uds. ganar el partido? Queremos
¿Quieren Uds. jugar con el equipo? Queremos
¿Pierden Uds. mucho tiempo? Perdemos
¿Pierden Uds. el partido?   Perdemos

las otras formas

C. Repitan.
Ella empieza a nadar.
Ellos quieren comer.
Yo quiero la bolsa.
Tú pierdes mucho tiempo.

Juegan al béisbol cerca del Morro, San Juan, Puerto Rico.

D. Contesten.
¿Empieza el partido a las dos?
¿Empieza la serenata a las seis?
¿Empieza a cantar la muchacha?
¿Empieza a tocar la guitarra Manolo?
¿Comienza el partido de fútbol?
¿Quiere ser jugador Tomás?
¿Quiere comer el muchacho?
¿Pierde el partido el equipo?
¿Pierde mucho tiempo el señor?

¿Empiezan a las dos los partidos?
¿Empiezan ahora las jugadoras?
¿Comienzan ahora los equipos?
¿Comienzan a cantar los amigos?
¿Quieren ir al pueblo las señoras?
¿Quieren ellas visitar la capital?
¿Pierden ellas el partido?
¿Pierden ellos la bolsa?

¿Empiezas a cantar?   *All answers*
¿Empiezas a remar?   *are with -o.*
¿Empiezas a comer?
¿Comienzas a leer el periódico?
¿Comienzas a escribir la carta?
¿Quieres tocar la guitarra?
¿Quieres comprar la canasta?
¿Pierdes mucho dinero?
¿Pierdes mucho tiempo?

E. Sigan las instrucciones.   *empiezas*
Pregúntele a un muchacho si empieza a comer.
Pregúntele a una muchacha si comienza a ju-
    gar.   *comienzas*
Pregúntele a un muchacho si quiere ver la
    película.   *quieres*
Pregúntele al señor si pierde mucho tiempo. *pierde Ud.*
Pregúntele a la señora si comienza a leer. *comienza*
Pregúntele a una señora si quiere vivir en la
    capital.   *quiere Ud.*
Pregúnteles a los muchachos si quieren jugar. *quieren Uds.*
Pregúnteles a las muchachas si pierden mucho
    tiempo.   *pierden Uds.*
Pregúnteles a los señores si empiezan a comer.
                      empiezan Uds.

La joven juega al vólibol.

119

Reglas

Many verbs in Spanish are called stem-changing verbs. This means that the stem of the infinitive (**quer**-er) will change in most conjugated forms. The only exceptions are the *nosotros* and *vosotros* forms.

Several verbs change from *e* to *ie*. You will note that the endings are the same as those used for regular verbs of the same conjugation.

	empezar	**querer**	**perder**
yo	empiezo	quiero	pierdo
tú	empiezas	quieres	pierdes
él, ella, Ud.	empieza	quiere	pierde
nosotros, nosotras	empezamos	queremos	perdemos
(vosotros, vosotras)	(empezáis)	(queréis)	(perdéis)
ellos, ellas, Uds.	empiezan	quieren	pierden

The verbs *empezar, comenzar,* and *querer* are often followed by an infinitive. Note that the verbs *empezar* and *comenzar* take the preposition *a* when followed by an infinitive.

Empiezo **a** cantar. *Have students make up additional sentences with this*
Comienzan **a** comer. *construction. Hearing and using it many times will help them remember this useful pattern.*

APLICACIÓN ESCRITA

F. Complete each sentence with the correct form of the italicized verb.
1. El partido _____ a las dos. *empezar*   empieza
2. Juan y Carlos _____ el juego. *perder*   pierden
3. Nosotros _____ ir al mercado. *querer*   queremos
4. ¿Por qué no _____ tú ahora? *comenzar*   comienzas
5. Nosotras _____ nadar. *querer*   queremos
6. El señor no _____ vender la canasta. *querer*   quiere
7. Uds. _____ mucho tiempo. *perder*   pierden
8. Ella _____ a leer el periódico. *empezar*   empieza
9. Nosotros _____ ganar. *querer*   queremos
10. Los parientes _____ a llegar. *empezar*   empiezan

los verbos con el cambio o→ue

nosotros, nosotras

A. Repitan.
Volvemos a la ciudad.
Volvemos a México.
Podemos jugar.
Podemos comer.
Jugamos al béisbol.
Jugamos al tenis.

B. Contesten.
¿Vuelven Uds. a la playa?
¿Vuelven Uds. al parque?   *Volvemos*
¿Vuelven Uds. al mercado?
¿Vuelven Uds. a la tienda?

¿Pueden Uds. jugar?
¿Pueden Uds. comprar la pelota?
¿Pueden Uds. leer ahora?   *Podemos*
¿Pueden Uds. visitar la capital?

¿Juegan Uds. al fútbol?
¿Juegan Uds. en el parque?   *Jugamos*
¿Juegan Uds. en el otoño?
¿Cuándo juegan Uds. al fútbol?

Las muchachas juegan juntas, La Herradura, Chile.

las otras formas

C. Repitan.
Ella vuelve ahora.
Ellos pueden jugar.
Yo juego al fútbol.
Tú puedes, ¿no?

D. Contesten.
¿Vuelve Carlos con Carmen?
¿Con quién vuelve Carlos?
¿Vuelve al campo de fútbol el jugador?
¿Adónde vuelve el jugador?
¿Puede jugar Paco?
¿Quién puede jugar?
¿Juega Elena al tenis?
¿A qué juega Elena?

¿Vuelven los indios del mercado?
¿De dónde vuelven los indios?
¿Pueden jugar en el parque las muchachas?
¿Dónde pueden jugar ellas?
¿Juegan ellos en la playa?
¿Dónde juegan ellos?

¿Vuelves a la capital?   *All answers are*
¿Vuelves a la tienda?   *with -o.*
¿Puedes comer salchichas?
¿Puedes escribir la carta ahora?
¿Juegas en el parque?
¿Juegas al béisbol?

E. Sigan las instrucciones.
Pregúntele a una muchacha si vuelve al campo de fútbol.   *vuelves*
Pregúntele a un muchacho si puede ver la película.   *puedes*
Pregúntele a un señor si vuelve a la ciudad.   *vuelve Ud.*
Pregúntele a una señorita si puede empezar ahora.   *puede Ud.*
Pregúnteles a los muchachos si vuelven al parque.   *vuelven Uds.*
Pregúnteles a los señores si pueden ir a la playa.   *pueden Uds.*

121

Reglas

Several verbs change the stem from *o* to *ue*. Study the following.

	volver	poder
yo	vuelvo	puedo
tú	vuelves	puedes
él, ella, Ud.	vuelve	puede
nosotros, nosotras	volvemos	podemos
(vosotros, vosotras)	(volvéis)	(podéis)
ellos, ellas, Uds.	vuelven	pueden

The verb *jugar* has a *u* in the infinitive.   However, all conjugated forms (except *nosotros* and *vosotros*) change to *ue*, as in *volver* and *poder*.

	jugar
yo	juego
tú	juegas
él ella, Ud.	juega
nosotros, nosotras	jugamos
vosotros, vosotras,	(jugáis)
ellos, ellas, Uds.	juegan

Note that with sports the preposition *a* often follows *jugar*.   However, this varies from country to country and its use is optional.

Sofía juega al béisbol.   Sofía juega béisbol.

APLICACIÓN ESCRITA

F. Complete each sentence with the correct form of the italicized verb.
1. Ellos _____ del mercado. *volver*   vuelven
2. Ella no _____ leer la carta ahora. *poder*   puede
3. Yo _____ al fútbol en el parque. *jugar*   juego
4. Nosotros _____ a la tienda. *volver*   volvemos
5. Teresa _____ jugar también. *poder*   puede
6. ¿Por qué no _____ tú ir a la playa? *poder*   puedes
7. Nosotros _____ al tenis en el verano. *jugar*   jugamos
8. ¿Cuándo _____ Uds.? *volver*   vuelven
9. Yo _____ empezar ahora. *poder*   puedo
10. Ud. _____ con María, ¿no? *volver*   vuelve

la expresión <u>tener que</u>

A. Repitan.
Silvia tiene que hablar español.
Los alumnos tienen que leer.
Tengo que escribir una carta.

As you say tiene que, *use a tone or expression that conveys necessity. You may even wish to shake your index finger, gesturing the obligatory nature of the meaning of* tener que.

B. Contesten.
¿Tiene que volver María?
¿Tiene que hablar Juan?
¿Tiene que comer el muchacho?

¿Tienen que jugar las muchachas?
¿Tienen que leer los alumnos?
¿Tienen que ganar las jugadoras?

¿Tienes que alquilar un barquito?
¿Tienes que llevar la bolsa?
¿Tienes que leer el periódico?

¿Tienen Uds. que tomar una siesta?
¿Tienen Uds. que comprar un regalo?
¿Tienen Uds. que preparar la comida?

Not recorded ———— Reglas ————

The expression *tener que* followed by the infinitive means "to have to."

Él tiene que hablar.	Tengo que volver.
Ellos tienen que leer.	Tenemos que jugar bien.

Not recorded **APLICACIÓN ESCRITA**

C. Complete each sentence with the correct infinitive ending.
1. Yo tengo que viv_ir_ en Madrid.
2. Marta tiene que estudi_ar_ español.
3. ¿Tienes que le_er_ el periódico?
4. Tenemos que habl_ar_ con la profesora.
5. Ella tiene que abr_ir_ la canasta.
6. Tengo que vend_er_ la casa.
7. Tenemos que prepar_ar_ la comida.
8. ¿Tienen Uds. que escrib_ir_ una carta?

D. Complete each sentence with the correct form of the verb *tener* and any infinitive that makes sense. *Note that answers can vary.*
1. Yo _____ que _____ español. tengo que / hablar (aprender)
2. Nosotros _____ que _____ una siesta. tenemos que / tomar (echar)
3. Tú _____ que _____ el partido. tienes que / ganar (perder)
4. Yo _____ que _____ la comida. tengo que / preparar (comer)
5. Uds. _____ que _____ el periódico. tienen que / comprar (leer)

123

los adjetivos que terminan en consonante

A. Repitan.
El muchacho es popular.
La muchacha es popular.
Los muchachos son populares.
Las muchachas son populares.

B. Contesten.
¿Es popular el béisbol?
¿Son populares los deportes?
¿Es popular el tenis?
¿Son populares las dos hermanas?
¿Es oficial el periódico?
¿Son oficiales las cartas?
¿Es importante la vida social?

Not recorded

Reglas

Adjectives that end in a consonant have only two forms, singular and plural.   To form the plural, –es is added.

| el muchacho popular | la muchacha popular |
| los equipos populares | las playas populares |

Not recorded

APLICACIÓN ESCRITA

C. Complete each sentence with the correct form of an adjective from the list.

popular   oficial
general   colonial

1. Los deportes son muy _____. populares
2. Es una casa _____. colonial
3. Tiene solamente una idea _____. general
4. Las cartas son _____ oficiales

124

IMPROVISACIONES

¡A jugar!

Underscore indicates the structure concepts presented and reinforced throughout this lesson.

¿Qué tal? is new.
Say ¿Qué tal? ¿Cómo estás?

Julia Hola, Sonia.

Sonia Hola, Julia. ¿Qué tal?

Julia Bien. <u>¿Quieres</u> jugar al básquetbol?

Sonia Buena idea. Allí está Susana.

Julia Ella <u>puede</u> jugar también.

Sonia <u>Podemos</u> ir al parque.

Julia <u>¿Tienes</u> el balón?

Sonia Sí, tengo.

Julia Pues, vamos.

Point to convey the meaning of allí.

Explain to students that pelota and balón both translate as "ball." However, balón is usually used for a larger one, as in basketball.

PREGUNTAS

1. ¿Con quién habla Sonia?
2. ¿Cómo está Julia?
3. ¿Quiere Sonia jugar al básquetbol?
4. ¿Puede jugar Susana también?
5. ¿Adónde pueden ir las muchachas?
6. ¿Quién tiene el balón?

SÍMBOLOS

sa	se	si	so	su
bolsa	señor	sí	peso	supermercado
cosa	señora	siesta	queso	
(blusa)		iglesia	famoso	

za	ce	ci	zo	zu
plaza	necesita	cinco	empiezo	(zumo)
empieza	once	ciudad	comienzo	
comienza		panecillo	(Zócalo)	

Trabalenguas

La bolsa de la señorita está en la iglesia.
La casa del señor González está en la plaza en el centro de la ciudad.
Empiezan a las once y cinco en el cine en el centro.

Los muchachos juegan al fútbol, Segovia, España.

126

ESCENAS
Los deportes en el mundo hispánico

En todas partes del mundo los deportes son <u>populares</u>. Y son <u>populares</u> también en la América Latina. En los países hispanoamericanos los jóvenes <u>juegan</u> mucho al fútbol. En el equipo de fútbol hay once jugadores. Pero los jugadores no <u>pueden</u> tocar la pelota con las manos. <u>Tienen que usar</u> las piernas o la cabeza. En el fútbol que <u>jugamos</u> en Norteamérica, ¿<u>pueden</u> los jugadores tocar la pelota con la mano? ¿Cuál es un deporte que nosotros <u>jugamos</u> en que no <u>podemos</u> usar las manos?

Underlined words reinforce the structure concepts presented in this lesson.

tocar touch
You may wish to have students answer the questions as they are reading.

El béisbol, en la mayoría de los países latinoamericanos, no es un deporte muy popular. Pero en el Caribe, sí. Los dominicanos, los puertorriqueños y los cubanos son muy aficionados al béisbol. El vocabulario del béisbol es muy fácil. ¿Quieren Uds. adivinar un poco? Aquí tenemos varias palabras: el jonrón, batear, el bateador, el pícher, la base, el hit.

Con la excepción del fútbol, los latinoamericanos participan en pocos deportes de equipo. Ellos prefieren la natación, el tenis, el golf y el esquí.

mayoría   majority

aficionados al   fond of
fácil   easy
adivinar   guess
palabras   words

la natación   swimming

PREGUNTAS   *Not recorded*

1. ¿Dónde son populares los deportes?   *Answers to questions can also be*
2. ¿Qué juegan mucho los jóvenes en los países hispanoamericanos?   *written at*
3. ¿Cuántos jugadores hay en el equipo de fútbol?   *home.*
4. ¿Pueden tocar la pelota con las manos los jugadores?
5. ¿Qué tienen que usar?
6. Cuando nosotros jugamos al fútbol americano, ¿podemos tocar la pelota con las manos?
7. ¿Es muy popular el béisbol en los países latinoamericanos?
8. ¿En qué país es popular el béisbol?
9. ¿Cómo es el vocabulario del béisbol?
10. ¿Cuáles son unos deportes de individuo, no de equipo?

Composición

Answer the following questions according to the cues to form a paragraph.

¿Qué estación es?   *otoño*

¿Qué tiempo hace?   *fresco*

¿Adónde van los muchachos?   *parque*

¿Dónde está el parque?   *ciudad*

¿A qué juegan los muchachos?   *fútbol*

¿Cuántos jugadores hay en cada equipo?   *once*

¿Qué equipo quiere ganar?   *los dos*

¿Qué equipo puede ganar?   *solamente uno de los dos*

Unos nadan y otros miran.

PERSPECTIVAS

Pasatiempo

In the following crucigram, there are 12 Spanish words related to sports. On a separate sheet of paper, write the letters of the crucigram. Then circle each word you can find. The words can go from left to right, from right to left, from the top down, or from the bottom up.

```
J  U  G  A  D  O  R   Q  N   R
O  P  M  A  C   S  X  U  Ó   T
G  E  T  R  O   P  E  D  I   L
O  L  O  L  P  N  V  P  C   O
L  O  B  S  I  É  B   M  A   B
F  T  J  Í  U  Q  S  E   T   T
D  A  E  G  Q  I  H  F  A   Ú
C  S  I  N  E  T   B  A  N   F
L  O  B  T  E  U  Q  S  Á  B
```

Entrevista   *Not recorded*

¿Eres muy aficionado(a) a los deportes? • ¿Eres muy aficionado(a) al fútbol? • ¿En qué escuela estudias? • ¿Es popular el fútbol en la Escuela _____? • ¿Tiene la escuela un equipo? • ¿Es bueno el equipo? • ¿Gana muchos partidos? • ¿Cuántos jugadores hay en el equipo? • ¿Y tú, ¿juegas al fútbol?   Si no juegas al fútbol, ¿a qué deporte juegas? • ¿Juegas con el equipo? • ¿En qué estación juegas? • Cuando juegas al fútbol, ¿es el fútbol americano? • ¿Puedes tocar la pelota con la mano? • ¿Quieres ser un(a) jugador(a) famoso(a)? • ¿Quién es un(a) jugador(a) famoso(a)? • ¿Con qué equipo juega?

A variety of activities based on the illustration can take place: 1. Ask questions concerning the illustration. 2. Have students ask you questions. 3. Have students give a free oral review.

Resumen oral

BASES

1. Manolo es matador.
   Él quiere torear.
   El toro es fuerte.
   El matador mata al toro.

*As you present vocabulary,
have students look at
filmstrip. Present one word
at a time and build to
complete utterance.
Intersperse questions,
building from simple to
more complex.*

2. Es la plaza de toros.
   La corrida empieza a las cuatro.
   El matador está en el redondel.

3. El señor es pobre, no rico.
El señor no gana mucho dinero.
Gana poco dinero.
Él siempre trabaja en los campos.
Trabaja en una finca.
Los campos están alrededor del
  pueblo.
La vida es muy difícil.
Las casas del pueblo son blancas.

4. Es de noche.
Es una casa humilde.
La madre cuida del niño.
En la casa hay mucha pobreza.
En la mesa hay pan.
La señora está vestida de negro.

A. Answer each question with a complete sentence.

1. ¿Qué es Manolo? matador
2. ¿Mata al toro el matador? Sí
3. ¿A qué hora empieza la corrida? a las cuatro
4. ¿Dónde está el matador? en el redondel
5. ¿Es pobre o rico el señor? pobre
6. ¿Gana mucho dinero él? No
7. ¿Dónde trabaja el hombre? en los campos
8. ¿Dónde están los campos? alrededor del pueblo
9. ¿De qué color son las casas del pueblo? blancas
10. ¿Quién cuida del niño? La madre

Not recorded

B. Identify or describe each of the following.

1. el señor que mata al toro durante la corrida matador
2. donde el matador mata al toro el redondel
3. una persona que no tiene dinero pobre
4. donde la gente cultiva los vegetales el campo
5. donde hay muchos animales una finca

Not recorded

C. Complete each sentence with an appropriate word.

1. El toro es un animal _____. fuerte
2. El matador está en el _____ con el toro. redondel
3. Una persona que no tiene dinero es _pobre_.
4. La vida de los pobres no es fácil; es _difícil_.
5. Las _finca_ están en el campo, no en la ciudad.
6. El pobre no _____ mucho dinero. gana
7. La madre _____ del niño. cuida
8. De _____, no hay sol. noche

Plaza de Toros de MAR.
Domingo,
Tarde a las 5

GRANDIOSA
CORRIDA
DE TOROS

Con superior permiso y si el tiempo no lo impide, se picarán,
banderillearán y serán muertos a estoque
6 ESCOGIDOS Y BRAVOS TOROS - 6
de la acreditada ganadería de D. CARLOS NUÑEZ, de SEVILLA,
para los valientes ESPADAS:

Santiago Martín "EL VITI"
MANUEL BENITEZ "EL CORDOBES"
PACO ALCALDE

con sus correspondientes cuadrillas,
Amenizará el espectáculo una brillante banda de música.

ESCENAS
Un chico pobre

Es el año 1932.   En un pueblo pequeño de Andalucía, Palma del Río, nace un niño.

    Mi nombre es Manolo.   Mi familia vive en una de las típicas casas blancas de Andalucía.   Es una casa pequeña.   En la casa hay mucha pobreza y la vida es difícil.   Hay cuatro niños en la familia.   Todos pasamos hambre.   Si tenemos suerte, podemos comer unas migas de pan.   Con frecuencia visitamos el convento para ver si tienen las monjas un panecillo o un poco

nace is born

hambre hunger
suerte luck
migas crumbs
monjas nuns

See suggestions in the teacher's insert to review techniques for presenting story.

de aceite. Mi madre trabaja en la casa. Cuida de los niños. Mi padre es un hombre bueno. Siempre busca trabajo. Trabaja como una bestia en los campos alrededor del pueblo. Gana poco dinero pero trabaja mucho. Hay unas tres familias en el pueblo que tienen mucho, pero nosotros no tenemos nada.

En 1936 empieza la guerra. Es la Guerra Civil Española. Con la guerra, nadie gana. Todos pierden. Nosotros también perdemos. Perdemos al padre. Mi padre no tiene ideas políticas pero tiene que ir a la cárcel. Mi madre siempre visita a mi padre en la prisión. Pero un día, ella no puede ir. Va mi hermana Angelita. Ella está vestida de negro. Mi madre está muerta. Mi padre está triste y también está enfermo. Unos años después, él puede salir de la cárcel. Quiere volver al pueblo donde está enterrada mi madre. Pero no puede. Está muy enfermo y muere en Córdoba. No puede terminar (completar) el viaje a casa.

Ahora soy huérfano. No tengo dinero. Tengo que buscar trabajo. Trabajo en los campos como mi padre. Pero, un día quiero ser matador. De noche, voy a la finca de una de las familias ricas de mi pueblo. En la finca tienen toros. Empiezo a torear. El señor llama a la policía y no puedo torear más.

aceite	olive oil
busca	looks for
nada	nothing
guerra	war
nadie	no one
cárcel	jail
muerta	dead
salir	to leave
enterrada	buried
muere	dies
viaje	trip
huérfano	orphan
llama	calls
no . . . más	no longer

Un día hay una corrida humilde en mi pueblo.   Soy yo el
torero.   Es un éxito tremendo.   Tengo muchas ilusiones.   Pero
otra vez la tragedia.   Como no tengo dinero, no puedo
comer.   Robo unas naranjas y voy a la cárcel.   Tengo que salir
de mi pueblo.

éxito   success
otra vez   again
Robo   I rob
naranjas   oranges

Voy a Madrid sin una peseta.   Busco trabajo, busco pesetas,
busco comida.   Cuando estoy cansado, tengo que echar una
siesta en la calle.   Un domingo, hay una corrida en Madrid.

sin   without
peseta   money of Spain

138

Yo voy a la plaza. No soy el torero pero quiero ser un torero famoso. Entro en el redondel y empiezo a torear. Otra vez, la policía y la cárcel.

Después de muchos años de pobreza y de hambre, tengo suerte. En un café, hablo con el señor Rafael Sánchez, el director de muchos matadores. Con la ayuda de Rafael, tengo la oportunidad de torear en la famosa plaza de Madrid. Es el 20 de mayo de 1964. Es un éxito tremendo. Empieza a cambiar mi suerte. Hoy soy el matador más famoso de España. Soy el ídolo de toda la nación y soy millonario. Ya no toreo. Pero no puedo olvidar los días de mi pobreza. Ayudo mucho a los pobres que todavía hay en España. Y ahora ruedo películas también.

Soy el Cordobés.

ayuda   help

cambiar   to change

olvidar   forget
ruedo películas
   I make films

PREGUNTAS   *Answers to questions can also be written at home.*

1. ¿Dónde y en qué año nace un niño?
2. ¿Cuál es su nombre?
3. ¿En qué vive su familia?
4. ¿Cómo es la vida de la familia?
5. ¿Qué pasan los cuatro niños?
6. ¿Si tienen suerte, ¿qué pueden comer?
7. ¿Qué visitan? ¿Por qué?
8. ¿Dónde trabaja la madre?
9. ¿Qué busca el padre?
10. ¿Dónde y cómo trabaja?
11. ¿Gana mucho dinero?
12. ¿Quiénes tienen mucho?
13. ¿Qué guerra empieza en 1936?

14. ¿A quién pierde la familia de Manolo?
15. ¿Adónde tiene que ir?
16. ¿Quién visita al padre?
17. Un día, ¿quién va a la cárcel? ¿Por qué?
18. ¿Puede volver al pueblo el padre?
19. ¿Dónde muere?
20. ¿Quién es huérfano?
21. ¿Dónde empieza a torear Manolo?
22. ¿Puede torear?
23. Un día, ¿dónde puede torear Manolo?
24. ¿Por qué tiene que salir de su pueblo?
25. ¿Con quién habla Manolo?
26. ¿Quién es Manolo?

BASES

9

← El Morro, San Juan, Puerto Rico

1. Ángel pone la ropa en la maleta.
   Pone sus camisas, chaqueta,
   corbata y pantalones.
   Ángel hace la maleta.

   *Ask questions that
   pertain to each
   sentence of the
   vocabulary as you teach
   the utterance.*

GAME: Ángel hace su
maleta. Pone __ en la maleta.
*Have students give as many words
as they* 2. Ángel y Marta hacen un viaje.
know for Hacen un viaje a Puerto Rico.
items Puerto Rico es una isla.
that a Van en avión.
person Están en el aeropuerto.
could put Hay mucha gente en el aeropuerto.
in a suitcase.

Puerto Rico
Océano Atlántico
Mar Caribe

*To teach
tarde, you
may draw
two clocks
on board.
Say: El
avión
no sale
a las
cinco.
Sale a las
cinco y diez.
Sale tarde. No sale a tiempo.*

GATE/PUERTA 6

San Juan
Vuelo 201
18:30

3. Ellos tienen sus boletos (billetes).
   No tienen pasaporte.
   Los pasajeros pasan por la puerta
      número seis.
   Marta muestra los boletos al
      empleado. *If you have a*
   Es el vuelo 201. *passport,*
   El vuelo sale a tiempo. *show it*
   No sale tarde. *to students.*

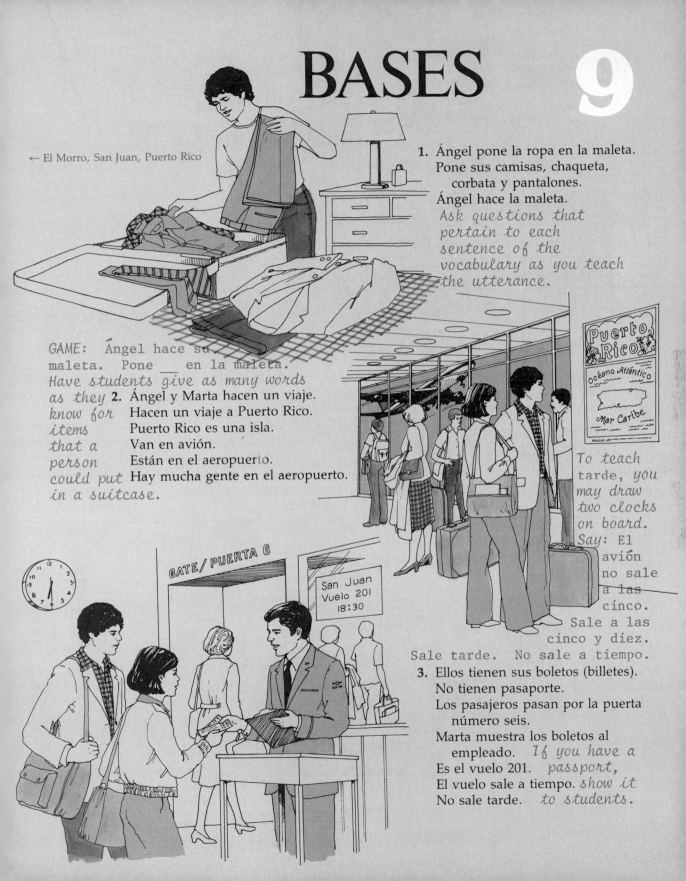

4. Los aviones están en la pista.
   Un avión despega.
   Otro avión aterriza.

The word for flight attendant changes in many areas of the Spanish-speaking world. Terms used are aeromozo, sobrecarga, asistente de vuelo, *and* azafata. Azafata *is used in Spain only.*

5. Los pasajeros están a bordo.
   Marta busca el cinturón de
      seguridad.
   Ángel mira por la ventanilla.
   Viene la aeromoza.
   Trae la comida.

Note that the word carro is used throughout the Caribbean and in other Latin American countries. In these areas coche is considered archaic. Auto can also be used.

6. Ángel y Marta visitan a sus primos.

El primo pone las maletas en el baúl del carro.

Él ayuda a Marta y a Ángel.

Additional vocabulary exercises appear in the accompanying Cuaderno de Ejercicios.

PRÁCTICA

A. Answer each question based on the model sentence.

1. Ángel y Marta hacen un viaje a Puerto Rico.
   ¿Quiénes hacen un viaje a Puerto Rico?   Ángel y Marta
   ¿Con quién hace el viaje Ángel?   con Marta
   ¿Qué hacen Ángel y Marta?   un viaje
   ¿Adónde hacen ellos un viaje?   a Puerto Rico

2. Los pasajeros pasan por la puerta número seis.
   ¿Quiénes pasan por la puerta número seis?   Los pasajeros
   ¿Por qué puerta pasan los pasajeros?   por la puerta número seis
   ¿Por dónde pasan los pasajeros?   por la puerta número seis

3. El aeromozo trae la comida durante el vuelo.
   ¿Quién trae la comida?   El aeromozo
   ¿Qué trae el aeromozo?   la comida
   ¿Cuándo trae el aeromozo la comida?   durante el vuelo

4. El primo pone las maletas en el baúl del carro.
   ¿Quién pone las maletas en el baúl del carro?   El primo
   ¿Qué pone el primo en el baúl del carro?   las maletas
   ¿En qué parte del carro pone las maletas?   en el baúl
   ¿Dónde pone el primo las maletas?   en el baúl del carro

To vary exercise and to have students use interrogative words, write sentences on board. Have class read the sentences. Point to a part of a sentence and have students make up a question. The answer to the question will be the part of the sentence to which you are pointing.

¿Qué hacen los aviones en la pista?

B. Answer each question with a complete sentence.

1. ¿Qué pone Ángel en la maleta?   sus camisas, chaqueta y pantalones
2. ¿Adónde hacen el viaje Ángel y Marta?   a Puerto Rico
3. ¿Cómo hacen el viaje?   en avión
4. ¿Qué tienen ellos?   sus boletos
5. ¿Por qué puerta pasan ellos?   por la puerta número seis
6. ¿Qué muestra Marta al empleado?   los boletos
7. ¿De dónde despega el avión?   de la pista
8. ¿Quién trae la comida durante el vuelo?   la aeromoza

C. Match the definition in Column A with the correct word in Column B. *Not recorded*

A	B
1. donde ponemos la ropa cuando hacemos un viaje b	a. la aeromoza
	b. la maleta
2. de donde despegan los aviones en el aeropuerto h	c. el pasaporte
	d. el boleto
3. las personas que hacen un viaje en avión e	e. los pasajeros
4. una cosa que necesitamos para ir a otro país c	f. el baúl
5. la persona que trae la comida en un avión a	g. la ventanilla
6. una ventana pequeña en un avión g	h. la pista
7. una cosa que necesitamos para hacer un viaje en avión d	
8. la parte del carro donde podemos poner maletas y paquetes f	

D. Complete the following paragraph with the appropriate words. *Not recorded*

Ángel pone la _____ en la _____. Él tiene camisas, _____ y pantalones. Ángel y su _____, Marta, _____ un viaje a _____ Rico. Ellos van en _____. Ahora _____ en el aeropuerto. Tienen sus _____ y sus _____ pero no tienen _____. Ellos tienen que pasar por la _____ número seis. Allí muestran sus boletos al _____. El avión _____ a tiempo, no _____. Hay muchos _____ en el avión. Viene la _____. Ella _____ la comida durante el vuelo. ropa, maleta, chaqueta, hermana, hacen, Puerto, avión, están, maletas, boletos, pasaporte, **144** puerta, empleado, sale, tarde, pasajeros, aeromoza, trae

ESTRUCTURAS

Note that the emphasis is put on the yo form of the verb. Once students know this irregular form, the remainder is a review of -er and -ir verbs.

los verbos <u>hacer</u>, <u>poner</u>, <u>traer</u>, <u>salir</u>

yo

A. Repitan.
Yo hago un viaje.
Pongo la ropa en la maleta.
Traigo la comida.
Salgo a tiempo.

B. Sustituyan.

Yo $\left\{\begin{array}{l} \text{hago} \\ \text{traigo} \\ \text{salgo} \end{array}\right\}$ mucho.

C. Contesten.
¿Haces un viaje?
¿Haces un viaje en avión?
¿Con quién haces el viaje?
¿Adónde haces el viaje?
¿Haces un bocadillo?
¿De qué haces el bocadillo?   *Hago*

¿Pones la ropa en la maleta?
¿Pones la comida en la canasta?   *Pongo*
¿Pones los billetes en la bolsa?

¿Traes las maletas?
¿Traes refrescos a la merienda?
¿Traes los billetes?   *Traigo*
¿Traes dinero?

¿Sales mucho?
¿Sales para Puerto Rico?
¿Sales a tiempo?   *Salgo*
¿Sales con Anita?

San Juan, Puerto Rico: vista del mar

las otras formas *Have students repeat two or three times in unison.*

D. Repitan.
Ángel hace un viaje.
La aeromoza trae la comida.
Los amigos ponen la comida en la canasta.
Ellos salen ahora.
Nosotros hacemos mucho trabajo.
Traemos la comida.
Salimos tarde.

E. Sustituyan.

La tía hace { un viaje. / un bocadillo. / una canasta. }

Ellas traen los { boletos. / pasaportes. / refrescos. }

Nosotros ponemos las { corbatas / camisas / chaquetas } en la maleta.

Nosotras salimos { ahora. / tarde. / a tiempo. }

F. Contesten.
¿Hace mucho trabajo Silvia?
¿Hace canastas el indio?
¿Hace la comida la tía?
¿Trae la comida el aeromozo?

¿Trae los boletos Lidia?
¿Pone todo en la bolsa la muchacha?
¿Pone la ropa en la maleta Ángel? *Call on*
¿Sale con Carlos Elena? *students at random*
¿Sale a tiempo el avión? *to keep pace lively.*

¿Hacen los bocadillos los muchachos?
¿Traen los refrescos las jóvenes?
¿Ponen las maletas en el avión los señores?
¿Salen para España los amigos?

¿Hacen Uds. mucho trabajo? Hacemos
¿Hacen Uds. un viaje?_____
¿Traen Uds. las maletas?
¿Traen Uds. el pasaporte? Traemos
¿Ponen Uds. las cosas en la canasta?
¿Ponen Uds. los billetes en la bolsa? Ponemos
¿Salen Uds. ahora?
¿Salen Uds. de noche? Salimos
¿Salen Uds. por la tarde?

Questions are with -es.
G. Sigan las instrucciones.
Pregúntele al joven si hace la comida.
Pregúntele a la muchacha si trae mucho dinero.
Pregúntele a la joven si sale con Tomás.____
Pregúnteles a los muchachos si traen la pelota al parque. *Questions are with -en.*
Pregúnteles a las muchachas si ponen las maletas en el baúl del carro.
Pregúnteles a los señores si salen ahora.____
Pregúntele a la señorita si hace un viaje. *Question*
Pregúntele al señor si trae el pasaporte. *are with -e.*

Not recorded ──── **Reglas** ────────

Many verbs that are considered irregular in the present tense are irregular only in the first person singular (*yo*). One such irregularity is the appearance of a *g* in the *yo* form. For all other forms they are like the regular verbs. Study the following.

	hacer	**traer**	**poner**	**salir**
yo	ha**g**o	trai**g**o	pon**g**o	sal**g**o
tú	haces	traes	pones	sales
él, ella, Ud.	hace	trae	pone	sale
nosotros, nosotras	hacemos	traemos	ponemos	salimos
(vosotros, vosotras)	(hacéis)	(traéis)	(ponéis)	(salís)
ellos, ellas, Uds.	hacen	traen	ponen	salen

146

APLICACIÓN ESCRITA

Additional writing exercises appear in the accompanying Cuaderno de Ejercicios.

Note that answers to this exercise can vary.

H. Answer each question with a complete sentence.

1. ¿Adónde haces un viaje? Hago un viaje a __.
2. ¿Cuándo haces el viaje? Hago el viaje en __.
3. ¿Cómo haces el viaje? Hago el viaje en __.
4. ¿Con quién haces el viaje? Hago el viaje con __.
5. ¿Traes mucho dinero? Sí (No), (no) traigo mucho dinero.
6. ¿Traes muchas maletas? Sí (No), (no) traigo muchas maletas.
7. ¿Qué pones en las maletas? Pongo __ en las maletas.
8. Cuando llegas, ¿dónde pones las maletas? Pongo las maletas en __.
9. ¿Sales a tiempo? Sí (No), (no) salgo a tiempo.
10. ¿Para dónde sales? Salgo para __.

I. Complete each sentence with the correct form of the italicized verb.

1. El aeromozo _____ la comida durante el vuelo. *traer* trae
2. Nosotros _____ a tiempo. *salir* salimos
3. Yo _____ mucho dinero. *traer* traigo
4. Angélica _____ las maletas en el baúl del carro. *poner* pone
5. Ellos _____ el viaje en avión. *hacer* hacen
6. Yo _____ a tiempo para la escuela. *salir* salgo
7. Uds. _____ muchas cosas para la merienda. *traer* traen
8. El avión _____ a las cuatro. *salir* sale
9. Nosotros _____ los boletos. *traer* traemos
10. Yo _____ los bocadillos. *hacer* hago
11. Tú _____ mucho en la maleta. *poner* pones
12. Mi tía _____ mucho trabajo. *hacer* hace

el verbo <u>venir</u>

él, ella, ellos, ellas

A. Repitan.
Marisol viene el lunes.
Ellos vienen ahora.
Ella viene de Chile.

B. Sustituyan.

El muchacho viene en busca de { trabajo. / dinero. / pan. / ayuda.

María y Teresa vienen { a tiempo. / ahora. / tarde.

C. Contesten.
¿Viene de Viña del Mar María?
¿De dónde viene María?
¿Viene con la comida la aeromoza?
¿Con qué viene la aeromoza?

¿Vienen de San Juan los pasajeros?
¿De dónde vienen los pasajeros?
¿Vienen a tiempo los amigos?
¿Cuándo vienen los amigos?

yo, nosotros, nosotras

D. Repitan.
Yo vengo en avión.
Vengo tarde.

Nosotros venimos por la tarde.
Venimos con los niños.

147

E. Contesten.

¿Vienes el lunes?
¿Vienes en avión?
¿Vienes con Carmen?   Vengo
¿Vienes tarde?

¿Vienen Uds. a tiempo?
¿Vienen Uds. con los niños?
¿Vienen Uds. de la merienda?   Venimos
¿Vienen Uds. de San Juan?

tú, Ud., Uds.

F. Repitan.

¿Vienes con María?
¿Viene Ud. a tiempo, señor?
¿Vienen Uds. en avión?

G. Sigan las instrucciones.

Pregúntele a la muchacha cuándo viene.   vienes
Pregúntele al muchacho cómo viene. _____
Pregúntele al señor con quién viene.   viene Ud.
Pregúntele a la señora de dónde viene. _____
Pregúnteles a las muchachas por qué vienen.
Pregúnteles a los señores cómo vienen.   vienen U

Not recorded ——— Reglas ———

The verb *venir* has two kinds of irregularities.   In the *yo* form, it follows the same pattern as the verbs *hacer, poner, traer,* and *salir*.   In addition, it is a stem-changing verb (*-e* to *-ie*).   Study the following.

	venir
yo	vengo
tú	vienes
él, ella, Ud.	viene
nosotros, nosotras	venimos
(vosotros, vosotras)	(venís)
ellos, ellas, Uds.	vienen

Not recorded **APLICACIÓN ESCRITA**

H. Complete each sentence with the correct form of the verb *venir*.

1. Yo _____ ahora.   vengo
2. Ellos _____ con sus primos.   vienen
3. Nosotros _____ en avión.   venimos
4. Teresa _____ con el carro.   viene
5. ¿Por qué _____ tú con cinco maletas?   vienes
6. Yo _____ tarde.   vengo
7. Las dos primas _____ con mucho dinero.   vienen
8. Nosotras _____ en carro.   venimos

148

la a personal

A. Repitan.
Busco trabajo.
Busco los boletos.
Busco a Silvia.
Busco al niño.
Busco a mis primos.

B. Sustituyan.

Miro
Busco } la carta.
Recibo

Miro
Busco } a la niña.
Recibo

San Juan: playa y palmeras

C. Contesten.
¿Recibes la carta?
¿Qué recibes?
¿Recibes a María?
¿A quién recibes?
¿Llevas la bolsa a la merienda?
¿Qué llevas a la merienda?
¿Llevas al niño a la merienda?
¿A quién llevas a la merienda?
¿Miras la chaqueta?

¿Qué miras?
¿Miras a la niña?
¿A quién miras?
¿Pierdes los boletos?
¿Qué pierdes?
¿Pierdes al padre?
¿A quién pierdes?
¿Ayudas a los pobres?
¿A quiénes ayudas?

In order to help students visualize this point, you may wish to draw a stick figure of a person on the board each time you ask a question which has a person as a direct object.

Not recorded

═══ Reglas ═══

Whenever the direct object of a verb is a person, it must be preceded by the preposition *a*. This is called the *a personal* and it has no equivalent in English. Study the following.

direct object	direct object
Miro un partido.	Miro a un muchacho.
Recibo la carta.	Recibo a la señora.

If one wishes to personify animals or pets, the *a personal* can be used. It is often used with places.

El matador mata al toro.
Quiero ver a San Juan.

Have students point out the direct objects in all these example sentences.

There is only one exception to this rule. The *a personal* never follows the verb *tener*.

Tengo dos amigos.
Tengo muchos primos.

149

APLICACIÓN ESCRITA

D. Complete each sentence with the *a personal* when it is necessary.
1. La tía ve _____ niños.   a los
2. Nosotros leemos _____ carta.   la
3. Yo quiero ayudar _____ huérfano.   al
4. Ellos visitan _____ primos en Bayamón.   a los
5. Yo tengo _____ dos hermanos.   --
6. Inés mira _____ maletas en el aeropuerto.   las
7. Yo llevo _____ niña a la merienda.   a la
8. Ellos llevan _____ boletos en la bolsa.   los
9. Ellos buscan _____ primos en el aeropuerto.   a los
10. Veo _____ aviones en la pista.   los

los adjetivos posesivos

su, sus

A. Repitan.
Marlena tiene su maleta.
Marlena tiene sus maletas.
Arturo tiene su boleto.
Arturo tiene sus boletos.

B. Contesten.
¿Tiene Juan su camisa?
¿Tiene Juan sus camisas?
¿Pone Juan sus camisas en la maleta?
¿Lee el padre su carta?
¿Lee el padre sus cartas?
¿Busca María su billete?
¿Busca María sus billetes?
¿Pone Juana su vestido en la maleta?
¿Reciben una carta Federico y su hermana?
¿Van a Puerto Rico Juan y su familia?
¿Van en avión Elena y su prima?
¿Vienen ahora Elena y sus hermanos?

C. Repitan.
Juan y Carlos tienen su maleta.
Juan y Carlos tienen sus maletas.
María y Carmen tienen su boleto.
María y Carmen tienen sus boletos.

D. Contesten.
¿Leen su carta María y Juan?
¿Leen sus cartas María y Juan?
¿Visitan a su primo Ángel y Marta?
¿Visitan a sus primos Ángel y Marta?
¿Hablan a su amigo Sonia y Catalina?
¿Hablan a sus amigos Sonia y Catalina?

E. Repitan.
¿Tiene Ud. su maleta, señora?
¿Tiene Ud. su pasaporte, señor?
¿Tiene Ud. su boleto, señorita?

F. Sigan las instrucciones.
Pregúntele al señor si tiene su maleta.
Pregúntele a la señora si tiene sus boletos.
Pregúntele a la señorita si busca su pasaporte.
Pregúntele al señor si quiere su dinero.

Reglas

The possessive adjective that corresponds to the subjects *él, ella, ellos, ellas, Ud.,* and *Uds.* is *su.* The adjective *su* can therefore mean "his," "her," "their" or "your."

The possessive adjective must agree with the noun that it modifies. Note that *su* has only two forms, singular and plural.

su hermano	sus hermanos
su hermana	sus hermanas

las otras formas

G. Repitan.
Mi hermano está en casa.
Mis hermanos están en casa.
No veo a mi amiga.
No veo a mis amigas.

All answers are with mi or mis.

H. Contesten.
¿Está en la escuela tu prima?
¿Están en San Juan tus primos?
¿Prepara la comida tu tía?
¿Preparan los refrescos tus amigos?
¿Nada tu amiga?
¿Nadan tus hermanos?
¿Trae regalos tu abuela?
¿Traen regalos tus parientes?
¿Es guapo tu amigo?
¿Son guapos tus amigos?
¿Tienes tu maleta?
¿Tienes tus maletas?
¿Buscas a tu madre?
¿Buscas a tus padres?

I. Repitan.
¿Tienes tu maleta?
¿Tienes tus maletas?

J. Sigan los modelos.

¿El periódico?
¿Dónde está tu periódico?

¿Los periódicos?
¿Dónde están tus periódicos?

¿La maleta?
¿Las maletas?
¿El amigo?
¿Los amigos?
¿El regalo?
¿Los regalos?
¿La guitarra?
¿Las guitarras?
¿El boleto?
¿Los boletos?
¿El disco?
¿Los discos?

All questions are with tu or tus.

This is typical of a middle class residential street in San Juan and suburbs.

una calle residencial, San Juan

K. Repitan.

¿Leen Uds. su libro?

Sí, leemos nuestro libro.

¿Venden Uds. su casa?

Sí, vendemos nuestra casa

¿Viven en el Perú sus amigos?

Sí, nuestros amigos viven en el Perú.

¿Hablan español sus amigas?

Sí, nuestras amigas hablan español.

L. Contesten.

¿Estudia su amiga? nuestra

¿Mira la televisión su hermano? nuestro

¿Prepara una serenata su prima? nuestra

¿Va a la fiesta su hermana? nuestra

¿Es moderna su casa? nuestra

¿Hacen un viaje sus hermanos? nuestros

¿Estudian español sus primos? nuestros

¿Miran la televisión sus abuelos? nuestros

¿Viven en Puerto Rico sus amigas? nuestras

¿Nadan mucho sus primas? nuestras

Not recorded ——— Reglas ———

The possessive adjectives *mi* and *tu* have only two forms.

¿Tienes tu boleto?	Sí, tengo mi boleto.
¿Tienes tus boletos?	Sí, tengo mis boletos.
¿Tienes tu maleta?	Sí, tengo mi maleta.
¿Tienes tus maletas?	Sí, tengo mis maletas.

Have students make up original sentences with the different forms of nuestro.

Note that *nuestro* has four forms: *nuestro, nuestra, nuestros, nuestras.*

Not recorded ——— **APLICACIÓN ESCRITA** ———

M. Complete each sentence with any possessive adjective that makes sense.

1. La Señora Meza quiere vender _____ carro. su
2. Yo hablo con _____ padre. mi
3. Santiago y Adelita ayudan a _____ primos con _____ maletas. sus / sus
4. Visitamos a _____ amigos en la universidad. nuestros
5. ¿Por qué no pones _____ maletas en el baúl del carro? tus
6. Queremos hablar con _____ hermana en Viña del Mar. nuestra
7. La muchacha lleva _____ canasta a la merienda. su
8. Ellos llevan _____ boletos en la bolsa. sus

N. Answer each question with a complete sentence.

1. ¿Dónde viven tus primos? Mis primos viven en __.
2. ¿Están nuestros boletos en tu bolsa? Sí, sus boletos están en mi bolsa.
3. ¿Quieren ellos ver mi pasaporte? Sí, quieren ver tu (su) pasaporte.
4. ¿A qué hora salen sus amigos de su casa? Sus (Nuestros) amigos salen de casa a
5. ¿Quiere Tomás ver nuestro carro? Sí, Tomás quiere ver su carro.
6. ¿Cuántos hijos tienen tus padres? Mis padres tienen __ hijo(s).

Puerto Rico

El Morro

El dólar estadounidense

La bandera puertorriqueña

IMPROVISACIONES

¡Todos a bordo!

Anunciadora	Señores pasajeros, su atención, por favor. La compañía de aviación anuncia la salida de su vuelo 201, con destino a San Juan, Puerto Rico. Todos a bordo, por favor. *Read announcement first. Then permit a student to read the announcement.*
Marta	Ángel, vamos a la puerta número seis.
Ángel	¿<u>Sale</u> ahora el avión? *Con destino a is new, but students should be*
Marta	Sí, <u>sale</u> a tiempo. *able to guess at meaning. Use stress to convey*
Ángel	¿Tienes <u>nuestros</u> boletos? *meaning of última.*
Marta	Sí, aquí están. *Salida is new. Say el avión sale. . .*
	(abordo del avión) es la salida del avión.
Ángel	Marta, aquí está el cinturón de seguridad. *Have students improvise with*
Marta	Sí, y aquí <u>viene</u> el aeromozo. ¿Cuándo <u>trae</u> la comida? *the announcement.*
Ángel	Durante el vuelo, después de despegar. *Have them give name of an*
Marta	El piloto anuncia el despegue ahora. ¡Allá vamos, Puerto Rico! *airline, change flight number and destination.*

PREGUNTAS

1. ¿Qué anuncia la compañía de aviación?
2. ¿Cuál es el número del vuelo?
3. ¿Cuál es el destino del vuelo?
4. ¿A qué puerta van Ángel y Marta?
5. ¿Quién tiene los boletos?
6. Durante el vuelo, ¿quién trae la comida?
7. ¿Qué anuncia el piloto?

Begin to ask questions as they relate to each segment of the conversation before the entire conversation is completed.

SÍMBOLOS

ca	que	qui	co	cu
casa	que	quien	comida	cubano
cada	queso	aquí	come	cubana
camisa	parque	quiero	refresco	
toca	pequeño	alquilan	rico	
bocadillo	chaqueta	barquito	chico	
mercado				

It is recommended that this material be done first on the board with books closed. Do ca, co, cu and then go back to que, qui to emphasize them. As you write word on board, underline the sound being studied.

Trabalenguas

¿Quién quiere comer queso aquí en el parque pequeño?

Carmen come una comida cubana en casa.

¿Quién quiere comer un bocadillo cubano en el barquito que Carlos alquila?

Some major airlines of Spanish-speaking countries are Iberia, Aeroméxico, Mexicana de aviación, Viasa (Venezuela), Aviança (Colombia), Ecuatoriana de aviación, Aéro Perú, Lan Chile, Aerolíneas Argentinas.

155

ESCENAS
Un viaje a Puerto Rico

Marta Martínez mira por la ventanilla del avión.   Habla con su hermano Ángel.

—Ángel, allí veo las luces de la capital de <u>nuestra</u> isla, Puerto Rico.

Y luego ve la pista del aeropuerto internacional de Isla Verde.   El avión empieza a aterrizar.   Pronto están en el aeropuerto.   ¡Qué cantidad de gente!   Todos quieren saludar a sus parientes que vuelven a casa.   Y allí están los primos de Marta y Ángel, Santiago y Adela.

Los primos ayudan con las maletas.   Ponen las maletas en el baúl del carro y salen del parking.   <u>Hacen</u> el viaje a casa, a Bayamón, un suburbio de San Juan.   Durante el viaje Marta nota que hay nuevas construcciones por todas partes.

Llegan a casa y sale la tía.

—¡Ay, bendito!   Aquí está <u>mi</u> Marta.   ¿Cómo estás, nena? Y mi Angelito.   ¡Qué gusto de ver a <u>mis</u> sobrinos en casa!   ¿Y <u>su</u> papá?   ¿Y <u>su</u> mamá?   ¿Cómo están?

luces   lights

saludar   to greet

Words underlined indicate the structure concepts presented in this lesson.

Qué gusto   What a pleasure

Después de los saludos, todos van al comedor. La fiesta empieza. Llegan otros parientes y hay más saludos.

Al día siguiente los primos visitan la Universidad de Puerto Rico en Río Piedras. Adelita hace sus estudios allí. Y Ángel tiene mucho interés en ver la universidad. Él piensa volver a estudiar en su isla. Aquí viene un amigo de Adelita. Tienen una conversación política. El amigo de Adelita es independentista. Quiere ver a Puerto Rico independiente. Ahora Puerto Rico es un estado libre asociado de los Estados Unidos. Hay mucha gente que no quiere cambiar el status actual. Y hay otros que quieren ver a Puerto Rico un estado como Hawaii. Ellos son estadistas. Es una cuestión política que la gente discute mucho.

Cuando salen de la universidad, Marta y Ángel están un poco cansados. Quieren descansar. Van a Luquillo donde pasan la tarde en la playa. Nadan en el mar. Comen alcapurrias y bacalao. Escuchan música y bailan una plena, el baile típicamente borinqueño.

Es una visita fantástica. Pero no es sólo la familia Martínez que goza de tal visita. Hay muchas familias puertorriqueñas que vuelven del continente a su isla. Algunas van de visita y otras vuelven a vivir en su isla natal.

Al día siguiente   The next day

piensa   plans, intends

Alcapurrias are ground plantains stuffed with chopped meat, fried and covered either with a banana leaf or aluminum foil.

actual   current

discute   discuss

descansar   to rest
tarde   afternoon

sólo   only
goza de tal   enjoys such a
Algunas   Some

Explain to students that in Puerto Rico, the continental United States is referred to as el continente.

PREGUNTAS *Answers to questions can also be written at home.*

1. ¿Por dónde mira Marta Martínez?
2. ¿Con quién habla? *Not recorded*
3. ¿Qué ve ella?
4. ¿Y luego qué ve?
5. ¿Pronto dónde están?
6. ¿Hay mucha gente en el aeropuerto?
7. ¿A quiénes quieren saludar todos?
8. ¿Quiénes están en el aeropuerto para saludar a Marta y a Ángel?
9. ¿Dónde ponen las maletas?
10. ¿Adónde hacen el viaje?
11. ¿Qué es Bayamón?
12. ¿Quién sale cuando llegan a casa?
13. ¿Está contenta la tía?
14. Después de los saludos, ¿adónde van todos?
15. ¿Quiénes llegan?
16. Al día siguiente, ¿qué visitan los primos?
17. ¿Quién hace sus estudios allí?
18. ¿Qué piensa hacer Ángel?
19. ¿Qué es el amigo de Adela?
20. ¿Qué es Puerto Rico ahora?
21. ¿Quiénes quieren ver a Puerto Rico independiente, los independentistas o los estadistas?
22. ¿Cómo están Marta y Ángel?
23. ¿Dónde pasan la tarde?
24. ¿Qué comen?
25. ¿Vuelven muchas familias puertorriqueñas a su isla?

playa de Luquillo, Puerto Rico

Boarding Pass
Pasabordo

Name: _____
Nombre:

Destination: _____
Destino:

Flight
Vuelo

Seat
Asiento

Concourse
Muelle

Gate
Puerta

Name: _____
Nombre:

Destination: _____
Destino:

Flight
Vuelo

Seat
Asiento

COD. 02660

Composición

Answer the following questions to form a paragraph.

¿Adónde van Ángel y Marta?

¿Cómo van?

¿Dónde aterriza el avión?

¿Quiénes están en el aeropuerto?

¿Dónde viven sus primos?

¿Cómo van a la casa de sus primos?

¿Cómo está la tía cuando llegan a la casa Ángel y Marta?

¿Hay una fiesta?

¿Quiénes vienen a la fiesta?

¿Adónde van Ángel y Marta con sus primos?

Y luego, ¿adónde van a descansar un poco?

This is typical of the housing developments that have been constructed in San Juan and other areas of Puerto Rico for the poorer classes.

apartamentos populares, San Juan

PERSPECTIVAS

Crucigrama

Puzzles are provided on spirit masters in the accompanying test package.

Each of the 23 blank squares in this puzzle is to be filled in with a different letter of the alphabet in order to complete a Spanish word. You will find it helpful to write out the alphabet and cross off each letter as it is used. Only the letters k, w, and x are omitted.

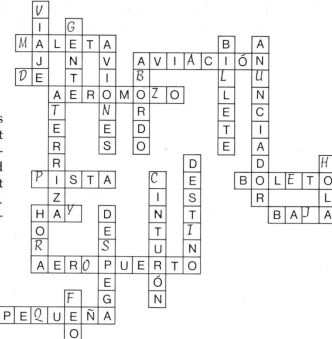

An additional oral review which recombines and reviews material from previous lessons is on the accompanying filmstrip.

Entrevista Not recorded

¿Hay un aeropuerto cerca de tu casa? • ¿Cuál es el nombre del aeropuerto? • ¿Es grande o pequeño el aeropuerto? • ¿Salen vuelos internacionales del aeropuerto o hay solamente vuelos nacionales? • ¿Vas a veces al aeropuerto? • ¿Hay mucha gente en el aeropuerto? • ¿Anuncian las salidas de los vuelos o indican las salidas en el televisor? • ¿Haces muchos viajes en avión? • ¿Llevas muchas maletas cuando haces un viaje? • ¿Adónde vas? • Para ir allí, ¿tienes que tener pasaporte?

BASES

10

1. Es el invierno.
   Hace frío.
   Nieva.
   Julia conoce a David.

Intonation should help to convey meaning of cuidado. If there is still a lack of comprehension, give meaning in English.

2. Julia y Gloria van a esquiar.
   Ellas saben esquiar.
   Pero tienen que tener cuidado.
   Ellas van a bajar juntas.
   Las pistas no son buenas.
   Son malas.

Use hand to indicate downward motion as you teach van a bajar.

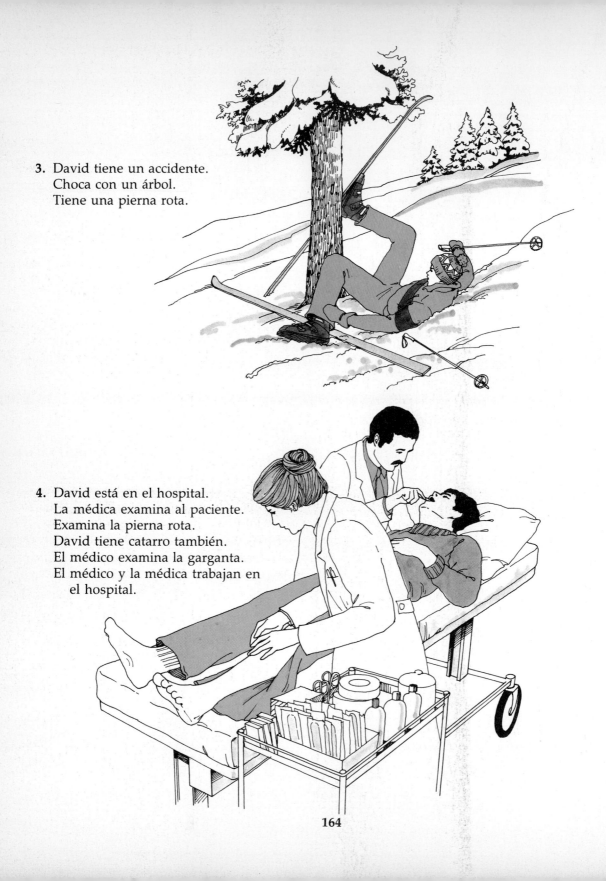

3. David tiene un accidente.
   Choca con un árbol.
   Tiene una pierna rota.

4. David está en el hospital.
   La médica examina al paciente.
   Examina la pierna rota.
   David tiene catarro también.
   El médico examina la garganta.
   El médico y la médica trabajan en
       el hospital.

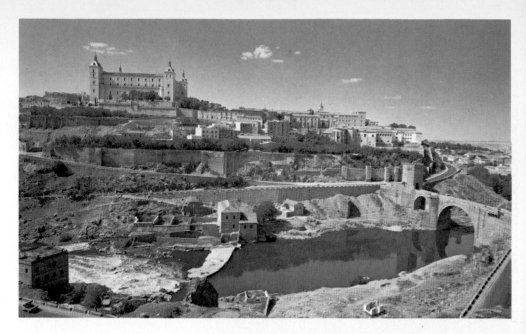

España—la madre patria del mundo hispánico—un país de contrastes, de belleza, de gente animada, de pueblecitos pintorescos, de grandes capitales, de campos verdes.

España, con Portugal, forma lo que llamamos la Península Ibérica. Durante su historia, su situación geográfica peninsular les trae a muchos invasores a sus orillas. Son muchas las influencias extranjeras—la romana, la visigótica, la arábiga—que se encuentran dentro de España. Pero en los siglos XV y XVI son los españoles quienes dejan sus orillas para ir a conquistar otro mundo, un mundo nuevo. Y muchas son las influencias españolas que se ven en los países de este nuevo mundo, cuyo idioma oficial es el español.

Aquí vemos al matador, gran representante del orgullo, del bravío del español; del español de Toledo, con su río Tajo, o de el de Madrid con sus jardines bonitos o de el de Andalucía con sus pueblecitos de casas blancas, cielo azul y sol amarillo.

México—*otro país de contrastes. La raza mexicana es una mezcla del español y del indio—el español que pisó tierra mexicana para conquistarla y el indio que ya estuvo allí para saludarlo. México, un país de costumbres interesantísimas, ciudades modernísimas y pueblos lindísimos. La Ciudad de México, su capital, tiene rascacielos que tocan el cielo nublado. Al lado de sus rascacielos están los edificios coloniales construidos por los españoles hace ya muchos siglos. En los pueblos están los mercados llenos de mercancías producidas por manos mexicanas y productos sacados de tierra mexicana. Cada pueblecito tiene también su placita—placita donde juegan los niños, charlan los jóvenes y descansan los viejos. Sí, éste es México, el interesante y simpático vecino al sur de los Estados Unidos.*

El Sudoeste—*región grandísima de los Estados Unidos, que toca tierra mexicana. Y México no sólo toca el sudoeste de los Estados Unidos, sino que allí se ve reflejada—en la arquitectura, en las costumbres y en la gente. Laredo, Albuquerque, Pueblo, Santa Bárbara, Los Angeles—¿Dónde están? ¿En México? No, en los Estados Unidos. Son nombres que indican los antecedentes comunes a los dos lados de la frontera. Pero lo que tienen en común no es sólo cuestión de nombres; lo es de gente también. Millones de personas de ascendencia mexicana habitan los estados de Texas, Nuevo México, Colorado, Arizona y California. Hoy día se llaman chicanos y con una sola voz piden justicia en esta tierra que para muchos ha servido de cuna.*

Venezuela—patria de Simón Bolívar—tierra de montañas y llanos, playas y mesetas, ciudades cosmopolitas y pueblecitos primitivos. Influencias indígenas hacen contraste vivo con los elementos modernos de la capital. Caracas y Maracaibo, dos ciudades importantes, reflejan el pensamiento progresivo del pueblo venezolano y protegen los símbolos de una historia orgullosa.

El venezolano de hoy—el hombre de negocios de Caracas, el ingeniero de Maracaibo, el marinero de La Guaira, el indio que se gana la vida de las aguas del río Orinoco, el ganadero de los llanos. Cada uno es símbolo de un país progresivo con grandes aspiraciones dignas de una nación que tiene grandes riquezas naturales.

Perú—*país de la costa occidental del continente
sudamericano, país de picos andinos y de pueblos
aislados, con una costa bañada por las frescas aguas
del Pacífico.*

    *La Plaza San Martín en el centro mismo de Lima
nos hace recordar la dominación española y la lucha
por la independencia. Perú es un país que tiene
muchísima influencia india, no de los aztecas
mexicanos, sino de los incas peruanos, incas que aún
hoy hablan su propio idioma—el quechua, indios
cuyos antepasados nos dejaron las famosas ruinas de
Cuzco y Machu Picchu.*

Uruguay—*en la costa oriental del continente sudamericano, con su famosa playa de Punta del Este, lugar favorito no sólo de los uruguayos sino también de los argentinos. Montevideo, su capital, es la gran metrópoli del país. Pero contrastes hay también; en el interior hay pueblos pequeños donde viven campesinos pobres que labran la tierra desde la mañana hasta la noche.*

Colombia—*el único país que lleva el nombre del gran descubridor, Cristóbal Colón. Bogotá, su capital, tiene avenidas anchas y rascacielos altos. Pero existen también calles más tranquilas, más alejadas de la vida animada del centro, donde pueden jugar los niños—niños bogotanos—niños pobres y niños ricos. En estas calles aisladas hay también casas pequeñas y pintorescas. Una es la del gran libertador Simón Bolívar, el héroe que tanto luchó por la independencia de Colombia y también la de otros países sudamericanos.*

Argentina—*el país de habla española más grande de
América. Su capital, Buenos Aires, tiene fama de ser
la ciudad más europea del continente. Y en el famoso
barrio del puerto llamado la Boca viven muchos
italianos, que como muchos alemanes, ingleses y
españoles, hoy día se consideran porteños argentinos.
Su vida capitalina contrasta mucho con la de los
gauchos que dedican su vida a cuidar el ganado, el
ganado que pace en las grandes pampas argentinas, y
que da fama a este país, el productor más grande de
carne de res—el famoso «bife» argentino.*

Puerto Rico—la perla del Caribe, isla encantadora, a sólo mil quinientas millas de Nueva York. Una isla de sol, de palmeras, de playas, de hoteles elegantes y de habitantes que se llaman puertorriqueños—gente animada, gente simpática, gente encantadora como la tierra de su isla. Gente que canta español y que tiene orgullo de sus tradiciones hispanas. Gente que es a la vez hispana y norteamericana porque hoy día su isla es un estado asociado de los Estados Unidos.

A. Answer each question with a complete sentence.
1. ¿En qué estación hace frío?   en el invierno
2. ¿Nieva en el invierno?   Sí
3. ¿A quién conoce Julia?   a David
4. ¿Adónde van Julia y Gloria?   van a esquiar
5. ¿Saben las muchachas esquiar?   Sí
6. ¿Tienen que tener cuidado ellas?   Sí
7. ¿Cómo son las pistas, buenas o malas?   buenas
8. ¿Qué tiene David?   un accidente
9. ¿Con qué choca?   con un árbol
10. ¿Qué tiene?   una pierna rota
11. ¿Dónde está?   en el hospital
12. ¿Qué examina la médica?   la pierna
13. ¿Tiene David catarro también?   Sí
14. ¿Qué examina el médico?   la garganta
15. ¿Dónde trabajan el médico y la médica?   en el hospital

Not recorded

B. Form a question according to the model.

Hace frío *en el invierno*.
¿Cuándo hace frío?

1. Nieva *en el invierno*.   Cuándo
2. *La médica* examina al paciente.   Quién
3. Las pistas son *buenas*.   Cómo
4. Juan tiene un accidente *porque no ve el árbol*.   Por qué
5. El médico trabaja *en el hospital*.   Dónde
6. *Ellas* van a esquiar.   Quiénes

Not recorded

C. Correct each false statement.
1. Hace frío en el verano.   invierno
2. Las pistas son buenas.   True
3. El paciente examina al médico.   medico/ paciente
4. La paciente está en el hotel.   hospital
5. Ellos esquían en el mar.   las montañas
6. Él tiene una garganta rota.   pierna

El muchacho tiene un accidente.

165

ESTRUCTURAS

ir a con el infinitivo

Students should be able to do these drills with relative ease. Most difficult point is the proper use of the infinitive. If students are having problems, have them repeat several infinitives alone.

A. Sustituyan.

María va a {
nadar.
esquiar.
escuchar.
}

Ellos van a {
leer.
hacer un viaje.
traer los refrescos.
}

Voy a {
salir.
escribir.
ir.
}

Vamos a {
esquiar.
hablar por teléfono.
comer.
salir.
}

B. Contesten.

¿Va a esquiar Juan?
¿Va a tener un accidente Pablo?   Va a
¿Va a visitar a sus parientes Rosita?

¿Van a hacer el viaje en avión los primos?
¿Van a torear los matadores?   Van a

¿Vas a salir?
¿Vas a hacer un viaje?
¿Vas a ir en avión?   Voy a
¿Vas a poner las maletas en el baúl?

¿Van Uds. a salir a tiempo?
¿Van Uds. a esquiar?   Vamos a
¿Van Uds. a comer el bocadillo?
¿Van Uds. a nadar en el lago?

C. Sigan las instrucciones.

Pregúntele a un amigo si va a hacer un viaje.
Pregúntele a una amiga si va a ir a la fiesta.   Vas
Pregúntele a un amigo si va a ver a los jugadores.   _____
Pregúnteles a los muchachos si van a hablar por teléfono.   Van
Pregúnteles a las muchachas si van a nadar.
Pregúnteles a las señoritas si van a traer la guitarra.   _____
Pregúntele al señor si va a trabajar.
Pregúntele a la señora si va a leer la carta.   Va a

Not recorded

Reglas

When you wish to talk about something that will occur in the future, you may use the verb *ir* plus the preposition *a* and the infinitive.   This is equivalent to the English "to be going to . . ."   Study the following.

ir
Voy a nadar.

a
Vas a esquiar.

infinitive
Ella va a salir.
Vamos a hacer un viaje.
Ellos van a traer los refrescos.

166

D. Rewrite each sentence in the future, using *ir a* with the infinitive.

1. María esquía en el invierno. va a esquiar
2. Ellos hacen la última llamada. van a hacer
3. Isabel no ve el árbol y choca con el árbol. va a ver / va a chocar
4. Ponemos las maletas en el baúl del carro. Vamos a poner
5. Isabel va al hospital. va a ir
6. Llamamos al médico. Vamos a llamar
7. Los niños comen los bocadillos. van a comer
8. La india vende los vegetales en el mercado. va a vender
9. Ellos estudian español. van a estudiar
10. Sales a tiempo. Vas a salir
11. Visitamos a nuestros primos en Puerto Rico. Vamos a visitar
12. Van en tren. Van a ir

E. Write a sentence about each illustration telling what the person is going to do.   Then rewrite the sentence telling what you are going to do.

___ va a escribir una carta.
Voy a escribir una carta.

___ a nadar.
Voy a nadar.

___ va a esquiar.
Voy a esquiar.

___ va a hacer un viaje.
Voy a hacer un viaje.

el comparativo

A. Repitan.

La Argentina es más grande que Puerto Rico.
San Juan es más importante que Bayamón.
Sonia es más inteligente que yo.

You may wish to present comparative by putting two stick figures on the board. Make one taller than the other. Have students give you adjectives that can describe people. Put adjectives on board. Give the stick figures names and have students compare them using más . . . que.

B. Contesten.

¿Cuál es más grande, la Argentina o Puerto Rico?
¿Qué ciudad es más importante, Madrid o Sevilla?
¿Quién es más alto, Juan o Paco?
¿Quién es más fuerte, Inés o Angélica?
¿Quién es más guapo, tu primo o tu hermano?
¿Quién es más alta, tu prima o tu hermana?
¿Quién es más interesante, Carmen o su hermana?
¿Quién es más pobre, Carlos o Tomás?
¿Quién es más rica, Elena o Angelita?
¿Quién tiene más dinero, Alicia o tú?
¿Quiénes tienen más trabajo, ellas o Uds.?

Reglas

In order to express the ideas "tall**er**," "prett**ier**," and so on, the word *más* is placed before the adjective. This is called the comparative form of the adjective. The comparative is followed by *que*. Study the following.

    adjective

Luisa es más alta que su hermano.
Nueva York es más grande que San Juan.

Note that a pronoun that follows the comparative is the same kind of pronoun used as the subject of a sentence (a subject pronoun).

    subject pronoun

Uds. son más altos que nosotros.
Carlos tiene más dinero que yo.

APLICACIÓN ESCRITA

C. Complete each sentence with the appropriate words for the comparative.
1. Martín es __más__ guapo __que__ su hermano.
2. Ellos tienen __más__ dinero __que__ nosotras.
3. Mis hermanas son __más__ inteligentes __que__ mis primas.
4. Él tiene que tener __más__ cuidado __que__ tú.
5. Él es __más__ fuerte __que__ los otros.

D. Look at the stick figures and compare the two. Write as many sentences as you can. Possible adjectives that you can use are: *guapo, feo, simpático, alto, bajo, fuerte, inteligente, popular.*

Answers can vary.

E. **Follow the model.**

Yo tengo más dinero que Rosario.
Rosario no tiene más dinero que yo.

1. Yo soy más fuerte que María.   María es más fuerte que yo.
2. Nosotros damos más ayuda a los pobres que ellos. Ellos dan más ayuda a los pobres
3. Tú haces más trabajo que Jaime. Jaime hace más trabajo que tú. | que nosotros.
4. Uds. llevan más maletas que los muchachos. Los muchachos llevan más maletas que
5. Ella trabaja más que su hermano. Su hermano trabaja más que ella. | Uds.

el superlativo

The same suggestion as given on page 167 can be carried out using three figures

¿Quién es la muchacha más alta de la clase? *Sofía*

A. **Repitan.**
Eduardo es el joven más alto de la clase.
Juana es la joven más alta de la familia.
Tomás es el muchacho más fuerte de todos.

¿Quién es el muchacho más rico de todos? *Rafael*
¿Quién es la más interesante de todas? *Elena*
¿Quién es el más pobre del pueblo? *Manolo*
¿Quién es la más fuerte del equipo? *Gabriela*
¿Cuáles son las montañas más altas del país? *los Andes*

B. **Contesten según se indica.**
¿Cuál es el producto más importante de la Argentina? *la carne*

Not recorded

Reglas

In order to express the ideas "tall**est**," "pretti**est**," and so on, the word *más* accompanied by the appropriate definite article is placed with the adjective.   This is called the superlative form of the adjective.   The superlative is followed by the preposition *de*.   Remember that *de* + *el* are contracted to form *del*.

definite article
María es la muchacha más alta de la clase.
Carlos es el jugador más fuerte del equipo.

It is possible, as in English, to omit the noun in expressing the superlative.

noun omitted
María es la más alta de la clase.
Carlos es el más fuerte de todos.

Not recorded   **APLICACIÓN ESCRITA**

C. **Complete each sentence with the appropriate words for the superlative.**
1. Carlos es _____ alto _____ la clase. el más / de
2. María es _____ muchacha _____ inteligente _____ la clase. la / más / de
3. Rafael y Enrique son los _____ ricos _____ todos. más / de
4. Shangai es _____ ciudad _____ grande _____ mundo. la / más / del
5. Los toros son _____ animales _____ fuertes _____ todos. los / más / de

169

los verbos <u>saber</u> y <u>conocer</u>

saber

A. Repitan.
Yo sé la palabra.
Yo sé esquiar.

B. Contesten.
¿Sabes la palabra?
¿Sabes el vocabulario?
¿Sabes la gramática?
¿Sabes esquiar?   sé
¿Sabes nadar?
¿Sabes jugar al fútbol?
¿Sabes dónde está Caracas?

un bus que viaja entre Chile y Bariloche, Argentina

C. Contesten.
¿Sabe Juan esquiar?
¿Sabe María tocar la guitarra?   sabe
¿Sabe el chico qué hacer?

¿Saben la gramática Martín y David?
¿Saben ellas dónde está Julia?   saben
¿Saben ellos escribir?

¿Saben Uds. el vocabulario?
¿Saben Uds. la lección?
¿Saben Uds. a qué hora llega?   sabemos
¿Saben Uds. dónde está el aeropuerto?

D. Sigan las instrucciones.
Pregúntele a un amigo si sabe cantar.   sabes
Pregúntele a una amiga si sabe esquiar. ___
Pregúntele a la señorita si sabe dónde está
　Chile.   sabe Ud. ___
Pregúnteles a los muchachos si saben tener
　cuidado.   saben Uds.
Pregúnteles a los señores si saben <u>bailar</u>.

conocer

E. Repitan.
Yo conozco a María Julia.
Conozco a Eduardo.
Conozco la literatura.

F. Contesten.
¿Conoces a Juan?
¿Conoces a Elena?
¿Conoces al muchacho?
¿Conoces a la médica?   conozco
¿Conoces la ciudad?
¿Conoces la música?
¿Conoces el arte?

G. Contesten.
¿Conoce Silvia a Jaime?
¿Conoce Carmen a tu amigo?   conoce
¿Conoce Paco a la señorita? ___
¿Conocen ellos la historia de España?
¿Conocen las jóvenes la capital?
¿Conocen ellos la filosofía? ___   conocen
¿Conocen Uds. a Teresa?
¿Conocen Uds. al niño?   conocemos
¿Conocen Uds. la literatura mexicana?

H. Sigan las instrucciones.
Pregúntele a un amigo si conoce a Enrique. conoce
Pregúntele a una amiga si conoce la <u>ciudad</u>.
Pregúntele al señor si conoce el arte. conoce Ud.
Pregúnteles a los amigos si conocen al señor.
Pregúnteles a unas amigas si conocen la
　historia.   conocen Uds.

170

La bandera argentina

Diez pesos argentinos

La Argentina

Plaza 25 de mayo, Buenos Aires

El Palacio del Congreso,
Buenos Aires

Reglas

The verbs *saber* and *conocer* are both irregular in the *yo* form.   Study the following.

	saber	conocer
yo	sé	conozco
tú	sabes	conoces
él, ella, Ud.	sabe	conoce
nosotros, nosotras	sabemos	conocemos
(vosotros, vosotras)	(sabéis)	(conocéis)
ellos, ellas, Uds.	saben	conocen

Both the verbs *saber* and *conocer* mean "to know."   The verb *saber* means to know in the sense of knowing something relatively simple, such as a fact.

　　　　　　fact
Sé donde está Madrid.
Mirta sabe el número.

When followed by an infinitive *saber* has the meaning "to know how."

　　　　　　infinitive
Carlos sabe esquiar.
Sabemos nadar.

The verb *conocer* means to know in the sense of being acquainted with.   In contrast to *saber*, it is used with something more complex, such as a person, art, or literature.

Conozco a María.
Conocemos al matador.
Ellos conocen la literatura española.

APLICACIÓN ESCRITA

I.   **Complete each sentence with the correct form of the verb** *saber*.
1. Yo _____ la palabra en español.   sé
2. ¿_____ tú bailar?   Sabes
3. Ellos no _____ esquiar.   saben
4. Teresa _____ jugar al fútbol.   sabe
5. ¿_____ Ud. el número de teléfono?   Sabe
6. Yo _____ tocar la guitarra.   sé
7. Nosotros _____ la hora.   sabemos
8. ¿Qué _____ tú?   sabes

J. Write each answer with a complete sentence.
1. ¿Conoces a Blanca?   Sí, conozco __.
2. ¿Conoce Patricio el arte de México?   Sí, Patricio conoce __.
3. ¿Conocen ellos a la familia de Álvaro?   Sí, ellos conocen __.
4. ¿Conoces a Mirta?   Sí, conozco __.
5. ¿Conocen Uds. a Sarita?   Sí, conocemos __.
6. ¿Conocen ellos a la tía de Pablo?   Sí, ellos conocen __.
7. ¿Conoces al niño?   Sí, conozco __.
8. ¿Conocen Uds. al señor vestido de negro?   Sí, conocemos __.

K. Complete each sentence with the correct form of the verb *saber* or *conocer*.
1. Yo _____ la lección.   sé
2. Nosotros _____ a María.   conocemos
3. Carlos _____ esquiar.   sabe
4. Ellos _____ la gramática.   saben
5. Yo _____ leer.   sé
6. ¿_____ tú a Enrique?   conoces
7. Ella _____ el arte de México.   conoce
8. Nosotros _____ que París es la capital de Francia.   sabemos
9. Ellos _____ la música española.   conocen
10. Sí, yo _____ a Enrique y _____ que vive en los Estados Unidos.   conozco / sé

en las pampas, Argentina

IMPROVISACIONES

¡A las montañas!

Better students should be able to dramatize the situation.

Además *is new.* Tell students además *is like* también.

Underlined words indicate the structure concepts that are reinforced throughout this lesson.

Dramatize the interjection ¡Ay de mí! by holding your chest near your heart.

Tonto *is new.* Give synonym estúpido.

174

PREGUNTAS

1. ¿Quiere esquiar Julia?
2. ¿Quiere esquiar David?
3. ¿Qué tiene David?
4. ¿Sabe él esquiar muy bien?
5. ¿Cuántas veces va a bajar la pista David?
6. ¿Qué no ve David?
7. ¿Cómo tiene la pierna?
8. ¿Quién va a buscar al médico?

Explain to students that the sounds ga, gue, gui, go, gu *are very soft in Spanish.*

SÍMBOLOS

ga	gue	gui	go	gu
amiga	guerra	guitarra	amigo	(gusano)
regatea		(guisante)	lago	seguridad
paga			pago	
llega			luego	
gana			domingo	
			(gobierno)	

ja	je	ji	jo	ju
jamón	viaje	Méjico	bajo	junio
trabaja	pasajero	mejicano	hijo	julio
Jaime	Jesús	(jíbaro)	(viejo)	jugar
Jamaica			trabajo	(jugo)

	ge	gi		
	gente	gigante		
	(general)	Gijón		

Trabalenguas

La amiga llega y luego toca la guitarra.
El gobierno no paga el domingo.
El pasajero viejo viaja a Méjico en junio.
La gente trabaja en Gijón.
El hijo joven de la vieja Josefa trabaja el jueves
    en Gijón.

Permit students to read sentences several times with accurate pronunciation.

Sentences can also be used for dictation.

Break reading selection into segments and present one segment each day.

ESCENAS
El **melting pot** *porteño*

After reading selection has been completed, ask 6 or 7 questions which review salient points of the selection. Ask questions of several students. Answers to questions will give an oral review.

Jack es un muchacho norteamericano. Su padre trabaja con una compañía que tiene sucursales en muchos países latino-americanos. Ahora su familia vive en Buenos Aires, la capital de la Argentina. Es una ciudad muy cosmopolita y muy bonita.

sucursales   branch offices

ahora   now

Una noche la familia <u>va</u> <u>a</u> <u>cenar</u> en un restaurante. Van al restaurante en taxi. Jack nota que el nombre del taxista es Andrés Sosnowski. En el restaurante el mesero viene a la mesa y trae el menú.

cenar   to dine

mesero   waiter

—Sí, señores, ¿qué desean Uds.?

—¿Qué recomienda Ud.?

desean   quieren

—¿Uds. son norteamericanos? Yo recomiendo el bife. <u>Sa-ben</u> <u>Uds.</u> que el bife de las pampas argentinas es <u>el más famoso del</u> mundo.

El bife *is the term used in Argentina.*

—Bien, el bife para todos. Término medio, por favor.

Habla Jack con su padre.

término medio   medium

—Papá, ¿por qué no hablas con el mesero en inglés?

—¿En inglés? Pero ya <u>sabes</u> que estamos en la Argentina.

—Sí, pero tiene su nombre en su chaqueta. Es Tomás O'Hara.

Words underlined indicate the structure points presented and reinforced throughout this lesson.

—Pues, <u>vamos</u> <u>a</u> <u>ver</u> si habla inglés.

El mesero vuelve a la mesa. Pero, no. El señor O'Hara no habla inglés. Habla solamente español.

La madre de Jack explica que el taxista Andrés Sosnowski y también el mesero Tomás O'Hara son argentinos. En la Argentina, como en los Estados Unidos, hay mucha gente de ascendencia europea. Buenos Aires, como muchas ciudades norteamericanas, es un *melting pot* de muchas nacionalidades.

explica   explains

ascendencia   background

La conversación continúa:

—Jack, ¿adónde vas mañana?—pregunta su papá.

—Mañana salgo para Bariloche.

—¿Y qué <u>vas</u> <u>a</u> <u>hacer</u> en Bariloche?

—Pues, tú <u>sabes</u> que <u>voy</u> <u>a</u> <u>esquiar</u>. Bariloche es una cancha de esquí famosa. Tiene pistas magníficas. Pero ¡qué extraño! <u>Voy</u> <u>a</u> <u>esquiar</u> en julio y en enero <u>voy</u> <u>a</u> <u>nadar</u>.

cancha de esquí   ski resort

extraño   strange

—¿Y con quién vas a Bariloche?—pregunta su mamá.

—Voy con mi amigo Francisco.

—Sí, ¿y cuál es su apellido?

apellido   nombre de familia

—D'Alessandro. Ay, sí. No es un apellido español. Es italiano.

—Sí—continúa mamá—Hay muchos argentinos italianos. No <u>conoces</u> el chiste argentino que cuando hay dos argentinos en Italia y miran una guía telefónica creen que es la guía porteña. ¿Por qué?—¡Todos los nombres son argentinos!

chiste   joke
Creen   They believe
porteña   de Buenos Aires

PREGUNTAS *Not recorded*

Answers to questions can also be written at home.

1. ¿Quién es un muchacho norteamericano?
2. ¿Qué tiene la compañía de su padre?
3. ¿Dónde vive ahora su familia?
4. ¿Adónde va la familia una noche?
5. ¿Cómo van?
6. ¿Cuál es el nombre del taxista?
7. ¿Quién viene a la mesa en el restaurante?
8. ¿Qué van a comer todos?
9. ¿Cómo es el bife argentino?
10. ¿Cómo quieren el bife?
11. ¿Habla el padre con el mesero en inglés o en español?
12. ¿Cuál es el nombre del mesero?
13. Cuando el mesero vuelve a la mesa, ¿habla en inglés el padre?
14. ¿Habla inglés Tomás O'Hara?
15. ¿Qué hay en Buenos Aires?
16. ¿Adónde va Jack mañana?
17. ¿Qué va a hacer en Bariloche?
18. ¿Qué es Bariloche?
19. ¿Con quién va a Bariloche?
20. ¿De qué nacionalidad es su amigo Francisco?
21. ¿Qué creen los argentinos cuando miran una guía telefónica en Italia?

Composición

Answer the following questions to form a paragraph.

¿De dónde es Jack?

¿Dónde vive ahora?

¿Por qué vive en la Argentina?

¿Cómo es la ciudad de Buenos Aires?

Una noche, ¿adónde va a cenar la familia de Jack?

¿Cómo van al restaurante?

¿Quién es el taxista?

Y en el restaurante, ¿quién es el mesero?

¿Habla inglés?

¿Qué habla?

¿Quiénes viven en Buenos Aires?

Bariloche: lago y montañas

179

Crucigrama

Complete the following crossword puzzle.

Horizontal

1. Él _____ en un restaurante elegante.
4. Héctor _____ la pista una vez.
8. Ella va _____ hospital.
10. ¿Qué _____ Ud.?—pregunta el mesero.
12. Las muchachas _____ con un árbol.
14. _____ es el primer día del invierno.
15. Es de la Argentina. Es su país _____.
18. Llamamos _____ taxista.
19. Cuando llego, _____ a todos.
22. Buenos Aires es la capital _____ la Argentina.
23. Van al restaurante _____ taxi.
24. Julia va a esquiar _____ Victoria.
25. Es guapo, no _____.
26. No necesito jamón. _____ tengo jamón.

Vertical

1. La Argentina tiene buenas _____ de esquí.
2. _____ médico trabaja en el hospital.
3. Los verbos terminan en - _____, -er e -ir.
4. La pista es _____ , no mala.
5. Llamo _____ David por teléfono.
6. Ella _____ al fútbol.
7. ¿Vas _____ las montañas?
9. Yo _____ el dinero al mesero.
10. Ellos _____ la comida a los señores.
11. La médica examina _____ la señora.
13. _____. ¿Cómo estás?
16. ¿Tienes _____ una pierna rota?
17. Ellas _____ el menú.
20. Yo _____ el periódico todos los días.
21. Carlota tiene _____ accidente.
22. Yo _____ el dinero a la empleada.

BASES

Ask questions about
individual words:
¿Es la sala de espera?
¿Qué es?
¿Están en la sala de espera
    Sara y Pedro?
¿Dónde están?

1. Sara y Pedro hacen un viaje.
   Lo hacen en tren.
   Están en la sala de espera.
   Estas maletas aquí son de Sara.
   Aquellas maletas allá son de Pedro.

2. Sara va a la ventanilla.
   La ventanilla está en la estación de
   ferrocarril.
   Ella compra dos boletos (billetes).
   Compra dos boletos de ida y   *Draw*
   vuelta.   *arrows on*
   El empleado los tiene.   *board to*
                       illustrate ida y
                          vuelta.

← una flor y Machu Picchu   *Note that*
                    throughout Latin America,
compra dos boletos *would be said. In Spain*
saca dos billetes *is used.*

183

3. Pedro y Sara esperan el tren.
Lo esperan en el andén.
No hay nadie allí, sólo Pedro y
    Sara.
Sara dice algo ahora.
Pedro bebe.

4. Llueve.
El tren sube los picos andinos.
El tren no va rápido. Va despacio.

PRÁCTICA

A. Answer each question based on the model sentence.

Sara está en la sala de espera de la estación de ferrocarril.
¿Quién está en la sala de espera? Sara
¿Dónde está la sala de espera?   en la estación de ferrocarril

Sara va a la ventanilla y compra dos boletos de ida y vuelta.
¿Quién va a la ventanilla? Sara
¿Adónde va Sara?   a la ventanilla
¿Qué compra Sara en la ventanilla? dos boletos de ida y vuelta
¿Qué tipo de boletos compra? boletos de ida y vuelta

Ellos esperan el tren en el andén.
¿Quiénes esperan el tren?   Ellos
¿Qué esperan ellos?   el tren
¿Dónde esperan ellos el tren?   en el andén

Not recorded

B. Correct each false statement.
1. Sara compra los boletos en el andén.   en la ventanilla
2. Compra boletos de ida y vuelta porque no quiere volver.   *delete* no
3. Los pasajeros esperan el tren en la ventanilla.   en el andén
4. La sala de espera está en el tren.   en la estación de ferrocarril
5. El tren tiene que ir rápido cuando sube los picos andinos. despacio

Not recorded

C. Complete each sentence with an appropriate word.
1. Sara y Pedro hacen un _____ en tren. viaje
2. Ellos están en la _____ de espera. sala
3. Sara compra los boletos en la _____. ventanilla
4. Compra dos boletos de _____ porque quiere volver también.   ida y vuelta
5. Ellos esperan el tren en el _____.   andén
6. Hay mucha _____ en la sala de espera pero no hay _____ en el andén.   gente / nadie
7. Los pasajeros _____ pero el tren no llega.   esperan
8. Cuando _____ , no hay sol.   llueve

Not recorded

D. Complete the following paragraph with the appropriate words.
Pedro y Sara hacen un _____ en _____. Están en la sala de _____. Hay mucha _____ y muchas maletas. _____ maletas aquí son de Sara y aquellas maletas _____ son de Pedro. Sara espera con las maletas y Pedro va a la _____ donde _____ dos boletos de _____. Luego los dos van al _____ donde esperan el tren.

viaje, tren, espera, gente, Estas, **185**
allá, ventanilla, compra, ida y vuelta,
andén

ESTRUCTURAS

los adjetivos demostrativos

este, ese, aquel

A. Repitan.
Este libro aquí es interesante.
Ese libro allí es interesante.
Aquel libro allá es interesante.

B. Contesten.
¿Es interesante este libro?
¿Y ese libro? ¿Es más interesante?
¿Y aquel libro? ¿Es el más interesante?
¿Es alto este muchacho?
¿Y ese muchacho? ¿Es más alto?
¿Y aquel muchacho? ¿Es el más alto?
¿Es popular este disco?
¿Y ese disco? ¿Es más popular?
¿Y aquel disco? ¿Es el más popular de los tres?

esta, esa, aquella

C. Repitan.
Esta camisa es blanca.
Esa camisa es verde.
Aquella camisa es azul.

D. Contesten.
¿De qué color es esta casa?
¿De qué color es esa casa?
¿De qué color es aquella casa?
¿Qué hay en esta mesa?
¿Qué hay en esa mesa?
¿Qué hay en aquella mesa?

estos, esos, aquellos

E. Repitan.
Estos libros son interesantes.
Esos libros son más interesantes.
Aquellos libros son los más interesantes.

F. Contesten.
¿De quién son estos libros?
¿De quién son esos libros?
¿De quién son aquellos libros?
¿De quién son estos discos?
¿De quién son esos discos?
¿De quién son aquellos discos?

estas, esas, aquellas

G. Repitan.
Estas casas son grandes.
Esas casas son más grandes.
Aquellas casas son las más grandes.

H. Contesten.
¿Son grandes estas maletas?
¿Son grandes también esas maletas?
¿Y aquellas maletas?   ¿Son grandes también?
¿Son altas estas muchachas?
¿Son altas esas muchachas también?
¿Y aquellas muchachas?   ¿Son altas también?

Las señoras trabajan, cerca de Cuzco.

El Perú

Cinco soles peruanos

La bandera peruana

El Palacio del Gobierno, Lima

Reglas

The demonstrative adjective "this" in Spanish is *este* or *esta*. "These" is *estos* or *estas*. Study the following forms.

este periódico	estos periódicos
esta mesa	estas mesas

In Spanish there are two ways to express "that." *Ese* is used to indicate an object that is near the person spoken to and, at the same time, not very distant from the speaker. *Aquel* is used to indicate an object that is farther off in the distance. The same distinction is made with "those": *esos* for objects near the person spoken to, and *aquellos* for objects far from both the speaker and the listener.

ese carro	esos carros
esa mesa	esas mesas
aquel carro	aquellos carros
aquella mesa	aquellas mesas

APLICACIÓN ESCRITA

I. Look at the following drawing. Find objects 1, 2 and 3 and indicate whether you would use *este/esta*, *ese/esa*, or *aquel/aquella* when talking about each of the objects.

3 aquella casa

ese carro

2

estas maletas

1

J. Change the words for "this" and "these" to both forms of "that" and "those" in each sentence.
1. Esta maleta as nueva. Esa (Aquella) maleta es nueva.
2. Estos aviones son nuevos. Esos (Aquellos) aviones son nuevos.
3. Este periódico es importante. Ese (Aquel) periódico es importante.
4. Estas montañas son altas. Esas (Aquellas) montañas son altas.
5. Este pasajero no tiene su boleto. Ese (Aquel) pasajero no tiene su boleto.
6. Estas islas son bonitas. Esas (Aquellas) islas son bonitas.
7. Esta ciudad tiene mucha influencia de los indios. Esa (Aquella) ciudad tiene much. influencia de los indios.

las palabras negativas

A. Repitan.

Hay algo en la mesa.

No hay nada en la mesa.

Hay mucha gente en el andén.
No hay nadie en el andén.
Juan siempre lee.
Juan nunca lee.

B. Sustituyan.

Hay algo { en la mesa. / en el baúl. / en el taxi.
Put something on table.

No hay nada { en la mesa. / en el baúl. / en el taxi.
Take object away.

Hay alguien { en el suelo. / en la sala. / en el andén.
Draw a stick figure on board.

No hay nadie { en el suelo. / en la sala. / en el andén.
Erase stick figure.

Siempre { viajamos. / trabajamos. / leemos.

Nunca { viajamos. / trabajamos. / leemos.
Use expression to help convey meaning of siempre *and* nunca.

C. Contesten negativamente.
¿Hay algo en el carro?
¿Hay algo en el baúl?   No, no hay nada ___.
¿Hay algo en la maleta? ___
¿Hay alguien en la sala?   No, no hay
¿Hay alguien en el restaurante? nadie ___.
¿Hay alguien en el tren? ___
¿Siempre comes? | como.
¿Siempre cantas? No, nunca | canto.
¿Siempre sales? | salgo.

D. Repitan.
Tengo algo.
No tengo nada.
Veo a alguien.
No veo a nadie.

E. Contesten negativamente.
¿Tienes algo? No, no tengo nada.
¿Ves algo en el suelo? No, no veo nada ___.
¿Buscas algo? No, no busco nada.
¿Lees algo? No, no leo nada.
¿Recibes algo? No, no recibo nada.
¿Buscas a alguien? No, no busco a nadie.
¿Miras a alguien? No, no miro a nadie.
¿Vas con alguien? No, no voy con nadie.
¿Haces el viaje con alguien? No, no hago el
                viaje con nadie.

189

¿Dónde espera esta gente?

Not recorded

The three most common negative words are *nada, nadie,* and *nunca.* Their affirmative counterparts are *algo, alguien,* and *siempre.* Note that in a Spanish sentence, more than one negative word can be used.

                                    two negative words

¿Tienes algo?   No tengo nada.
¿Van Uds. siempre al aeropuerto?   No vamos nunca al aeropuerto.
¿Ves siempre a alguien?   No veo nunca a nadie.

Not recorded   **APLICACIÓN ESCRITA**

F.   Rewrite each sentence in the negative.
1. Hay algo en el baúl del carro. No hay nada en el baúl del carro.
2. Busco a alguien. No busco a nadie.
3. Ellos siempre pasan el verano en la playa. Ellos nunca pasan el verano en la playa.
4. Veo algo en la maleta. No veo nada en la maleta.
5. Carlos trae algo para la merienda.   Carlos no tiene nada para la merienda.
6. Tengo que ayudar a alguien. No tengo que ayudar a nadie.
7. Las jugadoras siempre van al parque. Las jugadoras nunca van al parque.
8. Él quiere algo.   El no quiere nada.
9. Hay alguien en la ventanilla. No hay nadie en la ventanilla.
10. Siempre hacemos el viaje en avión. Nunca hacemos el viaje en avión.

los pronombres de complemento directo

Do drills orally first. Then open books, read questions and call on students to respond.

lo

You may wish to omit this point with less-able individuals or groups.

A. Repitan.

María compra el pan.
María lo compra.
Juan tiene el periódico.
Juan lo tiene.
Veo a Tomás.
Lo veo.

B. Contesten según el modelo.

¿Mira Roberto el sello?
Sí, Roberto lo mira.

¿Tiene Juan el billete? lo tiene
¿Mira el periódico Alicia? lo mira
¿Ve el monumento Elena? lo ve
¿Vende el libro Tomás? lo vende
¿Comes el bocadillo? lo como
¿Compras el pan? lo compro
¿Lees el periódico? lo leo
¿Pones el pan en la mesa? lo pongo
¿Tienes el pasaporte en la bolsa? lo tengo
¿Ves a Martín? lo veo
¿Miras a Enrique? lo miro
¿Buscas al mesero? lo busco

la

C. Repitan.

Miro la blusa.
La miro.
Vendo la canasta.
La vendo.
Veo a María.
La veo.

D. Contesten según el modelo.

¿Tiene la maleta Sarita?
Sí, Sarita la tiene.

¿Toca Gabriel la guitarra? ___ la toca.
¿Lleva la bolsa Elena? ___ la lleva.
¿Vende la canasta el indio? ___ la vende.
¿Pone Carlos la maleta en el suelo? ___ la pone.
¿Come Carmen la ensalada? ___ la come.
¿Examina la garganta el médico? ___ la examina.
¿Trae la comida la aeromoza? ___ la trae.
¿Tocas la guitarra? ___ la toco.
¿Vendes la casa? ___ la vendo.
¿Miras a la niña? ___ la miro.
¿Ayudas a Teresa? ___ la ayudo.
¿Buscas a Sonia? ___ la busco.

una vista de Cuzco

los

E. Repitan.
Como los bocadillos.
Los como.
Veo a los señores.
Los veo.

F. Contesten según el modelo.

¿Come los bocadillos Gloria?
Sí, Gloria los come.

¿Prepara los refrescos el joven? los prepara
¿Vende los billetes la empleada? los vende
¿Compra los boletos Juan? los compra
¿Tiene los periódicos Carmen? los tiene
¿Quiere los pasaportes el señor? los quiere
¿Compras los periódicos? los compro
¿Visitas los campos? los visito
¿Ves los toros? los veo
¿Tienes los sellos? los tengo
¿Ves a los amigos? los veo
¿Ayudas a los pobres? los ayudo

las

G. Repitan.
Carlos lleva las maletas.
Carlos las lleva.
El indio vende las canastas.
El indio las vende.

H. Contesten según el modelo.

¿Prepara las meriendas Pablo?
Sí, las prepara.

¿Vende las canastas la india? ___ las vende.
¿Tiene las maletas alguien? ___ las tiene.
¿Compras las corbatas? ___ las compro.
¿Preparas las comidas? ___ las preparo.
¿Traes las maletas? ___ las traigo.
¿Ves a las profesoras? ___ las veo.
¿Miras a las profesoras? ___ las miro.
¿Buscas a Isabel y a Teresa? ___ las busco.

As you go over explanation, write examples on board.
Draw box around direct object noun. Rewrite sentence
with pronoun. Circle the pronoun. Draw a line from box to circle.

Not recorded ──────── Reglas ────────

In Spanish the direct object pronoun agrees with the noun it replaces. The object pronoun precedes the verb. Study the following.

Carlos lee |el periódico.| → Carlos (lo) lee.

María tiene |la bolsa.| → María (la) tiene.

La muchacha prepara los bocadillos.　　La muchacha los prepara.
La muchacha lleva las maletas.　　　　 La muchacha las lleva.

Note that the object pronouns *lo, la, los, las* can replace either a person or a thing.

Veo a María　　　La veo.
Veo la casa　　　La veo.

192

APLICACIÓN ESCRITA

Additional writing exercises appear in the accompanying Cuaderno de Ejercicios.

I. Follow the model.

Alicia tiene los boletos. ¿Y la maleta?
Alicia la tiene también.

1. Margarita vende la casa. ¿Y el auto? Margarita lo vende también.
2. María tiene los boletos. ¿Y la maleta? María la tiene también.
3. Tomás lee la carta. ¿Y los periódicos? Tomás los lee también.
4. El pasajero tiene el boleto. ¿Y el pasaporte? El pasajero lo tiene también.
5. Teresa prepara los bocadillos. ¿Y la ensalada? Teresa la prepara también.
6. Carlos compra el pan. ¿Y los vegetales? Carlos los compra también.
7. Ángel busca la corbata. ¿Y las camisas? Ángel las busca también.

J. Rewrite each sentence, substituting an object pronoun for the italicized words.
1. Juan tiene *el sello.* Juan lo tiene.
2. El señor prepara *la comida.* El señor la prepara.
3. María ve *a sus amigos.* María los ve.
4. ¿Quién compra *la camisa?* ¿Quién la compra?
5. Las muchachas leen *el periódico.* Las muchachas lo leen.
6. Ellos venden *las canastas.* Ellos las venden.
7. Miramos *la televisión.* La miramos.
8. Juan come *el bocadillo.* Juan lo come.
9. Pongo *las maletas* en el andén. Las pongo en el andén.
10. Carlos compra *los boletos* en la ventanilla. Carlos los compra en la ventanilla.
11. El aeromozo trae *la comida.* El aeromozo la trae.
12. Visitamos *a nuestros parientes.* Los visitamos.
13. La médica examina *al paciente.* La médica lo examina.
14. Ellas no quieren *ayuda.* Ellas no la quieren.
15. Carlos ve *la película.* Carlos la ve.
16. Todos escuchan *los discos.* Todos los escuchan.
17. Los gemelos reciben *los regalos.* Los gemelos los reciben.
18. Ellos estudian *la lección* ahora. Ellos la estudian ahora.

el verbo <u>decir</u>

él, ella, ellos, ellas

A. Repitan.
Marta dice algo.
Ellos dicen que no.

B. Contesten.
¿Dice algo María?
¿Dice que sí Carlos?
¿No dice nada el muchacho?
¿Dicen ellos que lo saben?
¿Dicen todos que lo tienen?
¿Dicen «adiós» los amigos?

yo, nosotros, nosotras

tú, Ud., Uds.

C. Repitan.
Yo digo que no.
Nosotros decimos que somos pobres.

E. Repitan.
¿Dices que sí?
¿Dice Ud. algo?
¿Dicen Uds. que no?

D. Contesten.
¿Dices que sí?
¿Dices que no?
¿Dices algo?   Digo
¿No dices nada?_____
¿Dicen Uds. «adiós»?
¿Dicen Uds. algo?
¿Dicen Uds. que sí?   Decimos

F. Sigan las instrucciones.
Pregúntele a alguien si dice algo.
Pregúntele a alguien si dice que sí.   dices
Pregúntele al señor si dice «adiós».   dice Ud.
Pregúntele a la señorita por qué lo dice.
Pregúnteles a los señores qué dicen.   dicen Uds.
Pregúnteles a las señoras si dicen que no.

Not recorded ——— Reglas ———

Study the following irregular forms of the verb *decir*.

decir
digo
dices
dice
decimos
(decís)
dicen

Not recorded **APLICACIÓN ESCRITA**

G. Complete each sentence with the correct form of the verb *decir*.
1. Bárbara _____ algo.   dice
2. Nosotros lo _____.   decimos
3. Ellos _____ «adiós».   dicen
4. ¿Por qué _____ tú que no?   dices
5. Yo no _____ nada.   digo
6. Uds. lo _____.   dicen
7. Ellos _____ mucho.   dicen
8. Nosotras no lo _____ a nadie.   decimos

194

IMPROVISACIONES

En la estación de ferrocarril

Sara   Pedro, ¿a qué hora sale el tren?

Pedro   A las diecisiete y cuarto.

Sara   ¿De qué andén sale?

Pedro   De <u>aquel</u> andén allá.

Sara   ¿Por qué no compras los boletos ahora?

Pedro   Buena idea.   <u>No</u> hay <u>nadie</u> en la ventanilla.

Sara   ¿Vas a comprar boletos sencillos?

Pedro   No, de ida y vuelta.

Sara   ¿Tienes las maletas?

Pedro   Sí, <u>las</u> tengo.

Explain to students that for train and airline schedules the 24-hour clock is used. Give several examples and have them make up times.

The contrast of sencillos with de ida y vuelta should help convey the meaning of sencillos as "one-way."

Underlined words indicate structure concepts presented in this lesson.

195

PREGUNTAS

1. ¿Quiénes están en la estación de ferrocarril?
2. ¿A qué hora sale el tren?
3. ¿De qué andén sale?
4. ¿Compra los boletos Pedro?
5. ¿Hay mucha gente en la ventanilla?
6. ¿Va a comprar boletos sencillos?
7. ¿Qué tipo de boletos compra?
8. ¿Quién tiene las maletas?

SÍMBOLOS

ra	re	ri	ro	ru
para	aire	americano	dinero	Aruba
verano	interesante	señorita	miro	
	torea	periódico	preparo	
		María	(sombrero)	
			toro	

řa	ře	ři	řo	řu
guitarra	refresco	rico	Roberto	Rubén
guerra	regateo	aterriza	robo	(ruta)
enterrada	restaurante	corrida	ropa	
(sierra)	rema		rota	
(rato)	recibe		ferrocarril	
	regalo		catarro	

ha	he	hi	ho	hu
habla	hermano	hijo	hospital	humano
(hasta)	hermana	hija	hotel	(huracán)
hay			hoy	

Trabalenguas

La señora americana habla con la profesora.
Rubén regatea por la guitarra.
El toro no torea durante la corrida.
Roberto Rosas prepara refrescos en verano.
Rosita Rojas recibe regalos.
La hermana habla hoy con su hermano en el hospital.

Words underlined
indicate the structure
concepts reinforced
throughout this lesson.

ESCENAS
Una carta del Perú

Point out that querido is the
polite opener of a letter.

Permit students to read
the letter silently first.
Then treat as a regular
reading selection.

Queridos amigos,

    Yo soy Fernando Gutiérrez Salazar.
Mi familia y yo vivimos en un
departamento en Lima, nuestra
capital.

departamento apartamiento

    Ahora es el invierno en Lima.
¿Qué estación es donde Uds. viven?
En invierno, de mayo a septiembre,
<u>nunca</u> llueve en Lima pero <u>nunca</u>
sale el sol tampoco. La garúa cubre
nuestra ciudad. La garúa es un
tipo de neblina. Uds. van a <u>decir</u>,
¿pero cómo pueden los limeños
vivir con cinco meses de garúa?
Pues, no muy lejos de Lima, en
las montañas, está Chosica. Allí
siempre hace buen tiempo. Vamos
allá a pasar unas horas o un día
entero. En Chosica hay un restaurante
famoso. En <u>este</u> restaurante <u>siempre</u>
comemos pollo, la especialidad de
la casa. Mucha gente va también
a <u>aquel</u> restaurante cuando hay
veda. Cuando hay veda no podemos
comprar carne de res. ¿Hay veda
donde Uds. viven?

    En el verano <u>siempre</u> vamos a
Margarita. Es un viaje de media

Tell students that los
limeños son de Lima.
Explain that garúa is a
           Peruvian
tampoco either word for
cubre covers this
neblina fog specific fog.

pollo chicken
Veda is untranslatable.
It is a prohibition of sale
of a particular item,
usually for the purposes
                of
carne de res beef
rationing for
conservation. In Latin
America people will almost
always choose beef to the
detriment of the chicken, pork, etc.
industries. Therefore, the government will restrict sale of
beef to promote sale of other products.

197

As you are completing this lesson, begin to introduce the vocabulary from Lesson 12.

hora en carro de la ciudad. En las playas de Margarita las olas son muy altas. Allá hacemos surfing con una tabla hawaiana. ¿Por qué no visitan Uds. a mi país? Si lo visitan, tenemos que hacer un viaje en tren a Cuzco. Este viaje es uno de los más interesantes del mundo. El tren tiene que ir despacio porque tiene que subir y bajar los picos andinos. A esas alturas hay poco oxígeno. A veces los turistas tienen que usar una máscara de oxígeno. Dicen que no pueden respirar bien a esas alturas. Pero muchos turistas hacen lo que hacen los indios. Beben mate. Cerca de Cuzco está Machu Picchu donde están las famosas ruinas de los incas. Muchos de mis compatriotas son de ascendencia india. En los pueblos andinos hay mucha gente de pura sangre india. Y en la ciudad hay muchos mestizos.

Pues, amigos, como digo, mi país es muy interesante. Si lo visitan, ¿por qué no vienen a mi casa? Como decimos en el Perú, y también en otros países hispanos, «mi casa es su casa.»

Suyo afmo.
Fernando Gutiérrez Salazar

olas   waves

Ask students to guess at the meaning of tabla hawaiana.

alturas   altitudes

máscara   mask

respirar   to breathe

Mate (de coca) is a mild stimulant tea which supposedly helps foreigners with altitude sickness. Its effect is similar to that of caffeine.

sangre   blood

mestizos   persons of Spanish-Indian ancestry

198

PREGUNTAS Not recorded

1. ¿Dónde viven Fernando y su familia?
2. ¿Qué estación es ahora en Lima?
3. ¿Qué estación es donde Uds. viven?
4. En Lima, ¿llueve en el invierno?
5. ¿Sale mucho el sol?
6. ¿Qué es la garúa?
7. ¿Dónde está Chosica?
8. ¿Qué tiempo hace allí?
9. ¿Va la gente de Lima a Chosica?
10. ¿Qué hay en Chosica?
11. ¿Cuál es la especialidad de la casa?
12. ¿Adónde va Fernando en el verano?
13. ¿Está lejos de Lima Margarita?
14. ¿Cuál es un viaje muy interesante?
15. ¿Por qué tiene que ir despacio el tren?
16. A estas alturas, ¿hay mucho o poco oxígeno?
17. A veces, ¿qué tienen que usar los turistas?
18. ¿Qué beben los indios?
19. ¿Qué hay en Machu Picchu?
20. ¿Dónde hay mucha gente de pura sangre india?

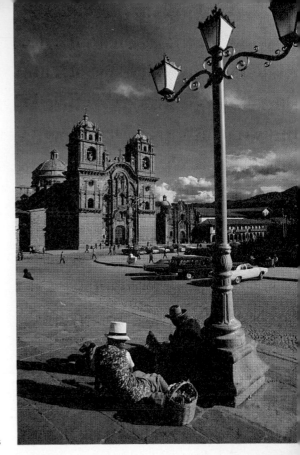

Cuzco: La Plaza de Armas

Not recorded

Composición

Answer the following questions to form a paragraph.

¿Cuál es la capital del Perú?

¿Llueve mucho en Lima?

¿Qué cubre la ciudad durante el invierno?

¿Qué es la garúa?

¿Adónde van los limeños para ver el sol?

¿Dónde está Chosica?

Por lo general, ¿es el Perú un país montañoso?

¿Dónde está Cuzco?

¿Qué está cerca de Cuzco?

¿Qué hay en Machu Picchu?

¿Hay mucha influencia india en el Perú?

PERSPECTIVAS

Actividad

Write a letter in Spanish to Fernando in Lima. Tell him who you are, where you live, what the weather is like where you live, the things you do in your leisure time.

Pasatiempo

Fill in the following. All words end in -a.

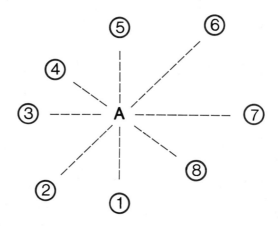

1. Mi ropa está en la _____.   maleta
2. La garúa es un tipo de _____.   neblina
3. Compro dos boletos de ida y _____.   vuelta
4. Ella siempre _____ por tren.   viaja
5. Sara está en la sala de _____.   espera
6. Cuando subo los picos andinos, uso una _____ de oxígeno.   más
7. Compramos los boletos en la _____.   ventanilla
8. El tren no sale _____ las diez.   hasta

BASES

12

1. La muchacha se llama Rosario.
Rosario no se levanta.
Duerme en un colchón de aire.

As students look at filmstrip, point to each item and build to complete utterance.

2. Andrés está en el cuarto de baño.
Se mira en el espejo.
Tiene barba.
Se afeita.
Su hermano se lava la cara.

3. La muchacha se cepilla los dientes.
Otra muchacha se peina.

GAME: Upon completion of the vocabulary, have students play a guessing game. Since the meaning of many of the reflexive verbs can be easily dramatized, call a student to the front of the room. Have him/her act out the meaning of a verb. Students tell what he/she is doing.

4. Cecilia se pone la falda y la blusa.

5. El muchacho se acuesta.
Se acuesta tarde.
Duerme en la cama.

6. La muchacha toma el desayuno.
Se desayuna temprano.
Se desayuna a las siete de la
    mañana.
Se sienta a la mesa.
La mesa está al lado de la tienda de
    campaña.

204

PRÁCTICA

A. Answer each question with a complete sentence.
1. ¿Cómo se llama la muchacha?   Rosario
2. ¿Se levanta ella?   No
3. ¿En qué duerme ella?   en un colchón de aire
4. ¿Dónde está Andrés?   en el cuarto de baño
5. ¿En qué se mira?   en el espejo
6. ¿Qué tiene?   barba
7. ¿Se afeita?   Sí
8. ¿Se afeita su hermano?   No
9. ¿Qué se cepilla la muchacha?   los dientes
10. ¿Se peina la otra muchacha?   Sí
11. ¿Qué se pone Cecilia?   la falda y la blusa
12. ¿Se acuesta tarde el muchacho?   Sí
13. ¿A qué hora se desayuna la muchacha?   a las siete
14. ¿Dónde está la mesa?   al lado de la tienda de campaña

Not recorded

B. Put the following activities in order.
1. Se lava.   2
2. El señor Vega se levanta. 1
3. Se acuesta.   4
4. Se peina.   5
5. Se desayuna.   3

Note that some students may give the following order: 2, 5, 1, 4, 3

Not recorded

C. Complete each sentence with an appropriate word.
1. El muchacho se mira en el _____.   espejo
2. La joven se lava la _cara_ en el _cuarto_ de baño
3. Juan tiene _____ y se afeita. barba
4. Angélica _____ a las once de la noche. se acuesta
5. Ella _____ a las ocho de la mañana. se levanta
6. Aquel muchacho _____ Jaime. se llama
7. Elena _____ a la mesa.   se sienta
8. El niño duerme en una _____. cama
9. Juana se pone la blusa y la _____.   falda
10. Ella se cepilla los _____. dientes

Nº 07472

EL COTO
DISCOTECA
...VO - Noche

HOTEL RESIDENCIA CONVENCION
O'Donnell, 53 - Tel. 274 68 00 - 274 82 00
MADRID-9
★★★★

HABITACION
ROOM-CHAMBRE   } N.° ....5014....

GRUPO

SR. ....
MR.
MS. ....

		HORA TIME ...... AM
DESAYUNO BREAKFAST PETIT DEJEUNER }	SALON:	» ...... PM
ALMUERZO LUNCH DEJEUNER }	SALON:	» ...... PM
CENA DINNER SOUPER }	SALON:	

ESTRUCTURAS

Do drills first with books closed. Keep pace rapid.

los verbos reflexivos

Call on students at random.

él, ella

A. Repitan.
El chico se lava.
La muchacha se peina.

B. Sustituyan.

José se
{
lava.
levanta.
peina.
afeita.
}

C. Contesten.
¿Se lava la cara Jaime?
¿Se levanta temprano la chica?
¿Se afeita el muchacho?
¿Se peina Teresa?
¿Se levanta tarde Isabel?
¿Se pone la camisa Eduardo?

yo

D. Repitan.
Yo me llamo _____ .
Me peino.
Me lavo la cara.

E. Sustituyan.

Me
{
lavo
afeito
peino
}
en el cuarto de baño.

F. Contesten.
¿Te levantas tarde o temprano?
¿A qué hora te levantas? *Answers are*
¿Cómo te llamas? *with* me *and*
¿Te afeitas? *the ending* –o.
¿Te afeitas cuando tienes barba?
¿Te peinas con cuidado?
¿Te cepillas los dientes?
¿Te lavas la cara?
¿Te miras en el espejo?
¿Te pones la chaqueta?
¿Te pones la blusa?

tú

G. Repitan.
¿A qué hora te levantas?
¿Por qué no te lavas la cara?

Questions are with te *and the ending* –as.

H. Sigan las instrucciones.
Pregúntele a un muchacho cómo se llama.
Pregúntele a una muchacha cómo se llama.
Pregúntele a alguien a qué hora se levanta.
Pregúntele a alguien si se peina.
Pregúntele a un muchacho si se mira en el espejo.

ellos, ellas

I. Repitan.
Los muchachos se afeitan.
Las muchachas se peinan.

J. Sustituyan.

Ellos se
{
lavan.
peinan.
afeitan.
levantan.
}

K. Contesten.

¿Se levantan temprano los muchachos?
¿Se lavan ellos la cara?
¿Se afeitan cada día los muchachos?
¿Se peinan con cuidado las muchachas?
¿Se lavan la cara los niños?

nosotros, nosotras

L. Repitan.

Nosotros nos lavamos la cara.
Nos cepillamos los dientes.

M. Sustituyan.

Nos { levantamos.
lavamos.
afeitamos.
peinamos. }

N. Contesten.

¿Se levantan Uds.?
¿Se lavan Uds.?
¿Se afeitan Uds.?
¿Se peinan Uds.?
¿Se cepillan Uds. los dientes?

Answers are with nos and the ending –amos.

Uds.

O. Repitan.

¿Se levantan Uds. tarde?.
¿Se afeitan Uds.?

Questions are with se and the ending –an.

P. Sigan las instrucciones.

Pregúnteles a los muchachos a qué hora se
  levantan.
Pregúnteles a las muchachas si se lavan la cara.
Pregúnteles a los muchachos si se afeitan.
Pregúnteles a las muchachas si se peinan.

Ud.

Q. Repitan.

¿Se afeita Ud., señor Rodríguez?
¿Se peina Ud., señorita Flores?

Questions are with se and the ending –a.

R. Sigan las instrucciones.

Pregúntele a la señora López a qué hora se
  levanta.
Pregúntele a la señorita Iglesias si se peina.
Pregúntele al señor Morales si se afeita.

Not recorded ═══ Reglas ═══

Certain verbs in Spanish are called reflexive verbs. This means that the action of the verb is both executed and received by the subject. Reflexive verbs are accompanied by a pronoun which is called the reflexive pronoun. Study the following forms.

	levantarse	**lavarse**	**peinarse**
reflexive pronoun			
yo	me levanto	me lavo	me peino
tú	te levantas	te lavas	te peinas
él, ella, Ud.	se levanta	se lava	se peina
nosotros, nosotras	nos levantamos	nos lavamos	nos peinamos
(vosotros, vosotras)	(os levantáis)	(os laváis)	(os peináis)
ellos, ellas, Uds.	se levantan	se lavan	se peinan

APLICACIÓN ESCRITA

S. Complete each sentence with the correct verb ending.
1. Ellos se levant_an_ temprano.
2. Yo me mir_o_ en el espejo.
3. Jaime se afeit_a_.
4. ¿A qué hora te levant_as_?
5. Nosotros nos cepill_amos_ los dientes.
6. Los muchachos se pein_an_ con cuidado.
7. ¿Por qué no te pon_es_ una falda?
8. Uds. se lav_a_ la cara.

T. Complete each sentence with the correct reflexive pronoun.
1. Ellas ___se___ levantan a las ocho.
2. Yo ___me___ lavo la cara.
3. Jaime ___se___ peina con cuidado.
4. Nosotras no ___nos___ afeitamos.
5. ¿___Te___ lavas las manos?
6. Yo ___me___ afeito por la mañana.
7. Nosotros siempre ___nos___ levantamos tarde.
8. ¿Por qué no ___te___ peinas?
9. ¿Y Ud.? ¿A qué hora ___se___ levanta Ud.?
10. Uds. ___se___ ponen la corbata.

U. Complete each sentence according to the illustration.

1. Ella _se levanta_.
   Yo _me levanto_.
   Tú _te levantas_.

2. Yo _me afeito_.
   Él _se afeita_.
   Tú _te afeitas_.
   Ud. _se afeita_.

3. Nosotras _nos cepilla_mos los dientes
   Ellas _se cepillan lo_s dientes
   Uds. _se cepillan lo_s dientes

4. Nosotros _nos lavamos_.
   Ellos _se lavan_.
   Las amigas _se lavan_.
   Uds. _se lavan_.

208

los verbos reflexivos de cambio radical

sentarse, acostarse

nosotros, nosotras

A. Repitan.
Nos sentamos a la mesa.
Nos acostamos tarde.

B. Contesten.
¿Se sientan Uds. a la mesa?
¿Se sientan Uds. a comer?   Nos sentamos
¿Se sientan Uds. a tomar el desayuno?
¿Se sientan Uds. en el tren?
¿Se acuestan Uds. tarde?
¿Se acuestan Uds. en la cama?   Nos acostamos
¿Se acuestan Uds. cuando están cansados?
¿Se acuestan Uds. cuando toman una siesta?

las formas de cambio radical

C. Repitan.
Las jóvenes se sientan a la mesa.
Él se sienta aquí.
Yo me acuesto tarde.
¿A qué hora te acuestas?

D. Contesten.
¿Se sienta en la sala Bárbara?
¿Se sienta el alumno?
¿Se acuesta tarde José?
¿Se acuesta temprano Carmen?
¿Se sientan los señores en el comedor?
¿Se sientan los alumnos en la escuela?
¿Se acuestan temprano los niños?
¿Se acuestan tarde los padres?
¿Te sientas a la mesa?   Me siento
¿Te sientas al lado de tu amigo?
¿Te acuestas tarde o temprano?   Me acuesto
¿Te acuestas en aquel colchón de aire?

E. Sigan las instrucciones.
Pregúntele a una muchacha si se sienta con Daniel.
Pregúntele a una muchacha a qué hora se acuesta.
Pregúntele al señor si se sienta a la mesa.
Pregúnteles a unos amigos si se acuestan tarde.
Pregúnteles a los señores si se sientan en la sala.

E.¿Te sientas ___?
  ¿Te acuestas ___?
  ¿Se sienta Ud. ___?
  ¿Se acuestan Uds. ___?
  ¿Se sientan Uds. ___?

─────── Reglas ───────

The verbs *sentarse* and *acostarse* are reflexive verbs with a stem change.
   As with other stem-changing verbs, the only present tense forms that conform to the infinitive are *nosotros* and *vosotros*. Study the following.

stem change

sentarse (e-ie)	acostarse (o-ue)
me **sien**to	me acuesto
te **sien**tas	te acuestas
se sienta	se acuesta
nos sentamos	nos acostamos
(os sentáis)	(os acostáis)
se sientan	se acuestan

APLICACIÓN ESCRITA

F. Answer each question with a complete sentence.
1. ¿Se sienta Jaime con su amiga?   Se sienta ___.
2. ¿Te acuestas tarde o temprano?   Me acuesto ___.
3. ¿Se sientan Uds. allí?   Nos sentamos ___.
4. ¿A qué hora se acuestan Uds.?   Nos acostamos ___.
5. ¿Te sientas a la mesa?   Me siento ___.
6. ¿Te acuestas a veces en un colchón de aire?   Me acuesto ___.

G. Rewrite each sentence in the plural.
1. Me siento aquí.   Nos sentamos ___.
2. Me acuesto a las once.   Nos acostamos ___.
3. Me siento en el tren.   Nos sentamos ___.
4. Me acuesto muy temprano.   Nos acostamos ___.
5. Me siento en el comedor cuando tomo el desayuno.   Nos sentamos ___.

los verbos de cambio radical

preferir, dormir

nosotros, nosotras

A. Repitan.
Nosotros preferimos salir.
Preferimos volver al hotel.
Dormimos en esta cama.
Dormimos bien.

B. Contesten.
¿Prefieren Uds. ir al parque?
¿Prefieren Uds. tomar el tren?   Preferimos
¿Prefieren Uds. subir ahora?
¿Prefieren Uds. ir a la discoteca? ___
¿Duermen Uds. en la tienda de campaña?
¿Duermen Uds. en un colchón de aire?
¿Duermen Uds. durante el viaje?   Dormimos

las otras formas

C. Repitan.
Juana prefiere ir en tren.
Ellos prefieren traer los refrescos.
Yo duermo toda la noche.
¿Dónde duermes tú?

D. Contesten.
¿Prefiere María ir a la discoteca?
¿Prefiere su amiga nadar en el mar?
¿Prefiere el muchacho jugar al fútbol?
¿Duerme en el avión tu padre?
¿Duerme en el tren María?

¿Prefieren ellos comer en casa?
¿Prefieren los muchachos comprar en esta tienda?
¿Duermen los niños toda la noche?
¿Duermen ellos en la cama?

¿Prefieres nadar en el lago?
¿Prefieres subir las montañas?   Prefiero
¿Prefieres ir en taxi? _____
¿Duermes ocho horas?   Duermo
¿Duermes por la noche?
¿Duermes en un colchón de aire?

E. Sigan las instrucciones.   prefieres
Pregúntele a una amiga si prefiere esperar aquí.
Pregúntele a un amigo si duerme en la tienda de campaña.   duermes
Pregúntele a la señora si prefiere leer este periódico.   prefiere Ud. /prefieren Uds
Pregúnteles a las señoras si prefieren esquiar.   ←
Pregúnteles a los amigos si duermen bien.
                    duermen Uds.

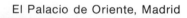
La bandera española

España

La Puerta de Alcalá, Madrid

Cien pesetas españolas

El Palacio de Oriente, Madrid

Reglas

The verbs *preferir* and *dormir* are stem-changing verbs of the third conjugation. Study the following forms.

preferir(e-ie)	**dormir(o-ue)**
prefiero	duermo
prefieres	duermes
prefiere	duerme
preferimos	dormimos
(preferís)	(dormís)
prefieren	duermen

APLICACIÓN ESCRITA

F. Complete each sentence with the correct form of the verb *preferir*.
1. Yo _____ ir a la discoteca. prefiero
2. Ellos _____ comer en aquel café. prefieren
3. Nosotros _____ tomar una siesta. preferimos
4. ¿Por qué no _____ tú dormir en la tienda? prefieres
5. Carlos _____ esperar aquí. prefiere
6. Nosotras _____ ir en avión. preferimos

G. Complete each sentence with the correct form of the verb *dormir*.
1. Ellos _____ mucho. duermen
2. Nosotros _____ toda la noche. dormimos
3. La niña _____ diez horas. duerme
4. ¿Dónde _____ tú? duermes
5. Yo _____ en un colchón de aire. duermo
6. Los pasajeros _____ en el avión. duermen

Preparan el desayuno juntos.

IMPROVISACIONES
Todavía tienes barba.

Claudio — Jaime, ¿a qué hora <u>te levantas</u>?

Jaime — ¿Yo? A las siete.

Claudio — ¿Por qué tan temprano?

Jaime — Pues, porque tengo clase a las ocho.

Claudio — ¿Y, por qué no <u>te afeitas</u>?

Jaime — Chico, no ves que <u>me afeito</u>.

Claudio — Sabes, todavía tienes barba.

Jaime — Pues, a las siete no veo muy bien.

Claudio — Chao, tengo otra clase.

Jaime — Hasta luego.

Underlined words indicate the structure concepts introduced and reinforced throughout this lesson.

The expression chao is Italian. In Italian it is spelled ciao. It is commonly used in many Spanish-speaking countries to mean "so-long."

213

PREGUNTAS

1. ¿Cómo se llaman los dos muchachos?
2. ¿A qué hora se levanta Jaime?
3. ¿Es temprano?
4. ¿Por qué se levanta tan temprano?
5. ¿Se afeita Jaime?
6. ¿Qué tiene todavía?
7. ¿Por qué tiene barba todavía?
8. ¿Por qué tiene que salir Claudio?

SÍMBOLOS

ll	y	ñ	ch
lleva	yo	español	muchacho
llama	playa	niño	chica
llega	ayuda	señor	mucho
calle	desayuno	montaña	choca
billete		compañía	chaqueta
ventanilla		otoño	noche
ella			(chino)
panecillo			salchicha

Trabalenguas

Ella no llega a la ventanilla con el billete.
Ella no lleva la bolsa de panecillos por la calle.
Yo ayudo al niño en la playa.
El señor español sube montañas en otoño.
La señora madrileña trabaja en una compañía española.
De noche, el muchacho lleva chaqueta.
La muchacha come mucha salchicha china de noche.

de *camping* en la playa

ESCENAS
El camping

Como España es una península tiene agua por los tres lados. Por esta razón España es un país turístico muy popular. Gente de todas partes de España, de otros países de Europa y de las Américas veranean en las costas de España. Mucha gente <u>prefiere</u> no pasar sus vacaciones en un hotel. Ellos <u>prefieren</u> el camping. Vamos a ver cómo pasa sus vacaciones una joven española.

<u>Me</u> <u>llamo</u> María Angélica Rueda. Aquí estoy de vacaciones en Lloret de Mar. El *camping* es fabuloso. Aquí tengo un montón de amigos de todas partes de Europa. Todos tenemos nuestra tienda de campaña—nuestra casa de verano. ¿Y cómo

agua water

lados sides

razón reason

veranean pasan el verano

Words underlined indicate the structure concepts reinforced throughout the lesson.

un montón muchos

215

pasamos el día?   Pues todo el mundo <u>se levanta</u> a las siete de la mañana.   Pero yo, a veces <u>me levanto</u> un poco más tarde porque no <u>me acuesto</u> muy temprano.   La vida aquí es muy informal.   <u>Me lavo</u> en una palangana, <u>me cepillo</u> los dientes, <u>me pongo</u> un traje de baño o un par de *blue jeans* y ya está.   <u>Me desayuno</u> en una mesa que tenemos al lado de la tienda.

¿Quieres saber algo de un día típico aquí en Lloret?   Después del desayuno voy a la playa donde nado y tomo el sol.   Algunos amigos alquilan un barquito y esquiamos en el agua.   El esquí acuático es uno de mis deportes favoritos.   A las dos de la tarde vamos a un café al aire libre y almorzamos.   Y el almuerzo no es solamente un sándwich.   Por lo general, comemos bastante.   Después del almuerzo charlo un rato con mis amigos. Y luego vuelvo a la tienda y echo una siesta en mi colchón de aire.   Ceno con la familia a las diez.   Después voy a una discoteca con unos amigos.   Bailamos hasta yo no sé qué hora.

Y mañana, ¿qué?   Igual que hoy y ayer.   Otro día para disfrutar de las vacaciones.

palangana   basin
Par should be understandable not only from the context but also because it is a cognate.

bastante grande   pretty big
almorzamos   we have lunch
charlo   I chat
Put today's date on board.   Label it hoy. Show yesterday's date labeled ayer.
disfrutar   enjoy

216

PREGUNTAS Not recorded

1. ¿Qué es España?
2. ¿Por dónde tiene agua?
3. ¿Dónde veranea gente de muchas partes del mundo?
4. ¿Cómo se llama la joven española?
5. ¿Dónde está de vacaciones?
6. ¿Cómo es el *camping*?
7. ¿De dónde son sus amigos en Lloret?
8. ¿Qué tienen todos?
9. ¿A qué hora se levantan todos?
10. ¿Por qué se levanta María Angélica un poco más tarde a veces?
11. ¿Dónde se lava?
12. ¿Qué se pone?
13. ¿Adónde va ella después del desayuno?
14. ¿Qué hace en la playa?
15. ¿Qué alquilan algunos amigos?
16. ¿Dónde esquían?
17. ¿Adónde van a las dos de la tarde?
18. ¿Qué toman en el café?
19. ¿Cómo es el almuerzo?
20. ¿Con quiénes charla María Angélica después del almuerzo?
21. ¿Qué hace cuando vuelve a la tienda?
22. ¿A qué hora cena con la familia?
23. Después de la cena, ¿adónde va?
24. ¿Qué hace en la discoteca?

Not recorded

Composición

Answer the following questions to form a paragraph.

¿Va Arturo de *camping*?

¿En qué estación va de *camping*?

Cuando está de camping, ¿duerme en una cama?

¿En qué duerme?

¿A qué hora se levanta?

¿Dónde se lava?

¿Qué se pone?

¿Va él a la playa?

¿Qué hace en la playa?

¿Adónde va de noche?

¿Qué hace en la discoteca?

¿Se acuesta tarde o temprano?

¿Disfruta Arturo de sus vacaciones?

PERSPECTIVAS

Pasatiempo

In the following crucigram there are 25 Spanish words that you have already learned. On a separate sheet of paper, write the letters of the crucigram. Then circle each word you can find. The words can go from left to right, from right to left, from the top down, or from the bottom up.

```
C  A  T  E  L  É  F  O  N  O
L  D  E  S  A  Y  U  N  O  R
A  I  M  O  D  I  E  N  T  E
S  S  P  Z  O  Ñ  A  B  R  Y
E  C  R  R  L  C  E  N  A  A
I  O  A  E  R  A  R  O  U  D
G  T  N  U  A  F  A  T  C  L
U  E  O  M  H  É  Z  A  A  A
A  C  O  L  C  H  Ó  N  R  F
L  A  V  A  R  E  N  P  A  R
```

Entrevista   *Not recorded*

¿A qué hora te levantas? • ¿Te desayunas en casa? • ¿Te desayunas en la cocina o en el comedor? • A veces, ¿te desayunas en la escuela? • ¿Te cepillas los dientes después del desayuno? • ¿Te lavas la cara? • ¿Te peinas? • ¿Te peinas con cuidado? • ¿Tomas el almuerzo en la cafetería de la escuela? • ¿Te sientas a una mesa con algunos amigos? • ¿Charlas con ellos? • ¿A qué hora almuerzas? • ¿Qué comes para el almuerzo? • ¿Es una comida grande? • ¿A qué hora almuerzan los españoles? • En España, ¿es el almuerzo una comida pequeña? • ¿A qué hora cenas? • ¿A qué hora cenan los españoles? • ¿Quiénes comen más tarde, nosotros o los españoles? • ¿A qué hora te acuestas?

218

BASES

13

As you are presenting the new vocabulary, tell students that they are going to be using familiar verbs in the past tense.

dos amigos en un café, Madrid

As students look at filmstrip, point to each item. Have them repeat one word (or logical group of words) at a time and build to complete utterance. Ask questions after each repetition:

¿Tomó un refresco la muchacha?

¿Qué tomó la muchacha?

¿Quién tomó un refresco?

1. La muchacha tomó un refresco.
   Tomó el refresco en la terraza.
   Es la terraza de un café al aire libre.
   El autobús paró en la esquina.

MESÓN BOSCÁN

You may wish to explain to students that instead of el autobús, el camión is used in Mexico and la guagua is used in the Caribbean Spanish-speaking islands.

2. Es un mesón.
   Es un edificio antiguo.
   Es la planta baja.
   Son los tunos.
   Los tunos llevan trajes de la Edad Media.

3. Los amigos cantaron en un mesón.
Tocaron la guitarra también.
Armaron un jaleo.
Lo pasaron bien en el mesón.
El mesón es como una cueva.
Está en el subsuelo.

4. Es el mostrador.
En el mostrador hay tapas.
Hay sardinas, aceitunas y tortillas a
la española.

5. Los estudiantes visitaron el museo.
Miraron los cuadros en el museo.

Exercises from Práctica
can also be assigned
for homework.

PRÁCTICA

A. Answer each question with a complete sentence.
1. ¿Qué tomó la muchacha?   un refresco
2. ¿Dónde tomó ella el refresco?   en la terraza
3. ¿Es la terraza de un café al aire libre?   sí
4. ¿Llevan trajes de la Edad Media los tunos?   sí
5. ¿Cantaron en un mesón los amigos?   sí
6. ¿Qué tocaron?   la guitarra
7. ¿Armaron un jaleo?   sí
8. ¿Cómo es el mesón?   como una cueva
9. ¿Qué hay en el mostrador?   tapas
10. ¿Visitaron los estudiantes el museo?   sí
11. ¿Qué miraron en el museo?   los cuadros

223

B. Form a question according to the model.

La muchacha tomó *un refresco.*
¿Qué tomó la muchacha?

1. Ella tomó un refresco *en la terraza de un café.* ¿Dónde ___?
2. *El autobús* paró en la esquina. ¿Qué ___?
3. El autobús paró *en la esquina.* ¿Dónde ___?
4. El edificio es *muy antiguo.* ¿Cómo ___?
5. El mesón está *en la planta baja.* ¿Dónde ___?
6. *Los amigos* cantaron en el mesón. ¿Quiénes ___?
7. Hay *tapas* en el mostrador. ¿Qué ___?
8. *Los estudiantes* visitaron el museo. ¿Quiénes ___?
9. Miraron *los cuadros* en el museo. ¿Qué ___?
10. Miraron los cuadros *en el museo.* ¿Dónde ___?

C. Complete each sentence with an appropriate word.

1. ¿Por qué no tomamos algo en la _____ del café? terraza
2. El autobús _____ en la esquina. paró
3. Los tunos llevan _____ antiguos. trajes
4. Las amigas lo _____ bien en el museo. pasaron
5. Hay tapas en el _____ del mesón. mostrador
6. Un museo tiene muchos _____. cuadros

ACTIVITY: Have students look at the Tapas menu below. They already know some of the words, but not all. Have them select what tapa they would order. Explain to them that a tortilla in Spain is not like the Mexican tortillas we have. It is an omelette. The typical Spanish tortilla is made with potatoes and onions but many other fillings such as shrimp, sausage, etc. are also used. However, the filling of tomato, pepper, and onion used in what we call a Spanish omelette is not used.

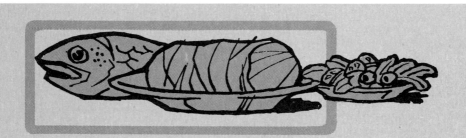

TAPAS

Ensaladilla Rusa	a mixed salad	30
Tortilla	omelette	30
Queso	cheese	30
Callos	tripe	30
Riñones	kidneys	30
Pez Espada	swordfish	30
Hígado	liver	30
Paella	paella	30
Hamburguesa	hamburger	30
Solomillo	sirloin	30
Cocktail Marisco	seafood cocktail	40
Aceitunas	olives	25

ESTRUCTURAS

These preterite drills will provide a good review of all -ar verbs presented thus far.

el pretérito

los verbos en -ar

él, ella

A. Repitan.
María bajó del autobús.
Carlos miró los cuadros.
Ella habló con Elena.

Have class repeat several times

B. Sustituyan.

Give first sentence as model. Call on individuals for substitution.

Ella ⎰ nadó / jugó / tocó / cantó ⎱ en la playa.

El joven lo ⎰ compró / pagó / miró ⎱ en la tienda.

C. Contesten.

All answers are with -ó.

¿Visitó el museo Silvia?
¿Bajó del autobús Tomás?
¿Tomó el tren Dorotea?
¿Habló español Carmen?
¿Miró los cuadros David?
¿Nadó mucho el muchacho?
¿Cantó bien la muchacha?
¿Tocó ella la guitarra?
¿Tocó Juanita la guitarra en la playa?
¿Qué tocó Juanita?
¿Dónde tocó ella la guitarra?
¿Compró jamón Antonio?
¿Qué compró él?
¿Compró el jamón en el mercado?
¿Dónde compró el jamón?
¿Regateó él en el mercado?
¿Charló la señora con los empleados?

Call on individuals at random. Keep pace rapid. If student makes an error, go on to next student. Return to student who made error for corrected response.

ellos, ellas

D. Repitan.
Los muchachos bajaron del autobús.
Nuestros amigos tomaron el tren.
Ellos llegaron a tiempo.

Divide drills and do only one or two subject pronouns each day, depending upon ability of group. Individual exercises for each drill appear in the accompanying Cuaderno de Ejercicios.

E. Contesten.
¿Trabajaron mucho las muchachas?
¿Compraron una falda las gemelas?
¿Pagaron ellas el dinero?
¿Visitaron ellas la capital?
¿Prepararon la comida tus amigos?
¿Hablaron ellos con los indios?
¿Llegaron tarde los pasajeros?
¿Pasaron ellos la tarde en la playa?
¿Hablaron por teléfono Juan y Anita?
¿Lo compraron ellos en San Juan?
¿Tomaron ellos una merienda en el café?
¿Qué tomaron ellos?
¿Dónde tomaron ellos una merienda?

All answers are with -aron.

yo

Have students point to themselves as they say visité, preparé, compré.

F. Repitan.
Yo visité el mercado indio.
Yo preparé los bocadillos.
Compré los panecillos.

G. Sustituyan.

Yo ⎰ compré / hablé / pagué ⎱ mucho.

Trabajé / Canté / Llegué ⎱ tarde.

Have students repeat just the verbs and then do the substitution drill.

225

Each of these drills can be done twice.

H. Contesten. *Call on more able students*
¿Llegaste ayer? *during first*
¿Cantaste el otro día? *presentation and*
¿Pasaste el día en la playa? *slower students*
¿Estudiaste mucho? *during second.*
¿Hablaste español? *can also be read*
¿Esquiaste el año pasado? *for*
¿Nadaste en el mar el verano pasado? *addition-*
¿Dónde nadaste? *al reinforcement.*
¿Cuándo nadaste?
¿Compraste la falda en aquella tienda?
¿Qué compraste en aquella tienda?
¿Dónde compraste la falda? *All answers*
¿Pagaste en pesos? *are with -é.*
¿Disfrutaste de las vacaciones?
¿Bailaste en la discoteca?

tú

I. Repitan.
Tú trabajaste mucho. *Have students*
¿Qué compraste? *look at a neighbor.*
¿Hablaste español?

J. Sustituyan.

Tú $\left\{\begin{array}{l}\text{nadaste}\\\text{tocaste}\\\text{jugaste}\\\text{esquiaste}\end{array}\right\}$ bien.

$\left.\begin{array}{l}\text{¿Compraste}\\\text{¿Preparaste}\\\text{¿Hablaste}\end{array}\right\}$ mucho?

All questions are
K. Sigan las instrucciones. *with -aste.*
Pregúntele a un amigo si estudió mucho.
Pregúntele a una amiga si compró el sombrero.
Pregúntele a alguien si pasó el día en la playa.
Pregúntele a alguien si visitó el museo.
Pregúntele a un amigo si miró los cuadros.
Pregúntele a una amiga si habló por teléfono.

nosotros, nosotras

L. Repitan.
Nosotros hablamos español.
Estudiamos las reglas.
Nadamos en el lago.

M. Contesten.
¿Hablaron Uds. mucho?
¿Prepararon Uds. la comida?
¿Compraron Uds. la casa?
¿Estudiaron Uds. en esa universidad?
¿Jugaron Uds. al fútbol? *All answers*
¿Ayudaron Uds. al pobre? *are with*
¿Buscaron Uds. al médico? *-amos.*
¿Llegaron Uds. ayer?
¿Cuándo llegaron Uds.?
¿Visitaron Uds. el mesón?
¿Tomaron Uds. un refresco en el mesón?
¿Qué tomaron Uds.?
¿Dónde tomaron Uds. el refresco?
¿Regatearon Uds.?
¿Bajaron Uds. en la esquina?
¿Charlaron Uds. con Elena?
¿Compraron Uds. los sobres?
¿Comenzaron Uds. a las siete?

Uds.

N. Repitan.
Uds. cantaron bien.
¿Esquiaron Uds. en las montañas?
¿Trabajaron Uds. en el campo?

226

O. Sigan las instrucciones. *All questions are with -aron.*

Pregúnteles a los muchachos si viajaron en tren.

Pregúnteles a las muchachas si llegaron tarde.

Pregúnteles a los muchachos si miraron la televisión.

Pregúnteles a las muchachas si compraron los boletos.

Pregúnteles a los señores si visitaron la casa.

Pregúnteles a las señoritas si estudiaron en aquella universidad.

Ud.

P. Repitan.

Ud. compró mucho.

¿Pagó Ud. en pesetas?

Q. Sustituyan.

Ud. $\left\{ \begin{array}{l} \text{llamó} \\ \text{ayudó} \\ \text{visitó} \end{array} \right\}$ al médico.

All questions are with -ó.

R. Sigan las instrucciones.

Pregúntele a la señora si trabajó ayer.

Pregúntele al señor si llegó a tiempo.

Pregúntele a la señorita si habló con el médico.

Pregúntele al señor si jugó al tenis.

Pregúntele a la señorita si tomó el sol.

Not recorded ——— ———

You have already learned the present tense of Spanish verbs. The most commonly used past tense in Spanish is called the preterite. Study the following forms of the preterite of regular verbs of the first conjugation.

hablar	**mirar**	**comprar**
hablé	miré	compré
hablaste	miraste	compraste
habló	miró	compró
hablamos	miramos	compramos
(hablasteis)	(mirasteis)	(comprasteis)
hablaron	miraron	compraron

Write verbs on board. Underline endings.

Note that because of the spelling sequence you studied on page 175, *–ga*, *–gue*, *–gui*, *–go*, *–gu*, the verbs *llegar*, *pagar*, and *jugar* have *–gué* in the first person singular.

llegué, pagué, jugué

Note that the stem-changing verbs have no stem change in the preterite.

jugar
jugué
jugaste
jugó
jugamos
(jugasteis)
jugaron

APLICACIÓN ESCRITA

S. Complete each sentence with the correct form of the preterite of the italicized verb.
1. Ellos _____ del autobús en la esquina. *bajar*   bajaron
2. Nosotros _____ el tren a Madrid. *tomar*   tomamos
3. Yo _____ con los estudiantes. *hablar*   hablé
4. Mi amigo _____ los cuadros de Goya. *mirar*   miró
5. ¿Por qué no _____ tú? *nadar*   nadaste
6. Las chicas _____ al béisbol. *jugar*   jugaron
7. Uds. _____ tarde, ¿no? *llegar*   llegaron
8. ¿No _____ tú en aquella ciudad? *trabajar*   trabajaste
9. Yo _____ en las montañas. *esquiar*   esquié
10. Ella _____ a sus amigas. *visitar*   visitó

T. Rewrite each sentence in the preterite.   Change *hoy* to *ayer*.
1. Hoy visito el museo.   visité
2. Hoy estudiamos mucho.   estudiamos
3. Hoy nadas en el lago.   nadaste
4. Hoy ellas toman un refresco.   tomaron
5. Hoy tú llegas tarde.   llegaste
6. Hoy ellos compran el jamón.   compraron
7. Hoy yo hablo con Héctor.   hablé
8. Hoy la invitas a un mesón.   invitaste
9. Hoy alquilan un barquito.   alquilaron
10. ¿Remas en el lago hoy?   Remaste

U. Rewrite each sentence in the preterite.   Remember the spelling sequences *–ga, –gue, –gui, –go, –gu; –ca, –que, –qui, –co, –cu;* and *–za, –ce, –ci, –zo, –zu.*
1. Busco trabajo.   Busqué
2. Llego a tiempo.   Llegué
3. Comienza a las ocho.   Comenzó
4. Buscan la bolsa.   Buscaron
5. Empiezo tarde.   Empecé
6. Juego al fútbol.   Jugué

V. Answer each question with a complete sentence.
1. ¿Trabajaste ayer en casa?   Trabajé
2. ¿Visitaste a Madrid?   Visité
3. ¿Nadaste en el lago del parque?   Nadé
4. ¿Miraste la televisión anoche?   Miré
5. ¿Hablaste por teléfono el otro día con tu amigo?   Hablé
6. ¿Llamaron Uds. a Enrique ayer?   Llamamos
7. ¿Compraron Uds. algo?   Compramos
8. ¿Dónde pasaron Uds. el verano pasado?   Pasamos
9. ¿Esquiaron Uds. el invierno pasado?   Esquiamos
10. ¿Estudiaron Uds. el arte de España?   Estudiamos

los pronombres de complemento directo e indirecto

As you say me, *point to yourself. Have students do the same.*

me

A. Repitan.
La profesora me habla.
Mi padre me mira.
Mi amigo me busca.

B. Contesten. *When asking questions, point to student as you say* te.
¿Te mira Juan?
¿Te ayuda el médico?
¿Te habla aquel señor?
¿Te examina la médica?
¿Te esperan tus amigos?
¿Te visitan tus hermanos? *All answers are with* me.
¿Te trae la comida la aeromoza?
¿Te habla el profesor?
¿Te compra algo tu madre?
¿Te vende vegetales la india?
¿Te prepara una merienda Carlos?
¿Te da el dinero la empleada?

te

C. Repitan.
Carlos, ¿te ayuda Margarita?
María, ¿te habla tu amigo?

D. Sustituyan. *Have students look at a neighbor as they do drills D and E.*

Claudio, ¿ te { mira / ayuda / espera / visita / ve / escribe } Sarita?

All questions are with te.

E. Sigan las instrucciones.
Pregúntele a un amigo si Tomás lo ayuda.
Pregúntele a una amiga si Catalina la busca.
Pregúntele a un amigo si Elena le da la bolsa.
Pregúntele a un amigo si María le escribe.
Pregúntele a una amiga si Paco le compra los billetes.

nos

F. Repitan.
Papá nos ayuda.
Nuestra madre nos da el dinero.
María nos habla.

G. Contesten. *All answers are with* nos.
¿Los espera Juan?
¿Los mira Elena?
¿Los ayuda el profesor? *Both* los *and* les *are used in this drill, but only by the teacher. Students will not have to differentiate between direct and indirect objects until Lesson 14.*
¿Los visitan Juan y Pablo?
¿Les lee la historia el profesor?
¿Les habla Sonia?
¿Les escribe el amigo?
¿Les prepara la comida papá?

Not recorded ══ Reglas ══

The object pronouns *me*, *te*, and *nos* function as both direct and indirect object pronouns. As is the case with the direct object pronouns *lo*, *la*, *los*, and *las*, these pronouns precede the verb. Study the following.

direct object	indirect object
Ella me mira.	Mi padre me da el dinero.
Te hablan en español.	Él nos ayuda.
Ellos te buscan.	Ellos nos venden la casa.

Have students indicate which of the other object pronouns are direct objects and which are indirect objects.

229

APLICACIÓN ESCRITA

H. Complete each sentence with the appropriate pronoun.

1. Juan, ¿ __te__ llamó María?
2. Sí, María __me__ llamó.
3. Carlos, ¿ __te__ mira tu amiga?
4. Sí, mi amiga __me__ mira.
5. Carmen, ¿ __te__ habla el profesor?
6. Sí, el profesor __me__ habla.
7. Nuestros amigos __nos__ visitan mucho.
8. Nuestros primos siempre __nos__ escriben.
9. Mi tía __me__ espera en el andén.
10. Nuestro padre __nos__ dice todo.

El grupo mira los cuadros en el museo del Prado

ESCENAS

Lo pasé bien.

Carmen	Hola, Teresa, ¿qué tal? ¿Cómo lo <u>pasaste</u> en Madrid?
Teresa	Estupendo. Es una ciudad fabulosa. <u>Pasé</u> una tarde en la Gran Vía. Tienes que ver las cosas que <u>compré</u>. Luego me <u>senté</u> en la terraza de un café al aire libre. <u>Tomé</u> un refresco. Un autobús <u>paró</u> en la esquina y <u>bajaron</u> mi hermano y uno de sus amigos. Se <u>sentaron</u> conmigo. <u>Empezamos</u> a hablar y el amigo de mi hermano <u>me</u> <u>invitó</u> a salir con él aquella noche.
Carmen	¿Adónde <u>te</u> <u>llevó</u>?
Teresa	<u>Me</u> <u>llevó</u> a un mesón en el Viejo Madrid. Mi hermano y su novia <u>nos</u> <u>acompañaron</u>.
Carmen	Pero, ¿qué es un mesón?
Teresa	Ay, verdad que tú no conoces a Madrid. Pues, un mesón es un tipo de café. Generalmente está en la planta baja o en el subsuelo de un edificio antiguo. Un mesón es como una cueva. Todos los universitarios frecuentan los mesones.

Break reading selection into parts. Present one part each day. Present reading selection as you are doing drills.

conmigo with me

Note that the Gran Vía *is the original name of one of the main streets of Madrid. It was changed to* Avenida de

novia girl friend, fiancée José

Antonio during the Franco era but many continued to call it the Gran Vía. *Now many street names are being officially changed to their original names.*

Words underlined indicate the structure concepts presented in this lesson.

231

Carmen	A propósito, ¿cómo se llama tu amigo?
Teresa	José Antonio. ¿Y sabes lo que <u>pasó</u>? <u>Entró</u> en el mesón un grupo de tunos. Son universitarios que llevan trajes de la Edad Media. <u>Empezaron</u> a cantar y a tocar la guitarra. José Antonio <u>cantó</u> con ellos. Él es andaluz y canta muy bien el flamenco. ¡Qué jaleo <u>armamos</u>! <u>Entraron</u> otros amigos de mi hermano y ellos <u>nos</u> <u>invitaron</u> a ir a otro mesón.
Carmen	¿A otro?
Teresa	Sí, hay un mesón tras otro en la misma calle. En el segundo mesón <u>tomamos</u> unos refrescos y también <u>picamos</u>. En el mostrador tienen tapas.

A propósito   By the way

andaluz   Andalusian

Explain to students that armamos un jaleo *means "we really had a ball"* or *"we really cut up."*

tras   after

picamos   we picked

Carmen	¿Tapas? ¿Qué son tapas?
Teresa	Son como entremeses. Por ejemplo, tienen jamón, queso, aceitunas, sardinas y tortillas a la española. Como puedes imaginar, no llegamos a casa hasta muy tarde. Pero el día siguiente mi tía me despertó temprano. Nosotras dos visitamos el museo del Prado. Como a las dos y media tomamos el almuerzo en un restaurante cerca del museo.
Carmen	Pero, ¿cómo explicaste a tu tía la hora que llegaste a casa?
Teresa	Sin problema. Ella conoce muy bien a José Antonio.
Carmen	Pues, Teresa. Si vuelves a visitar a tu hermano en Madrid, ¿por qué no me invitas?

entremeses hors d'oeuvres, snacks

despertó woke up

explicaste did you explain

Explain to students that dating customs are changing. You will now see younger people pairing off in couples. In general, however, young people would not date someone not known by the family. Students also tend to do more with a group of friends rather than actually going out on a date. It is also more common in Spain than in the United States to have a family member such as a brother, sister, or cousin be a part of the group.

Not recorded

PREGUNTAS

1. ¿Lo pasó bien Teresa en Madrid?
2. ¿Dónde pasó la tarde?
3. ¿Compró algunas cosas?
4. ¿Dónde se sentó?
5. ¿Qué tomó en el café?
6. ¿Qué paró en la esquina?
7. ¿Quiénes bajaron?
8. ¿Se sentaron ellos con Teresa?
9. ¿Empezaron a hablar?
10. ¿Adónde invitó a Teresa el amigo de su hermano?
11. ¿Adónde la llevó?
12. ¿Cómo es un mesón?
13. ¿Cómo se llama el amigo de Teresa?
14. ¿Quiénes entraron en el café?
15. ¿Empezaron a cantar y a tocar la guitarra?
16. ¿Quién cantó con los tunos?
17. ¿Adónde los invitaron otros amigos?
18. ¿Hay un mesón tras otro en la misma calle del Viejo Madrid?
19. ¿Qué tomaron en el segundo mesón?
20. ¿Qué son tapas?
21. ¿Quién la despertó temprano?
22. ¿Qué visitaron?
23. ¿Llegó Teresa a casa tarde?
24. ¿Conoce su tía a José Antonio?

Not recorded

Composición

Answer the following questions to form a paragraph.

¿Qué ciudad visitó Teresa?

¿Compró mucho en las tiendas de la Gran Vía?

¿Se sentó en un café?

¿Quiénes bajaron del autobús?

¿Hablaron con Teresa en el café?

¿Adónde la invitó José Antonio, el amigo de su hermano?

¿Quiénes entraron en el mesón?

¿Tocaron la guitarra los tunos?

¿Cantaron también?

¿Quién cantó con los tunos?

¿Acompañaron Teresa y José Antonio a sus amigos a otro mesón?

¿Tomaron tapas en aquel mesón?

¿Lo pasó bien Teresa en Madrid?

PERSPECTIVAS

Discusión   *Not recorded*

Teresa puede salir con José Antonio.   Lo puede acompañar a un mesón y no tiene problema con su tía.   ¿Por qué no tiene problema con su tía? • Si la tía no conoce al muchacho, ¿puede María salir con él o no? • ¿Qué opinas? • ¿Puedes tú salir con un muchacho o con una muchacha a quién no conocen tus padres?

Opinión   *Not recorded*

Teresa visita a Madrid.   ¿Qué opinas tú? • ¿Es ella española o no? • ¿Por qué dices que sí o que no?

Pasatiempo

Change one letter in each of the following words to form a new word.

1. baño   *bajo*
2. tomar   *tocar*
3. mapas   *tapas*
4. pasar   *parar*
5. hoy   *hay*
6. llegar   *llevar*
7. nueva   *cueva*
8. tomo   *como*
9. cien   *bien*
10. santa   *canta*

Entrevista   *Not recorded*

Ayer, ¿llegaste a la escuela a pie o en autobús? • ¿Bajaste del autobús en la esquina o en el patio de la escuela? • Después de las clases, ¿van los alumnos a un café? • ¿Cómo se llama el café? • ¿Está en un edificio antiguo o moderno? • ¿Está en el subsuelo o en la planta baja? • Ayer, ¿visitaste el café o no? • ¿Tomaste un refresco? • ¿Hablaste con tus amigos? • En el café, ¿escucharon Uds. discos? • ¿Cantaron Uds. o no?

Resumen oral

BASES

14

1. Es una venta.
   El señor salió de la venta.
   El señor comió uvas.
   El señor es ciego.
   El señor lleva un sombrero en la
   cabeza.

*Present each word
separately and build
to complete
utterance.*

2. Es un jarro.
   Ahora en el jarro hay una paja.
   El muchacho rompió el jarro.
   Salió el vino.

3. Los peatones andan por la acera.
El niño le vendió un lápiz al
   peatón.
El peatón le dio el dinero al niño.
Otro niño les vendió cacahuates a
   otros peatones.

Cacahuates, *cacahuetes*, and
maní are all heard in
Spanish-speaking areas.

4. El joven trabaja de limpiabotas.
El joven le limpia los zapatos al
   señor.
El señor metió las manos en
   los bolsillos.

mal   el contrario de **bien**
a la vez   al mismo tiempo
siglo   un período de cien años
barrio   una parte o zona de una ciudad, generalmente humilde
aprender   La profesora enseña y los alumnos aprenden.

Go over definitions in class. Ask questions with new words.

la novela   famoso, -a   decidir
el origen   anónimo, -a
el problema   universal
la figura

Have students repeat cognates after you. These words are often mispronounced because of English interference.

Have students pick out the word that they would expect to have a different article--el problema.

PRÁCTICA

A.   Answer each question with a complete sentence.
1. ¿Quién salió de la venta?   El señor
2. ¿Qué comió el señor?   uvas
3. ¿Es ciego el señor?   Sí
4. ¿Qué lleva el señor en la cabeza?   un sombrero
5. ¿Qué hay en el jarro?   una paja
6. ¿Qué rompió el señor?   el jarro
7. ¿Qué salió del jarro?   el vino
8. ¿Por dónde andan los peatones?   por la acera
9. ¿Qué le vendió al peatón el niño?   un lápiz
10. Y el otro niño, ¿qué les vendió a otros peatones?   cacahuates
11. ¿Cómo trabaja el muchacho?   de limpiabotas
12. ¿A quién le limpia los zapatos él?   al señor
13. ¿Dónde mete las manos el señor?   en la bolsa
14. ¿En qué siglo vivimos nosotros?   en el siglo veinte

B.   Form a question according to the model.   *Not recorded*

El ciego salió de la venta.
¿Quién salió de la venta?

1. *El ciego* lleva un sombrero en la cabeza.   ¿Quién ___?
2. El señor comió *uvas*.   ¿Qué ___?
3. Hay *una paja* en el jarro.   ¿Qué ___?
4. *Los peatones* andan por la acera.   ¿Quiénes ___?
5. El niño metió *las manos* en el bolsillo.   ¿Qué ___?
6. El señor es *ciego*.   ¿Cómo ___?
7. Él vivió *en el siglo quince*.   ¿Cuándo ___?
8. El pobre vive *en un barrio humilde de la ciudad*.   ¿Dónde ___?

C. Complete each sentence with an appropriate word.

1. Un _____ no puede ver.   ciego
2. Los niños suelen usar una _____ cuando beben algo. paja
3. El _____ le limpió los zapatos.   limpiabotas
4. ¿Por qué no llevas nunca un _____ en la cabeza? sombrero
5. Una _____ es un tipo de hotel.   venta
6. Las _____ son para los peatones y las calles son para los carros. aceras

D. Give the word being defined.

1. una persona que no puede ver   un ciego
2. una persona que le limpia los zapatos a otro   un limpiabotas
3. una fruta que produce el vino   la uva
4. la gente que anda por las aceras de una ciudad o pueblo   los peatones
5. lo usamos para escribir   un lápiz
6. la podemos usar para beber   una paja

después del terremoto (*earthquake*), San Pedro, Guatemala

240

ESTRUCTURAS

You can present the reading selection as you are doing the drills.

el pretérito

los verbos en -er e -ir

él, ella

A. Repitan.

La ciega salió de su casa.
El niño vendió el lápiz.
María escribió una carta.
Ella abrió la bolsa.

B. Sustituyan.

Ella $\left\{\begin{array}{l} \text{vendió} \\ \text{comió} \\ \text{recibió} \end{array}\right\}$ el sándwich.

Carlos $\left\{\begin{array}{l} \text{abrió} \\ \text{subió} \\ \text{vendió} \end{array}\right\}$ las maletas.

C. Contesten.

¿Volvió Gabriela a la capital?
¿Vendió la casa el señor Gómez?
¿Comió mucho el niño?
¿Aprendió español el alumno? *All answers*
¿Rompió el jarro el señor? *are with*
¿Recibió ayuda el profesor? *-ió.*
¿Vivió en una casa antigua Elena?
¿Salió a tiempo el avión?
¿Escribió la carta la secretaria?
¿Vio la película el señor?

ellos, ellas

D. Repitan.

Ellos vendieron la bolsa.
Juan y María recibieron más dinero.

E. Sustituyan.

Los jóvenes $\left\{\begin{array}{l} \text{comieron.} \\ \text{aprendieron.} \\ \text{salieron.} \\ \text{subieron.} \end{array}\right.$

Todas $\left\{\begin{array}{l} \text{volvieron} \\ \text{comieron} \\ \text{salieron} \\ \text{subieron} \end{array}\right\}$ tarde.

un niño pobre con su hermano,
Andahuaylillas, Perú

F. Contesten. *All answers are with -ieron.*

¿Lo aprendieron el lunes los muchachos?
¿Comieron los cacahuates las niñas?
¿Salieron de la plaza los autobuses?
¿Escribieron con lápiz los profesores?
¿Abrieron la bolsa las muchachas?
¿Salieron ayer los jugadores de fútbol?
¿Subieron las montañas las universitarias?

yo

G. Repitan.

Yo volví a casa.
Viví en la capital.
Salí para la oficina.

H. Sustituyan.

Yo $\begin{Bmatrix} \text{vendí} \\ \text{abrí} \\ \text{recibí} \end{Bmatrix}$ la canasta.

Lo $\begin{Bmatrix} \text{comí} \\ \text{aprendí} \\ \text{escribí} \\ \text{abrí} \\ \text{recibí} \end{Bmatrix}$ el verano pasado.

I. Contesten. *All answers are with -í.*

¿Volviste ayer?
¿Leíste bien la carta?
¿Comiste un sándwich de jamón y queso?
¿Aprendiste bien la lección de gramática?
¿Viviste en Bogotá?
¿Saliste con el equipo?
¿Escribiste en español?
¿Recibiste la carta?
¿Subiste al autobús?
¿Viste la película?

tú

J. Repitan.

¿A qué hora volviste?
¿Por qué no comiste nada?
¿Subiste al andén?

K. Sustituyan.

¿Por qué no lo $\begin{Bmatrix} \text{leíste?} \\ \text{comiste?} \\ \text{aprendiste?} \\ \text{escribiste?} \\ \text{abriste?} \\ \text{recibiste?} \end{Bmatrix}$

All questions are with -iste.

L. Sigan las instrucciones.

Pregúntele a una amiga si escribió la carta.
Pregúntele a una amiga si comió ensalada.
Pregúntele a un amigo si recibió la carta.
Pregúntele a una amiga si vendió el carro.
Pregúntele a un amigo si abrió la bolsa.

nosotros, nosotras

M. Repitan.

Nosotros aprendimos mucho español.
Comimos en aquel restaurante.
Vivimos en la capital.

N. Sustituyan.

Nosotros $\begin{Bmatrix} \text{volvimos} \\ \text{comimos} \\ \text{salimos} \\ \text{subimos} \end{Bmatrix}$ con ellos.

O. Contesten. *All answers are with -imos.*

¿Aprendieron Uds. el vocabulario?
¿Comieron Uds. papas?
¿Vendieron Uds. el carro?
¿Vivieron Uds. en el campo?
¿Salieron Uds. a las ocho?
¿Escribieron Uds. a sus amigos?
¿Abrieron Uds. la bolsa?
¿Volvieron Uds. en febrero?

Uds.

P. Repitan.

Uds. volvieron tarde.
¿Dónde vivieron Uds.?

Q. Sustituyan.

¿Cuándo $\left\{\begin{array}{l}\text{volvieron}\\\text{comieron}\\\text{salieron}\\\text{escribieron}\end{array}\right\}$ Uds.?

All questions are with -ieron.

R. Sigan las instrucciones.
Pregúnteles a ellas si aprendieron mucho.
Pregúnteles a ellos si vendieron el carro.
Pregúnteles a ellas si escribieron la carta.
Pregúnteles a ellas si recibieron el dinero.
Pregúnteles a los señores si vivieron en aquel edificio.
Pregúnteles a las señoritas si volvieron en tren.

Ud.

S. Repitan.
Ud. vendió la casa.
Ud. recibió el periódico, ¿no?

All questions are with -ió.

T. Sigan las instrucciones.
Pregúntele al señor Vargas si recibió ayuda.
Pregúntele a la señorita Castro si vendió su casa.
Pregúntele a la señora Iglesias si vivió en la capital.

Not recorded ———— Reglas ————

Note that the endings of regular verbs of the second- and third-conjugation (-*er* and -*ir* verbs) are identical in the preterite. Study the following forms.

comer	vender	vivir	escribir	ver
comí	vendí	viví	escribí	vi
comiste	vendiste	viviste	escribiste	viste
comió	vendió	vivió	escribió	vio
comimos	vendimos	vivimos	escribimos	vimos
(comisteis)	(vendisteis)	(vivisteis)	(escribisteis)	(visteis)
comieron	vendieron	vivieron	escribieron	vieron

Write verbs on board and underline endings. Have students make up original sentences.

Note that in the third person the verb *leer* has a -*y*.

leyó   leyeron

Not recorded ——— **APLICACIÓN ESCRITA** ———

U. Complete each sentence with the correct preterite ending.
1. Ellos com___ muchos cacahuates ayer. comieron
2. La niña me vend___ el lápiz el otro día. vendió
3. Yo recib___ ayuda de mi tía. recibí
4. Ellos aprend___ mucho en la escuela. aprendieron
5. ¿De quién recib___ tú la carta? recibiste
6. Uds. no com___ mucho. comieron
7. Aquella señora sal___ de la venta. salió
8. Nosotros viv___ en Buenos Aires. vivimos

V. Rewrite each sentence in the preterite.
1. Ella escribe la carta primero. escribió
2. Yo vivo en aquel edificio alto en la esquina. viví
3. Vendo la casa en la playa. Vendí
4. ¿Comes tapas en el mesón? Comiste
5. Ella abre la maleta. abrió
6. Aprendemos español. Aprendimos
7. Lo escribimos con lápiz. escribimos
8. Las pasajeras suben al avión. subieron
9. Tú no sales muy temprano. saliste
10. Lo beben con una paja. bebieron

W. Complete each sentence with the correct form of the preterite of the italicized verb.
1. Carlos _____ en el lago ayer. *nadar* nadó
2. Ellos _____ después de las clases. *volver* volvieron
3. ¿_____ tú en aquella universidad? *Estudiar* Estudiaste
4. Ellos _____ con lápiz. *escribir* escribieron
5. Nosotras _____ en el subsuelo. *trabajar* trabajamos
6. El muchacho _____ la montaña. *subir* subió
7. Yo _____ la camisa en una tienda de la Gran Vía. *comprar* compré
8. Tú los _____, ¿no? *comer* comiste

dos niños en la calle, Buenos Aires, Argentina

los pronombres de complemento indirecto

le

A. Repitan.
Carlos le habló a María.
María le habló a Carlos.

B. Sustituyan.

María le habló a
$\begin{cases} \text{Carlos.} \\ \text{Anita.} \\ \text{su amigo.} \\ \text{su amiga.} \\ \text{su madre.} \\ \text{su padre.} \end{cases}$

All answers are with le.

C. Contesten.
¿Le habla Ud. a María?
¿Le habla Ud. a Carlos? hablo
¿Le explica Ud. la literatura a Elena?
¿Le explica Ud. la literatura a Tomás? explico
¿Le lee Ud. la carta a su hermano?
¿Le lee Ud. la carta a su hermana? leo
¿Le vendió Ud. la casa al señor López?
¿Le vendió Ud. la casa a la señora López? vendí
¿Le escribió Ud. a su amigo?
¿Le escribió Ud. a su amiga? escribí

les

D. Repitan.
Carlos les habló a María y a Elena.
María les habló a Carlos y a Juan.

E. Sustituyan.

Carlos les escribió a
$\begin{cases} \text{María y a Elena.} \\ \text{Pepe y a Juan.} \\ \text{sus amigos.} \\ \text{sus amigas.} \\ \text{los alumnos.} \\ \text{las alumnas.} \end{cases}$

F. Contesten. *All answers are with les.*
¿Les habla Ud. a María y a Elena?
¿Les habla Ud. a Carlos y a Tomás? hablo
¿Les lee Ud. la carta a los muchachos?
¿Les lee Ud. la carta a las muchachas? leo
¿Les escribió Ud. a sus amigos?
¿Les escribió Ud. a sus amigas? escribí
¿Les da Ud. el dinero a los pobres? doy

G. Contesten.
¿Le habla Ud. a María?
¿Les habla Ud. a María y a Elena?
¿Le escribe Ud. a su amigo?
¿Les escribe Ud. a sus amigos?
¿Le lee Ud. la carta al señor Soto?
¿Les lee Ud. la carta a los señores Soto?

```
G.  Le hablo __.
    Les hablo __.
    Le escribo a mi amigo.
    Les escribo a mis amigos.
    Le leo __.
    Les leo __.
```

Not recorded ───── Reglas ─────

Unlike the direct object pronouns, the indirect object pronouns *le* and *les* are both masculine and feminine.   In order to avoid ambiguity, the indirect object pronouns *le* and *les* are often accompanied by a prepositional phrase.   Study the following examples.

indirect object pronoun	prepositional phrase
Le escribo a Carlos.	Les escribo a Juan y a Carlos.
Le escribo a María.	Les escribo a mis amigas.
Le hablo a él.	Les hablo a ellos.
Le hablo a ella.	Les hablo a ellas.
Le hablo a Ud.	Les hablo a Uds.

APLICACIÓN ESCRITA

H. Write each sentence; then underline each direct object once and each indirect object twice.

1. Carlos recibió <u>la carta</u>.
2. <u>Les</u> vendimos <u>la casa</u>.
3. Conocemos a <u>Elena</u>.
4. Le hablamos a <u>Tomás</u>.
5. ¿Quién tiene <u>el periódico</u>? Ana María <u>lo</u> tiene.
6. El profesor <u>nos</u> explica <u>la lección</u>.
7. El niño <u>les</u> vendió <u>los cacahuates</u> a <u>los peatones</u>.
8. María Cristina sabe <u>el vocabulario</u>.
9. Ellos <u>les</u> vendieron <u>la casa</u> a <u>los Gómez</u>.
10. Ella compró <u>los zapatos</u> allí.

I. Rewrite each sentence according to the model.

  a María Hablo
  Le hablo a María.

1. a Tomás Hablo
2. a mis amigos Escribo una carta.
3. al alumno El profesor explica la lección.
4. a los Cárdenas Vendimos la casa.
5. a sus amigas Benjamín escribe.
6. a la pobre Doy el dinero.

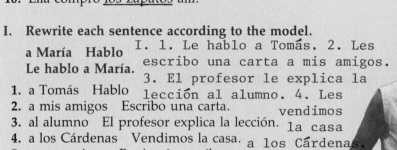

I. 1. Le hablo a Tomás. 2. Les escribo una carta a mis amigos. 3. El profesor le explica la lección al alumno. 4. Les vendimos la casa a los Cárdenas. 5. Benjamín les escribe a sus amigas.
6. Le doy el dinero a la pobre.

J. Rewrite each sentence according to the models.

  la carta Juan recibe.
  Juan la recibe.

  a María Juan escribe.
  Juan le escribe a ella.

1. la capital Visitamos.
2. los lápices El niño vende.
3. a mis hermanas Doy el regalo.
4. a Elena Conozco.
5. a la señora Santiago Vendimos la casa.
6. a Antonio Veo.

J. La visitamos. 2. El niño los vende. 3. Les doy el regalo a ellas. 4. La conozco. 5. Le vendimos la casa a ella. 6. Lo veo.

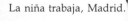

La niña trabaja, Madrid.

el pretérito del verbo dar

A. Repitan.
Victoria le dio el libro a Luis.
Mis padres me dieron el carro.
Yo le di el dinero a Paco.
Le dimos el billete a la empleada.

B. Contesten.
¿Quién te dio el boleto?
¿Te dio la bolsa María?   me dio
¿Te dio el carro tu madre?
¿Te dieron ellas el dinero?
¿Te dieron trabajo los señores?   me dieron
¿Te dieron el carro tus padres?

¿Le diste el dinero a Juan?
¿Le diste la bolsa a la señora?
¿Le diste los billetes al empleado?   le di

¿Le dieron Uds. el libro al profesor?   le dimos
¿Les dieron Uds. ayuda a los pobres?
¿Les dieron Uds. la carta a sus amigos?   les dimos

C. Sigan las instrucciones.
Pregúntele a un amigo si le dio el bocadillo a David.
Pregúntele a una amiga a quién le dio el periódico.
Pregúntele a la señorita si le dio el billete a la aeromoza.
Pregúntele a la señora si le dio la comida al niño.
Pregúnteles a los señores si le dieron el dinero al empleado.

C. ¿Le diste el bocadillo a David?
   ¿A quién le diste el periódico?
   ¿Le dio Ud. el billete a la aeromoza?
   ¿Le dio Ud. la comida al niño?
   ¿Le dieron Uds. el dinero al empleado?

Not recorded

── Reglas ──

The verb *dar* is irregular in the preterite. Note, however, that the endings conform to the pattern of regular *-er* and *-ir* verbs.

dar
di
diste
dio
dimos
(disteis)
dieron

Not recorded
APLICACIÓN ESCRITA

D. Rewrite each sentence in the preterite.
1. Le doy el periódico a la profesora.   Le di el periódico a la profesora.
2. Ellas le dan el regalo a Marta.   Ellas le dieron el regalo a Marta.
3. ¿Le das los boletos al empleado?   ¿Le diste los boletos al empleado?
4. Ud. le da la carta a su padre, ¿no?   Ud. le dio la carta a su padre, ¿no?
5. Le damos el dinero al niño.   Le dimos el dinero al niño.
6. Le doy la mano a la señora.   Le di la mano a la señora.

ESCENAS

Los pícaros

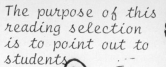

The purpose of this reading selection is to point out to students that figures discussed in literary pieces represent reality.

Lazarillo de Tormes es una novela famosa de la literatura española. No sabemos quién la <u>escribió</u>. Un autor anónimo la <u>escribió</u> en 1554. Es la historia de un muchacho de origen humilde—un pícaro.

Lazarillo <u>nació</u> en Salamanca. Su madre viuda trabajó en una venta. Un día, un ciego llegó a la venta y la madre <u>le dio</u> a su hijo al ciego.

Lazarillo <u>salió</u> de la venta con el ciego. Él <u>aprendió</u> pronto a no tener confianza en este señor. El ciego lo trató muy mal.

Un día, el ciego <u>decidió</u> tomar un poco de vino de su jarro. ¿<u>Le ofreció</u> vino <u>a Lazarillo</u>? No, no <u>le dio</u> nada. Lazarillo <u>metió</u> una paja en el jarro y él también <u>bebió</u>. De repente, se acabó el vino.

—Lazarillo, tú también <u>bebiste</u>.

—No, señor, no <u>bebí</u> nada.

—Yo sé que <u>bebiste</u>.

You may wish to divide this reading selection into parts.

viuda widow One group can do the first half dealing with Lazarillo and the other group can

trató treated do the second half dealing with el pícaro de hoy. Have each group

De repente Suddenly give a
se acabó was finished report to the other group.

Words underlined indicate the structure concepts reinforced throughout this lesson.

De repente el ciego <u>rompió</u> el jarro sobre la cabeza de Lazarillo.

Una vez los dos pasaron por un pueblo.   Alguien <u>le dio al ciego</u> un racimo de uvas.

—Lazarillo, yo voy a comer una uva.   Y cada vez que yo como una, tú también puedes comer una.   ¿Prometes comer solamente una uva a la vez?

Lazarillo <u>prometió</u> comer solamente una a la vez.

El ciego tomó las uvas.   Pero no <u>comió</u> una, <u>comió</u> dos.   Luego Lazarillo las tomó.   ¿Y cuántas <u>comió</u>?   Comió tres.

—Lazarillo, yo sé que tú <u>comiste</u> tres uvas a la vez.

—No, señor, <u>comí</u> una a la vez.

—No, Lazarillo.   No me dices la verdad.   <u>Comiste</u> tres.   Yo lo sé porque yo <u>comí</u> dos y tú te callaste.   Tú <u>rompiste</u> nuestra promesa.

—Sí, señor.   Pero Ud. la <u>rompió</u> primero cuando <u>comió</u> dos uvas a la vez.

Sí, Lazarillo es un pícaro que <u>apareció</u> en una novela del siglo dieciséis y él luchó para sobrevivir.   Pero no tenemos que leer una novela antigua para conocer a un pícaro.   Los vemos aún hoy día en muchas ciudades hispánicas.   Los pícaros son niños de origen humilde que salen de casa temprano por la mañana.

sobre   over   *from Lesson 15.*

racimo   bunch

Prometes   Do you promise

la verdad   the truth   *menon*
te callaste   didn't say anything   *that still exists*   *today.*

apareció   appeared
luchó   fought
sobrevivir   to survive

Point out to students that "$" represents pesos as well as dollars.

En autobús o a pie salen de su barrio y van al centro de la ciudad. Allí les venden lápices o cacahuates a los peatones. Y muchos trabajan de limpiabotas. Los vemos en las esquinas de las calles donde les limpian los zapatos a los clientes. Vamos a observar a uno de estos pícaros.

—Hola, Paquito. ¿Cómo estás? No te vi ayer.

(Paquito le da la mano al señor.)

—No, señor, ayer trabajé en otro barrio.

—¿Vendiste mucho?

—No, no mucho. Le vendí dos lápices a una señora.

—¿Y a quién le diste el dinero que recibiste?

—Le di el dinero a mamá. Sabe Ud., señor, que ella necesita el dinero. Con el dinero que yo le doy, compra comida. En casa tengo seis hermanos y ellos tienen que comer.

El pícaro no es nada nuevo. Lazarillo vivió en el sigo XVI y Paquito vive hoy. El pícaro representa un fenómeno universal. Y la pobreza lo causa.

You may wish to explain to students that many young children from the poorer classes do work in order to earn money to help their families. In Latin America today you will also hear the term gamín which comes from the French gamin. This term originated in Bogotá and is used to describe those children who leave home and roam the streets. In many cities there are shelters for them. Many, however, prefer not to live in such institutions. These children will not harm you but they often steal such things as windshield wipers, hubcaps, and other car parts.

PREGUNTAS *Not recorded*

1. ¿Cuál es una novela famosa de la literatura española?
2. ¿Quién la escribió?
3. ¿Dónde nació Lazarillo?

4. ¿Dónde trabajó su madre viuda?
5. ¿Quién llegó a la venta un día?
6. ¿Con quién salió de la venta Lazarillo?
7. ¿Qué aprendió pronto Lazarillo?
8. ¿Cómo lo trató el ciego?
9. Un día, ¿qué decidió tomar el ciego?
10. ¿Le ofreció vino a Lazarillo?
11. ¿Qué metió Lazarillo en el jarro?
12. ¿Bebió Lazarillo?
13. ¿Dónde rompió el ciego el jarro?
14. ¿Por qué lo rompió en la cabeza de Lazarillo?
15. ¿Por dónde pasaron los dos un día?
16. ¿Qué le dio alguien al ciego?
17. ¿Cuántas uvas comió el ciego a la vez?
18. Y Lazarillo, ¿cuántas comió a la vez?
19. ¿Quién rompió la promesa primero?
20. ¿Vemos a los pícaros hoy día?
21. ¿Quiénes son los pícaros?
22. ¿Cuándo salen de casa?
23. ¿Adónde van?
24. ¿Cómo van?
25. ¿Qué les venden a los peatones?
26. ¿Cómo trabajan muchos de ellos?
27. ¿Dónde trabajó Paquito ayer?
28. ¿Qué le vendió a una señora?
29. ¿A quién le dio el dinero que recibió?
30. ¿Qué hace su mamá con el dinero?
31. ¿Qué representa el pícaro?
32. ¿Qué causa este fenómeno?

los hermanos, Ayacucho, Perú

Composición

Form a conversation from the following in the past tense.

Paco / ¿vender / tú / mucho / lápices / ayer?

No / yo / vender / más / hoy

¿Cuánto / dinero / recibir / tú / hoy?

Yo / recibir / poco.

¿A quién / le / dar / dinero?

Yo / le / dar / dinero / mamá.   Con / dinero / ella / comprar / comida.

¿Comer / Uds. / bien / hoy?

Sí / nosotros / comer / bien / porque / yo / le / dar / dinero / mamá.

PERSPECTIVAS

Pasatiempo

Form a word from each group of letters.

1. N A T E V
2. L O S G I
3. O Z T A S P O
4. A A P J
5. Á I L Z P
6. B R I R A O
7. E A A R C
8. R J R O A
9. T E P A N Ó
10. N I V O

1. VENTA
2. SIGLO
3. ZAPATOS
4. PAJA
5. LÁPIZ
6. BARRIO
7. ACERA
8. JARRO
9. PEATÓN
10. VINO

Not recorded **Discusión**

Cuando el joven vio al señor en la calle, le dio la mano. Cuando tú ves a un señor o a una señora que conoces, ¿le das la mano? • ¿Qué le dices? • Aquí vemos una costumbre distinta. • ¿Quiénes les dan la mano a otra persona, los jóvenes hispánicos o los jóvenes norteamericanos?

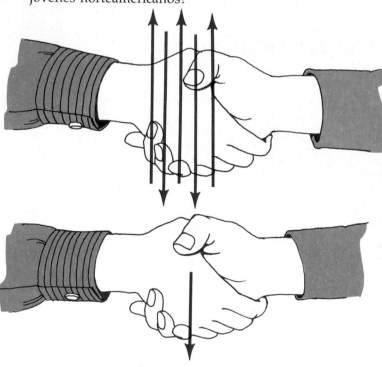

Above are two kinds of handshakes, one that is pumped several times and one that just lowers once. Which is more common in your experience?

Resumen oral

BASES

15

1. Es un valle.
El muchacho anduvo a pie.
Anduvo por el valle.
Hay muchas rocas y piedras.
La llama es un animal.

Since the preterite forms of many of the irregular verbs sound so different from the present tense forms, you may wish to present the sentence first in the present and then in the preterite. This will help to convey the meaning: Anda a pie. Anduvo a pie.

← en la cordillera de los Andes entre Chile y Argentina

2. Son las pieles de animales.
Es el pelo de un animal.

3. La casa está sobre palos.
La casa no tiene paredes.

4. La joven estuvo en una selva
   tropical.
Cortó una senda.
Cortó la senda con un machete.

256

5. Los soldados tuvieron una lucha.
Tuvieron la lucha en la carretera.
No pudieron entrar en la ciudad.

aislado, -a	remoto, -a
andino, -a	de los Andes
en aquel entonces	no en el presente, en el pasado
cercano, -a	que está cerca
en seguida	inmediatamente
la mayoría	la parte más grande

Go over definitions in class. Ask questions using new words: ¿Vives en una región aislada? ¿Hay muchos pueblos aislados en las montañas?

la zona
el producto
la existencia
el machete
la canoa
la protección
el continente
la extensión
la geografía
la metrópoli

constante
denso, -a
tropical
desnudo, -a
eléctrico, -a

cultivar
visitar

Have students repeat cognates carefully after you.

PRÁCTICA

A. Answer each question with a complete sentence.
1. ¿Por dónde anduvo a pie el muchacho?   por el valle
2. ¿Qué es la llama?   un animal
3. ¿Tiene un animal piel y pelo?   Sí
4. ¿Sobre qué está la casa?   palos
5. ¿Tiene paredes la casa?   No
6. ¿Dónde estuvo la joven?   en una selva tropical
7. ¿Qué cortó ella en la selva?   una senda
8. ¿Con qué cortó la senda?   con un machete
9. ¿Qué tuvieron los soldados?   una batalla
10. ¿En dónde no pudieron entrar?   en la ciudad
11. ¿Va la carretera a un pueblo aislado?   No
12. ¿Son pequeños la mayoría de los pueblos cercanos? Sí / No

B. Answer each question based on the model sentence.
1. Hay muchos pueblos aislados en los valles andinos.
   ¿Hay muchos pueblos en los valles andinos? Sí
   ¿Cómo son los pueblos? aislados
   ¿Dónde hay pueblos aislados?   en los valles andinos

2. La joven cortó una senda en la selva con un machete.
   ¿Quién cortó una senda? La joven
   ¿Dónde cortó ella una senda?   en la selva
   ¿Con qué cortó ella la senda? con un machete

3. Los soldados no pudieron entrar en la ciudad en seguida.
   ¿Quiénes no pudieron entrar en la ciudad? Los soldados
   ¿En dónde no pudieron entrar los soldados?   en la ciudad
   ¿Cuándo no pudieron entrar en la ciudad los soldados? en seguida

4. La mayoría de las casas están sobre palos y no tienen paredes.
   ¿Sobre qué están la mayoría de las casas?   sobre palos
   ¿Qué no tienen la mayoría de las casas? paredes

Not recorded

C. Complete each sentence with an appropriate word.
1. No pudo ir en carro, así anduvo _____.   a pie
2. La _____ es un animal de las montañas. llama
3. Hay muchas rocas y _____ en la carretera. piedras
4. La casa no tiene subsuelo porque está sobre _____.   palos
5. Él necesita un _____ para cortar la senda. machete
6. Los pueblos _____ están lejos de las grandes ciudades. aislados
7. Él lo tiene que hacer _____, no mañana. en seguida
8. El tren a Cuzco tiene que subir los picos _____ andinos

258

ESTRUCTURAS

Irregular preterite verbs have been grouped according to their irregular stem.

el pretérito de los verbos irregulares

tener, estar, andar

él, ella

A. Repitan.
Mirta tuvo otra oportunidad.
Ella estuvo en las montañas.
Aníbal anduvo por el parque.

In Drill A, you may wish to give the sentence first in the present and then in the preterite: tiene, está, anda.

B. Contesten.
¿Tuvo una lucha el matador?
¿Tuvo una idea María?   tuvo
¿Tuvo que salir el amigo?
¿Tuvo que ir al hospital el médico?
¿Anduvo por la selva Juan?
¿Anduvo por las montañas Elena?   anduvo
¿Anduvo por todo el país el equipo?
¿Estuvo en San Juan Ángel?
¿Estuvo en Andalucía Adela?   estuvo
¿Estuvo en el restaurante tu madre?
¿Estuvo en la pista el avión?

un pueblo en la selva, Colombia

259

ellos, ellas

C. Repitan.
Los dos chicos tuvieron una lucha.
Las chicas anduvieron por la Gran Vía.
Ellos estuvieron en Chile.

D. Contesten.   tuvieron
¿Tuvieron un accidente los muchachos?
¿Tuvieron el accidente en las montañas?
¿Tuvieron que ir al hospital?
¿Anduvieron a pie las muchachas? anduvie-
¿Anduvieron ellas de un mesón a otro? ron
¿Estuvieron en el hospital los chicos?
¿Estuvieron en el parque las jugadoras?
¿Estuvieron en la canoa las amigas? estuvie-
                                        ron
yo

E. Repitan.
Yo tuve un accidente.
Estuve en España el año pasado.
Anduve por el pueblo.

F. Contesten.
¿Tuviste un accidente?
¿Tuviste que salir?   tuve
¿Tuviste una lucha con ella?
¿Anduviste por el pueblo?
¿Anduviste por la plaza?   anduve
¿Anduviste por el museo?
¿Estuviste en casa el año pasado?
¿Estuviste en la playa?
¿Estuviste en la plaza de toros? estuve

tú

G. Repitan.
¿Tuviste mucho tiempo?
¿Anduviste por el centro?
¿Estuviste enfermo?

Buenos Aires: Calle Florida

H. Sigan las instrucciones.

Pregúntele a una muchacha si tuvo un accidente.　tuviste

Pregúntele dónde tuvo el accidente.

Pregúntele a un amigo si tuvo bastante dinero.

Pregúntele a un muchacho si estuvo enfermo.

Pregúntele a una muchacha si estuvo en España.　estuviste

Pregúntele a alguien si anduvo por el barrio viejo.　anduviste

Pregúntele a alguien si anduvo rápido.

J. Contesten.

¿Tuvieron Uds. más tiempo?

¿Tuvieron Uds. mucho dinero?　tuvimos

¿Tuvieron Uds. mucho tiempo?

¿Anduvieron Uds. por la selva?

¿Anduvieron Uds. por el museo?　anduvimos

¿Anduvieron Uds. por el parque?

¿Estuvieron Uds. cerca de la escuela?

¿Estuvieron Uds. en la esquina?　estuvimos

¿Estuvieron Uds. en el comedor?

nosotros, nosotras

Uds.

I. Repitan.

Nosotros tuvimos un accidente.

Anduvimos por la ciudad.

Estuvimos en el autobús.

K. Repitan.

Uds. tuvieron que pagar.

¿Anduvieron Uds. por la acera?

¿Estuvieron Uds. tristes?

The various photographs in this lesson show the great contrasts between urban, tropical, and mountainous areas of South America.

casas cerca del río Amazonas. Perú

L. Sigan las instrucciones.

Pregúnteles a dos amigos si tuvieron mucho
tiempo.

Pregúnteles a los señores si tuvieron mucho
trabajo.   tuvieron Uds. _____

Pregúnteles a dos amigos si anduvieron por el
pueblo.

Pregúnteles a las señoritas si anduvieron por
el museo.   anduvieron Uds. _____

Pregúnteles a dos amigos si estuvieron con el
equipo.

Pregúnteles a los señores si estuvieron en la
capital.   estuvieron Uds.

Ud.

M. Repitan.

¿Lo tuvo Ud.?
¿Estuvo Ud. allí?

N. Sigan las instrucciones.

Pregúntele al señor si tuvo que ir a la sucursal.
Pregúntele a la señora si estuvo enferma.
Pregúntele a la señorita si anduvo por el valle.

N. tuvo Ud.
   estuvo Ud.
   anduvo Ud.

Not recorded

═ Reglas ═

Many verbs are irregular in the preterite. However, you will find that very often certain
verbs follow the same pattern. Such is the case with the verbs *tener, estar,* and *andar*.
Study the following forms.

tener	estar	andar
tuve	estuve	anduve
tuviste	estuviste	anduviste
tuvo	estuvo	anduvo
tuvimos	estuvimos	anduvimos
(tuvisteis)	(estuvisteis)	(anduvisteis)
tuvieron	estuvieron	anduvieron

Montevideo, Uruguay: centro urbano

APLICACIÓN ESCRITA

O. Rewrite each sentence in the preterite.
1. Ellos andan por la selva tropical. anduvieron
2. No tengo más tiempo. tuve
3. ¿Por qué no estás en el aeropuerto? estuviste
4. El amigo de Carmen no está en la canoa. estuvo
5. Nosotros andamos por un valle de los Andes. anduvimos
6. Tienes que ver al médico. Tuviste
7. El niño está en la esquina. estuvo
8. Los peatones tienen que andar por la acera. tuvieron

poder, poner, saber

él, ella

A. Repitan.
El soldado no pudo entrar.
Él puso la carta en la mesa.
El chico supo la verdad.

B. Contesten.
¿Pudo hacer la blusa la india?
¿Pudo salir el niño?   Pudo
¿Pudo volver el señor?_____
¿Puso la comida en la mesa el mesero?
¿Puso Rosario la maleta en el andén?   Puso
¿La puso en el baúl del carro?
¿Supo quién llegó?
¿Supo el nombre la niña?   Supo
¿Supo la verdad el policía?

ellos, ellas

C. Repitan.
Ellos no pudieron ayudar.
Lo pusieron en el tren.
Los alumnos no supieron contestar.

D. Contesten.
¿Pudieron ellos hablar con el médico? Pudieron
¿Pudieron vender los lápices las niñas?
¿Pusieron todo en el carro?   Pusieron
¿Pusieron ellos la comida en la bolsa?
¿Supieron ellas la hora de la salida? Supieron
¿Supieron los nombres de los muchachos?

yo

E. Repitan.
Pude hacer el viaje.
Puse la falda en la maleta.
Supe el nombre.

F. Contesten.
¿Pudiste hacer el viaje?
¿Pudiste llegar temprano?   Pude
¿Pudiste ir en avión?_____
¿Pusiste los billetes en la bolsa?   Puse
¿Pusiste las maletas en el andén?
¿Pusiste los sellos en el sobre?
¿Supiste el número?
¿Supiste cuándo llegó?   Supe
¿Lo supiste en seguida?

tú

G. Repitan.
¿No pudiste hablar con él?
¿Pusiste la carta en la mesa?
¿Lo supiste?

H. Sigan las instrucciones.
Pregúntele a un amigo si pudo trabajar. pudiste
Pregúntele a una amiga si pudo salir.
Pregúntele a un amigo dónde puso los boletos.
Pregúntele a una amiga dónde puso el sombrero.   pusiste
Pregúntele a alguien cómo lo supo.   supiste
Pregúntele a alguien cuándo lo supo.

263

nosotros, nosotras

I. Repitan.
Nosotros no pudimos ir.
No pusimos nada allí.
No supimos la verdad.

J. Contesten.
¿Pudieron Uds. salir?
¿Pudieron Uds. cortar la senda?
¿Pudieron Uds. ver las rocas? `Pudimos`
¿Pusieron Uds. la mesa en el comedor?
¿Pusieron Uds. la guitarra en el carro? `Pusimos`
¿Pusieron Uds. los billetes en la maleta?
¿Pusieron Uds. la carta en el sobre?
¿Supieron Uds. dónde comprar? `Supimos`
¿Supieron Uds. el número de teléfono?
¿Supieron Uds. el número de pasajeros?

Uds.

K. Sigan las instrucciones.
Pregúnteles a los muchachos si pudieron hacer el trabajo. `Pudieron Uds.`
Pregúnteles a ellos si pusieron la comida en la mesa. `Pusieron Uds.`
Pregúnteles a los señores si supieron la hora. `Supieron Uds.`

Ud.

L. Sigan las instrucciones.
Pregúntele al señor cómo pudo salir. `pudo Ud.`
Pregúntele a la señorita dónde puso el periódico. `puso Ud.`
Pregúntele a la señora cuándo lo supo. `supo Ud.`

un indio y su llama—vida aislada, Bolivia

The verbs *poder*, *poner*, and *saber* are also irregular in the preterite. Study the following forms.

poder	poner	saber
pude	puse	supe
pudiste	pusiste	supiste
pudo	puso	supo
pudimos	pusimos	supimos
(pudisteis)	(pusisteis)	(supisteis)
pudieron	pusieron	supieron

The verb *saber* in the preterite usually means "found out."

Supe la verdad.   Lo supimos ayer.

APLICACIÓN ESCRITA

M. **Complete each sentence with the correct form of the preterite of the italicized verb.**
1. Él lo _____ en la maleta. *poner*   puso
2. Nosotros no _____ salir a tiempo. *poder*   pudimos
3. Yo _____ la verdad. *saber*   supe
4. Tú no _____ hacer el viaje. *poder*   pudiste
5. Yo _____ todo en aquella mesa. *poner*   puse
6. Ella _____ cortar con un machete. *saber*   supo
7. Uds. lo _____ hacer con nuestra ayuda. *poder*   pudieron
8. La señora _____ la ropa en la maleta. *poner*   puso
9. Nosotros no _____ cuándo salieron. *saber*   supimos

N. **Answer each question according to the model.**

¿Andan Uds. por el parque?
No, pero anduvimos por el parque ayer.

1. ¿Puedes empezar? No, pero pude empezar ayer.
2. ¿Tienen Uds. tiempo?   No, pero tuvimos tiempo ayer.
3. ¿Pone María el dinero en la bolsa?   No, pero puso el dinero en la bolsa ayer.
4. ¿Andan ellos por las tiendas?   No, pero anduvieron por las tiendas ayer.
5. ¿Saben Uds. quién habla?   No, pero supimos quién habló ayer.
6. ¿Está Carmen en clase?   No, pero estuvo en clase ayer.
7. ¿Pueden ellos salir a tiempo?   No, pero pudieron salir a tiempo ayer.
8. ¿Estás contenta?   No, pero estuve contenta ayer.

ESCENAS
Un continente único

¿Estuviste alguna vez en una zona montañosa? Vamos a imaginar que sí. Una vez estuviste en un pueblo aislado de un valle andino. Un día tuviste que llamar por teléfono a un amigo. Pero no pudiste. Nadie tiene teléfono. El pariente de un amigo se puso enfermo. Buscaste un médico pero no pudiste encontrar ningún médico. Para ir de un lugar a otro anduviste a pie acompañado de una llama, el compañero constante del indio andino.

¿Cómo vivieron en aquel entonces y viven hoy los habitantes de las zonas frías y montañosas de los Andes? Ellos tienen que trabajar mucho para sobrevivir. Como las carreteras y los ferrocarriles no llegan a estos pueblos remotos, la gente recibe muy pocos productos de otras partes del mundo. Tienen que cultivar lo que comen. Y a causa del frío tienen que llevar ropa gruesa. Hacen su ropa de las pieles o del pelo de las llamas o de las alpacas. Construyen sus casas de las rocas y las piedras que encuentran en los alrededores. Su trabajo es su propia existencia.

Bien, tú <u>estuviste</u> en los Andes. Pero tu amiga <u>estuvo</u> en las
selvas tropicales a las orillas del río Amazonas. Un día ella   orillas banks
<u>tuvo</u> que visitar a un amigo en un pueblo cercano. No <u>pudo</u>
ir en carro porque aquí no hay calles ni carreteras. Luego,
¿cómo llegó a la casa de su amigo? Ella tomó un machete, cortó
una senda en la vegetación, llegó a la orilla del río, se sentó en
una canoa y empezó a remar.

La vida de la gente de la selva es distinta a la vida de la gente
de las montañas. Pero ellos también tienen que luchar con la
naturaleza. En las selvas hace mucho calor y llueve mucho.
La vegetación es densa y la gente come lo que crece en sus
alrededores. Sus casas con techos de paja no tienen paredes.
Construyen las casas sobre palos. A veces la marea sube y   marea tide
cuando los habitantes salen de casa tienen que entrar en seguida
en una canoa. En estas zonas tropicales la gente anda casi
desnuda porque no necesitan protección contra el frío. Como   naturaleza nature
no hay luz eléctrica la naturaleza establece su día. Se levantan   establece establishes
cuando se levanta el sol y se acuestan cuando se pone el sol.   se pone sets

El continente sudamericano es un continente muy interesante. Sabemos que hay grandes ciudades modernas como Caracas, Lima y Buenos Aires. Pero grandes extensiones del continente sudamericano están en las montañas o las selvas tropicales. Y hay millones de personas que viven en estas regiones aisladas. Si Uds. miran un mapa, van a ver que la mayoría de las grandes capitales están en la costa. La geografía hace difícil el establecimiento de grandes metrópolis en el interior. Cuando la gente viaja de una ciudad a otra, muchas veces van en avión. El avión no tiene problemas en cruzar las   cruzar crossing selvas y las montañas, pero una persona sí.

PREGUNTAS   *Not recorded*

1. ¿Estuvo Ud. alguna vez en un pueblo aislado de los Andes?
2. ¿Tuvo que llamar a un amigo por teléfono?
3. ¿Pudo llamar por teléfono? ¿Por qué no?
4. ¿Quién se puso enfermo?
5. ¿Pudo Ud. encontrar un médico?
6. ¿Cómo viajó de un lugar a otro?
7. ¿Qué no llega a los pueblos remotos de los Andes?

8. ¿Recibe la gente muchos productos de otras partes del mundo?
9. ¿Qué comen?
10. ¿Por qué tienen que llevar ropa gruesa?
11. ¿De qué hacen su ropa?
12. ¿De qué construyen sus casas?
13. ¿Dónde estuvo tu amiga?
14. Un día, ¿a quién tuvo que visitar ella?
15. ¿Por qué no pudo ir en carro?
16. ¿Cómo llegó a la casa de su amigo?
17. ¿Qué tiempo hace en las selvas tropicales?
18. ¿Cómo es la vegetación?
19. ¿Qué come la gente?
20. ¿Por qué construyen sus casas sobre palos?
21. ¿Por qué anda la gente casi desnuda?
22. ¿Dónde están la mayoría de las grandes capitales?
23. ¿Cómo viaja la gente de una ciudad a otra en la América del Sur?

Not recorded

Composición

Write a descriptive passage about each of the following photographs.

PERSPECTIVAS

Crucigrama

Crossword puzzle is on a spirit master in the test package.

¹S	²E	L	V	⁴A	⁵V	⁶A	L	L	⁸E	A	⁹R	¹⁰
¹¹E	S	E		¹²L	L	A	M	A	N		¹³S	Í
N		¹⁴L		¹⁵N	I			¹⁶S	¹⁷O		O	
¹⁸D	¹⁹E	²⁰N	S	²¹A	²²S		²³G	²⁴E	M	E	L	²⁵O	S
²⁶A	N	O	C	H	E		²⁷A	L		Ñ		L	
S		²⁸R	O	C	A	S		³⁰D		A		³¹A	³²
		³³T	I	R	A	N		³⁴S	U			³⁵S	U
³⁶R	³⁷B	A		³⁸I	A	R		³⁹	⁴⁰				C	H
		⁴¹L	E	O		⁴²I		⁴³O	S	
⁴⁴R		N		⁴⁵V	E	N	⁴⁶A		⁴⁷L	⁴⁸A	⁴⁹A
⁵⁰M	⁵¹I		⁵²A	R	A	R		⁵³A	L	A	S
⁵⁴M	I	⁵⁵A		C		⁵⁶S	⁵⁷		⁵⁸U	S
⁵⁹A		⁶⁰L		⁶¹A	L	T	O	S		M	⁶²E
⁶³O	R	O		D	Á				⁶⁴N	E
⁶⁵A	⁶⁶U		⁶⁷T	R	O			⁶⁸L	A	G	O

Horizontal

1. Mi amiga vive en una _____ tropical.
5. Es una zona montañosa pero vivimos en un pueblo en el _____.
9. Los verbos terminan en -_____, -er e -ir.
11. Quiero _____ libro, no éste.
12. La _____ es un animal.
13. _____, quiero ir.
15. No hay periódico _____ cine.
16. Ella _____ lava temprano.
18. Las selvas son _____. Hay mucha vegetación.
23. Tienen el mismo cumpleaños. Son _____.
26. ¿Cuándo te acostaste _____?
27. Llamo _____ muchacho.
28. Hay muchas _____ y piedras.
30. Ella _____ el dinero a la empleada.
31. Llamo _____ médico.
33. Los jugadores _____ la pelota.
34. Señor, ¿tiene Ud. _____ boleto?
35. Señora, ¿dónde está _____ maleta?
36. David tiene _____. Tiene que afeitarse.
38. Es un _____. Sale todos los días.
41. Yo no _____ el periódico. Leo una revista.
42. Mamá, ¿dónde está _____ libro?
43. _____ pueblos son aislados.
45. El hombre ciego sale de la _____.
47. Ángela se _____ la cara.
50. No pudieron entrar _____ la ciudad.
52. El autobús no puede _____ en esa esquina.
53. Las familias miran la televisión en las _____.
54. La joven lee. No _____ la televisión.
56. Ellos cort_____ una senda.
58. Los jóvenes tienen _____ canoas.
59. ¿Quieres carne _____ ensalada?
60. No pudimos encontrar _____ médico.
61. No son bajos; son _____.
63. El matador se acerca al _____.
64. Tuvieron una lucha _____ la carretera.
65. El muchacho anduvo _____ pie.
66. Los product_____ son buenos.
67. No quiero este libro. Quiero el _____.
68. Me gusta nadar en el _____.

Vertical

1. Los jóvenes cortan _____ en la selva.
2. Hoy _____ lunes.
3. Yo _____ doy el dinero a ella.
4. Llamo _____ joven.
5. Ellos _____ a pie.
6. Ando a pie con mis _____.
7. _____ llama es un compañero constante.
8. Una profesora _____.
9. Tú entr_____ en la ciudad.
10. Las selvas están a las orillas de los _____.
14. No leo una carta; _____ una carta.
17. Es _____ pelo de un animal.
19. Hay muchas rocas _____ el agua.
20. No, _____ quiero ir.
21. No voy más tarde. Voy _____.
22. No hay mucha agua. La tierra es _____.
24. _____ pueblo andino es aislado.
25. Hay muchas _____ en el océano.
29. La joven es _____. Vive en un pueblo de los Andes.
30. El trabajo no es fácil. Es _____.
32. Los soldados tienen muchas _____.
33. Esperamos el _____ en la estación de ferrocarril.
34. Miramos la televisión en la _____.
37. Vamos _____ pueblo en tren.
39. Las _____ tienen agua por todos los lados.
40. ¿Quieres ir _____ no?
42. Venden sus productos en el _____.
44. Es una región aislada y _____.
45. ¿Adónde _____ Ud.? ¿Al médico?
46. El ciego no quiere _____ bien al pícaro.
48. La _____ estudia mucho.
49. ¿_____ tú al cine con tus amigas?
51. No quiero agua _____ pan.
52. La casa está sobre _____.
55. No es común. Es _____.
57. No, _____ ando por el valle.
62. No es _____; es guapo.
64. _____ valle está cerca.

270

BASES

16

1. Don Quijote es un caballero
   andante.
   Sancho Panza es su escudero.
   Don Quijote le habló a Sancho.
   Sancho no le hizo caso.
   Don Quijote tiene una lanza.
   Don Quijote es flaco.
   Sancho Panza es gordo.

← Don Quijote: Honoré Daumier

As students look at
filmstrip, point to
individual items and
build to complete
utterance. Ask questions
building from simple to
more complex.

2. Don Quijote hizo muchas
   expediciones.
   Sancho le dijo que no quiso hacer
   todas las expediciones.

3. Son molinos de viento.
Los brazos del molino son aspas.
Vino un viento fuerte.
El viento movió las aspas.
Don Quijote fue hacia los molinos.

conocido, -a famoso
sabio, -a inteligente
en busca de para buscar
malo, -a el contrario de **bueno, -a**
el asno la mula
socorrer ayudar
el enemigo, la enemiga el contrario de **el amigo, la amiga**
a toda prisa rápido

Have more able students make up
sentences using new words.

el (la) realista   misterioso, -a   atacar
el (la) idealista   imaginado, -a   convertir
el (la) protagonista
el episodio
el gigante
la giganta
la furia

274

PRÁCTICA

Additional vocabulary exercises appear in the accompanying Cuaderno de Ejercicios.

A. **Answer each question with a complete sentence.**
1. ¿Qué es don Quijote?   un caballero andante
2. ¿Quién es su escudero?   Sancho Panza
3. ¿Le hizo caso Sancho a don Quijote?   No
4. ¿Qué tiene don Quijote?   una lanza
5. ¿Cómo es don Quijote?   flaco
6. ¿Cómo es Sancho Panza?   gordo
7. ¿Hizo muchas expediciones don Quijote?   Sí
8. ¿Qué son los brazos del molino de viento?   aspas
9. ¿Qué vino?   un viento fuerte
10. ¿Qué movió las aspas?   El viento
11. ¿Hacia dónde fue don Quijote?   hacia los molinos
    Not recorded

B. **Complete each sentence with an appropriate word.**
1. Sancho Panza es el _____ de don Quijote.   escudero
2. Sancho Panza es bajo y _____.   gordo
3. Don Quijote es alto y _____.   flaco
4. Los molinos de viento tienen _____.   aspas
5. ¿Tienes más amigos o _____?   enemigos
    Not recorded

C. **Give a word that is related to each of the following.**

1. conocer   1. conocido
2. misterio   2. misterioso
3. gigantesco   3. gigante
4. ataque   4. atacar
5. imaginar   5. imaginado
6. saber   6. sabido
7. andar   7. andante
8. ideal   8. idealista

molinos de viento

ESTRUCTURAS

el pretérito de los verbos irregulares

hacer, querer, venir

A. Repitan.

Don Quijote hizo muchas expediciones.

El quiso hablar con Sancho.

Sancho vino tarde.

B. Contesten.

¿Hizo el viaje Tomás?   hizo

¿Hizo mucho trabajo Elena? ___

¿Quiso volver a su pueblo Marisol?

¿Quiso luchar el soldado? ___   quiso

¿Vino en tren el grupo?

¿Vino en seguida la médica?   vino

¿Es un gigante, o es un simple molino de viento?

C. Repitan.
Ellas hicieron muchas expediciones.
Los jóvenes quisieron salir.
No hice nada.
Vine con ellos.
No quisimos socorrer al escudero.
No vinimos en tren.

D. Contesten.
¿Hicieron el trabajo los alumnos? hicieron
¿Quisieron tener aventuras los turistas? quisieron
¿Vinieron todos a pie? vinieron
¿No hiciste nada? hice
¿Quisiste salir? quise
¿Viniste con el equipo? vine
¿Hicieron Uds. mucho trabajo? hicimos
¿Quisieron Uds. tomar el sol? quisimos
¿Vinieron Uds. al aeropuerto en taxi? vinimos

E. Sigan las instrucciones.
Pregúntele a un amigo si hizo el sándwich.
Pregúntele a un amigo si quiso ganar.
Pregúnteles a unas amigas si hicieron mucho.
Pregúnteles a las señoras si vinieron a pie.
Pregúntele al señor si quiso salir.
Pregúntele a la señora si vino en avión.

E. hiciste
    quisiste
    hicieron
    vinieron
    quiso Ud.
    vino Ud.

Not recorded ── Reglas ──

The verbs *querer, hacer,* and *venir* are also irregular in the preterite.   Study the following forms.

querer	**hacer**	**venir**
quise	hice	vine
quisiste	hiciste	viniste
quiso	hizo	vino
quisimos	hicimos	vinimos
(quisisteis)	(hicisteis)	(vinisteis)
quisieron	hicieron	vinieron

Not recorded   **APLICACIÓN ESCRITA**

F. Complete each sentence with the correct form of the preterite of the italicized verb.
1. Nosotras lo _____ ayer. *hacer* hicimos
2. Uds. _____ en tren, ¿no? *venir* vinieron
3. Don Quijote _____ muchas expediciones por la zona. *hacer* hizo
4. Yo no _____ empezar de nuevo. *querer* quise
5. ¿Por qué no _____ tú con los otros? *venir* viniste
6. Ellos no _____ hablar con la directora. *querer* quisieron
7. Yo no _____ nada. *hacer* hice
8. Todos _____ a la fiesta para su cumpleaños. *venir* vinieron

decir

A. Repitan.
Ellas dijeron la verdad.
Juan y Carlos también me dijeron la verdad.

B. Contesten.
¿Dijeron la verdad Silvia y Jaime?
¿Dijeron ellos que no?
¿Dijeron que sí los señores?
¿Dijeron ellos algo en español?
¿No dijeron nada las profesoras?

C. Repitan.
Él dijo la verdad.
Yo dije que sí.
Nosotros no dijimos nada.

D. Contesten.
¿Dijo la verdad la médica?
¿Lo dijo bien el autor?
¿Dijo algo Elena?
¿No dijo nada Carlos?

¿Dijiste la verdad?
¿Dijiste algo?
¿Dijiste que sí?   `dije`
¿Dijiste que no?
¿No dijiste nada?

¿Dijeron Uds. que sí?
¿Dijeron Uds. que no?
¿Dijeron Uds. la verdad? `dijimos`
¿No dijeron Uds. nada?

E. Sigan las instrucciones.
Pregúntele a un muchacho si dijo que sí. `dijiste`
Pregúntele a una muchacha si dijo la verdad.
Pregúnteles a unos amigos si dijeron el
     número.   `dijeron Uds.`
Pregúnteles a los señores si dijeron algo.
Pregúntele a la señorita si dijo la hora.
Pregúntele al señor si dijo la verdad. `dijo Ud.`

región de La Mancha con molinos de viento

── Reglas ──

The verb *decir* is another verb that is irregular in the preterite.   You will note that the third-person plural ending is *-eron* rather than *-ieron*.   Study the following.

decir
dije
dijiste
dijo
dijimos
(dijisteis)
dijeron

APLICACIÓN ESCRITA

F.   Rewrite each sentence in the preterite.
1. Ellas dicen la verdad.   dijeron
2. Digo que no.   Dije
3. Lazarillo le dice algo al ciego. dijo
4. ¿Por qué no lo dices al limpiabotas? dijiste
5. Uds. no dicen nada. dijeron
6. El niño dice algo.   dijo
7. Nosotras decimos que sí.   dijimos
8. Digo la verdad.   Dije

ir, ser

él, ella

A. Repitan.
Bárbara fue al mercado.
Eduardo fue soldado.

B. Contesten.
¿Fue a la playa Elena?
¿Fue a la capital el grupo?
¿Fue al mercado la muchacha?
¿Fue al museo la señora?
¿Él fue alumno?

ellos, ellas

C. Repitan.
Ellos fueron al parque.
Ellos fueron miembros.

D. Contesten.
¿Fueron en busca de aventuras los dos?
¿Fueron al mercado los indios?
¿Fueron al lago las jóvenes?
¿Fueron todas juntas?

yo

E. Repitan.
Fui a la tienda.
Fui a la montaña.

279

F. Contesten. *All answers are*
¿Fuiste al lago? *fui.*
¿Fuiste a la plaza?
¿Fuiste a México?
¿Fuiste en tren?
¿Fuiste a la estación de ferrocarril?
¿Fuiste soldado?

nosotros, nosotras

G. Repitan.
Fuimos a la montaña.
Fuimos miembros.

H. Contesten. *All answers are*
¿Fueron Uds. a la ciudad? *fuimos.*
¿Fueron Uds. al pueblo?
¿Fueron Uds. a pie?
¿Fueron Uds. al campo?
¿Fueron Uds. jugadores?

I. Sigan las instrucciones.
Pregúntele a una amiga si fue a la playa. fuiste
Pregúntele a un amigo con quién fue. fuiste
Pregúntele al señor cómo fue. fue Ud.
Pregúntele a la señora si fue al museo. fue Ud.
Pregúnteles a dos amigos si fueron al mesón. fuero
Pregúnteles a los señores si fueron en avión. Uds
                                fueron Uds.

Not recorded —————— Reglas ——————

The verbs *ir* and *ser* are irregular in the preterite. Study the following forms carefully.

ir	ser
fui	fui
fuiste	fuiste
fue	fue
fuimos	fuimos
(fuisteis)	(fuisteis)
fueron	fueron

Although the forms of these two verbs are identical, the correct meaning is made clear by the context of the sentence. The verb *ser* is seldom used in the preterite. This point will be studied at a later time.

Not recorded **APLICACIÓN ESCRITA**

J. Form sentences from the following in the preterite.
1. Mónica / ser / presidente. Mónica fue presidente.
2. Ellos / ir / playa / verano / pasado. Ellos fueron a la playa el verano pasado.
3. Nosotros / ir / mercado / con / Tomás. Nosotros fuimos al mercado con Tomás.
4. Tú / ir / aeropuerto / taxi. Tú fuiste al aeropuerto en taxi.
5. Ella / ser / directora / escuela. Ella fue directora de la escuela.
6. Yo / ir / capital / con / mi / familia. Yo fui a la capital con mi familia.
7. Uds. / ir / parque / domingo / pasado. Uds. fueron al parque el domingo pasado.
8. Ellas / ir / mesón. Ellas fueron al mesón.

ESCENAS

El Quijote

Break story into parts. Present one part each day as you are doing structure drills. Ask questions after every few sentences.

Una de las novelas más famosas de España y del mundo es El Quijote *de Miguel de Cervantes Saavedra. El protagonista es el conocido caballero andante, don Quijote de la Mancha.*

Un día don Quijote salió de su pueblo de la Mancha. Salió en busca de aventuras. Salió para luchar contra todos los males del mundo. Era caballero andante. Pero pronto volvió a casa porque durante su primer viaje no tuvo escudero y no hay caballero andante sin escudero. Salió la segunda vez con Sancho Panza. Don Quijote, alto y flaco, montó a su caballo, Rocinante. Sancho Panza, bajo y gordo, montó en su asno.

Los dos <u>hicieron</u> muchas expediciones por la región de la Mancha. Tuvieron muchas conversaciones. Don Quijote, un idealista sin par, <u>hizo</u> muchas cosas que no <u>quiso</u> hacer Sancho, su escudero realista. Más de una vez Sancho le <u>dijo</u>:

—Pero, don Quijote, noble caballero y fiel compañero, Vuestra Merced está loco.

Pero don Quijote nunca les <u>hizo</u> mucho caso a los consejos de Sancho. Uno de los episodios más famosos de nuestro estimado caballero es el de los molinos de viento.

Un día, en un lugar de la Mancha, don Quijote vio algo misterioso. Le <u>dijo</u> a Sancho:

Era He was

caballo horse

sin par without equal

fiel faithful

consejos advice

Underscore indicates the structure concepts presented in the lesson.

ACTIVITY: You may wish to have students prepare dramatizations.

Don Quijote <u>fue</u> a atacar a los «gigantes».   Gigantes como éstos no pueden existir en el mundo.   En nombre de Dulcinea, la dama de sus pensamientos, él los atacó.   Puso su lanza en el aspa de uno de los molinos.   En aquel mismo instante <u>vino</u> un viento fuerte.   El viento movió el aspa.   El viento la revolvió con tanta furia que <u>hizo</u> pedazos de la lanza y levantó a don Quijote en el aire.

A toda prisa Sancho <u>fue</u> a socorrer a su caballero andante. Lo encontró en el suelo muy mal herido.

dama de sus pensamientos
lady of his dreams

pedazo   piece

herido   injured

hace poco   a short time ago

Y con eso Sancho levantó a don Quijote.   Don Quijote subió de nuevo sobre Rocinante.   Habló más de la pasada aventura.   Sancho le <u>hizo</u> poco caso.   Siguieron el camino de Puerto Lápice en busca de otras jamás imaginadas aventuras.
Adapted from Miguel de Cervantes Saavedra

Siguieron   They followed
camino   road
jamás   nunca

282

Preguntas   *Not recorded*

1. ¿Cuál es una de las novelas más famosas del mundo?
2. ¿Quién escribió la novela?
3. Un día, ¿de dónde salió don Quijote?
4. ¿En busca de qué salió?
5. ¿Por qué volvió a casa pronto?
6. ¿Con quién salió la segunda vez?
7. ¿Cómo se llama el caballo de don Quijote?
8. ¿En qué montó Sancho Panza?
9. ¿Por dónde hicieron muchas expediciones los dos?
10. ¿Qué le dijo Sancho más de una vez?
11. Un día, ¿qué vio don Quijote en un lugar de la Mancha?
12. ¿Vio algo Sancho?
13. ¿Qué vio don Quijote?
14. ¿Son gigantes?
15. ¿Qué son?
16. ¿Fue a atacar a los gigantes don Quijote?
17. ¿En dónde puso su lanza?
18. En aquel mismo instante, ¿qué vino?
19. ¿Qué revolvió el viento?
20. ¿Levantó a don Quijote en el aire?
21. ¿Quién fue a socorrer a don Quijote?
22. ¿Lo encontró herido?
23. ¿Quién es el enemigo de don Quijote?
24. ¿Sabe Sancho lo que hizo el enemigo?
25. ¿Sabe Sancho lo que hizo el molino de viento?
26. ¿Salió don Quijote en busca de otras aventuras?

PERSPECTIVAS

Fill in the missing letters in each word on the left, using the letters given in the picture on the right. Each time you use a letter, color in that area of the picture whose letter you have used. If you fill in each word with the correct letters, you will have discovered *un personaje famoso* in the illustration.

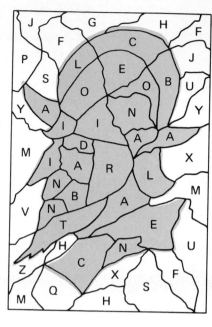

1. E S <u>C</u> U D <u>E</u> R O
2. V I <u>E</u> <u>N</u> T O
3. P <u>O</u> N E <u>R</u>
4. F <u>L</u> A <u>C</u> O
5. <u>B</u> <u>I</u> B L I O T E C <u>A</u>
6. <u>B</u> <u>A</u> J O
7. <u>A</u> Y U D A <u>R</u>
8. <u>D</u> I S T I <u>N</u> T O
9. G <u>I</u> G A <u>N</u> T E
10. M <u>O</u> L I <u>N</u> O

Not recorded

salió, Fue, Buscó, decidió, montó, montó, salieron, Anduvieron, Hicieron, vio, preguntó, fue, Puso, vino, movió, levantó, empezó, quiso, salió, Fue

Composición

vio, dijo, vio, vio, hizo, levantó, fue, encontró,

Rewrite the following story in the past tense.

Un día, don Quijote, el famoso caballero andante, <u>sale</u> de su pueblo en la Mancha. <u>Va</u> en busca de aventuras. <u>Busca</u> un escudero. Sancho Panza <u>decide</u> acompañar a don Quijote como escudero. Don Quijote <u>monta</u> a su caballo y Sancho <u>monta</u> en su asno. Los dos <u>salen</u> juntos de su pueblo.

<u>Andan</u> por la región de la Mancha. <u>Hacen</u> muchas expediciones. Una vez, don Quijote <u>ve</u> algo misterioso. Le <u>pregunta</u> a Sancho si él también <u>ve</u> a los gigantes. Sancho le <u>dice</u> que no <u>ve</u> a gigantes pero sí, <u>ve</u> unos molinos de viento. Don Quijote no le <u>hace</u> caso y <u>va</u> a atacar a los «gigantes». <u>Pone</u> su lanza en el aspa del molino en el momento que <u>viene</u> un viento fuerte. El viento <u>mueve</u> el aspa y <u>levanta</u> a don Quijote en el aire.

Sancho Panza <u>va</u> a socorrer a su caballero. Lo <u>encuentra</u> en el suelo. Lo <u>levanta</u> y le <u>empieza</u> a hablar. Pero don Quijote no <u>quiere</u> hablar más. En seguida <u>sale</u> en busca de otras aventuras. <u>Va</u> a conquistar los males del mundo.

Answers to this composition exercise are indicated above.

Resumen oral

285

BASES 17

Present vocabulary before completing Lesson 16. If film-strips are available, present vocabulary with books closed.

If filmstrips are not available, present Bases with books open but insist on good oral response.

Additional questions that can be asked are:
¿Qué es?
¿Es amarillo el maíz?
¿Quién dobla la tortilla?

1. Es maíz.
Del maíz se hacen tortillas.
La señora dobla la tortilla.

Teach dobla by folding a sheet of paper.

As you present each utterance, ask questions from Práctica.

¿Quién rellena los tacos?
¿Se fríen los tacos?

2. El señor rellena los tacos.
Los tacos se rellenan de carne.
Se fríen los tacos.

Teach rellena by rolling a piece of paper into a tube and pretending to stuff it or fill it.

pescado

almejas

una langosta

mejillones

camarones

3. Son mariscos y pescado. Son almejas, camarones y mejillones.
Es una langosta.
Los mariscos tienen concha.
Sirven muchos mariscos en España.

4. Es un pollo. Son alcachofas.
Son guisantes, ajo y arroz.

un pollo

alcachofas

guisantes

ajo

arroz

287

5. Es un lechón asado.
   El lechón se cocina en un horno al
   aire libre.

Additional questions that can be asked of the vocabulary are: ¿Está en la cocina el horno? ¿Dónde está el horno?

Ask: ¿Son frutas o vegetales los plátanos?

6. Son plátanos.
   Los plátanos son verdes o
   amarillos.

7. No hay sal y pimienta en la mesa.
   La señora pide sal y pimienta.

¿Te gustan los mariscos?

Sí, pero me gusta más el pescado.

8. Te gustan los mariscos?
   Sí pero me gusta más el pescado.

Ask different students the same question. Then add: ¿Qué te gusta más que los marisco

la cocina la manera en que se preparan las comidas
distinto, –a diferente
las legumbres los vegetales
el mediodía las doce de la tarde

After having students read the words and definitions aloud, give the word and have students give you the definition. Then reverse the procedure. Give the definition and have students give the word.

la base	extenso, –a	contrariamente
el panqueque	variado, –a	
la situación	festivo, –a	
	delicioso, –a	
	principal	

Have students repeat cognates after you. Correct any pronunciation errors. The tendency will be to anglicize the pronunciation.

PRÁCTICA

A. Answer each question with a complete sentence.
1. ¿Qué se hacen del maíz? `tortillas`
2. ¿Qué dobla la señora? `la tortilla`
3. ¿Qué rellena el señor? `los tacos`
4. ¿De qué se rellenan los tacos? `de carne`
5. ¿Cuáles son algunos mariscos? `almejas, camarones, mejillones, langosta`
6. ¿Cuáles son algunas legumbres? `guisantes, alcachofas`
7. ¿En qué se cocina el lechón? `en un horno al aire libre`
8. ¿De qué color son los plátanos? `verdes y amarillos`
9. ¿Qué no hay en la mesa? `sal y pimienta`
10. ¿Qué pide la señora? `sal y pimienta`

B. Answer each question with a complete sentence. *Not recorded*
1. ¿De qué color es el maíz? ¿El arroz? ¿La almeja? ¿El mejillón? ¿El plátano? ¿La alcachofa? `amarillo` `blanco` `gris` `negro` `amarillo o verde`
   `verde`

C. Identify each item in the illustration.

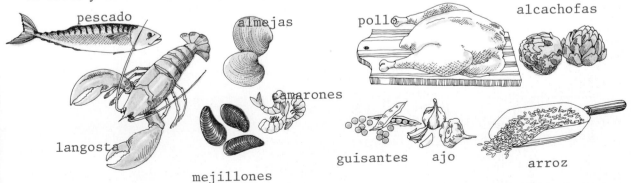

pescado almejas pollo alcachofas

camarones

langosta

guisantes ajo

mejillones arroz

ESTRUCTURAS

la voz pasiva con se

This point may be omitted with slower students.

A. Repitan.

Se hace un bocadillo con pan.

Se hacen enchiladas con tortillas. *Keep pace*

Se habla español en España. *lively and*

Se hablan inglés y español en los Estados *ra-*
   Unidos. *pid.*

Have class repeat in unison.

B. Contesten. *Then call on individual*

¿Se hace la tortilla de maíz? *students at*

¿Se hacen los tacos con tortillas? *random.*

¿Se rellena el taco?

¿De qué se rellena el taco?

¿Se doblan los tacos?

¿Se fríe el pescado?

¿Se come jamón en España?

¿Se comen tacos en México?

¿Se comen plátanos en Puerto Rico?

¿Se abre temprano la escuela?

¿Se venden chaquetas en aquella tienda?

¿Se ven las montañas?

¿Se ve el monumento en el parque?

¿Se vende queso en aquella tienda?

¿Se venden mariscos en el mercado?

¿Se ven muchos cuadros en el museo?

¿Se habla español en Guatemala?

¿Se hablan inglés y español en la escuela?

¿Se puede nadar aquí?

¿Se puede comprar refrescos aquí?

Not recorded

Reglas

In the passive voice, the subject is both the doer and receiver of the action of the verb. In Spanish, the passive can be formed by using the pronoun *se*. If the subject is singular, the verb is also singular. If the subject is plural, the verb is plural. Study the following.

      verb   subject

Se ve el cuadro en el museo. *Ask students to explain this concept before*

Se ven muchos puestos en el mercado. *reading it here. Give help as needed.*

Se come pollo en muchos países. *Open books and have students read*

Se comen muchos mariscos en España. *the explanation and the examples.*

Not recorded

APLICACIÓN ESCRITA

C. Complete each sentence with the correct pronoun and verb ending.

1. El bocadillo __se__ hac__e__ con pan. *Additional writing exercises*
2. __Se__ abr__en__ las tiendas a las nueve. *appear in the accompanying*
3. __Se__ habl__a__ español en México. *Cuaderno de Ejercicios.*
4. Del maíz __se__ hac__en__ tortillas.
5. __Se__ v__en__ las montañas.
6. __Se__ dobl__an__ los tacos.
7. __Se__ com__en__ muchos mariscos en España.
8. __Se__ vend__en__ camisas en aquella tienda.
9. La puerta __se__ abr__e__ a las ocho.
10. __Se__ cultiv__an__ vegetales en la huerta.

el verbo gustar

All drills should be done rapidly.

A. Repitan.
First have class repeat in unison. Then point to individual students for repetition.

Me gusta la carne.
Me gustan los tacos.
Me gusta el arroz.
Me gustan los mariscos.

B. Contesten.
¿Te gusta el arroz?   me gusta
¿Te gusta el bocadillo?   me gusta
¿Te gustan las tortillas?   me gustan
¿Te gustan las enchiladas?   me gustan
¿Te gusta el pescado?   me gusta
¿Te gustan los mariscos?   me gustan
¿Te gusta el ajo?   me gusta
¿Te gustan las alcachofas?   me gustan
¿Te gusta viajar en avión?   me gusta
¿Te gusta comer?   me gusta

C. Repitan.
¿Te gusta el bocadillo?
¿Te gustan los tacos?

D. Sigan las instrucciones.
Pregúntele a una muchacha si le gusta el refresco.   ¿Te gusta ___?
Pregúntele a un muchacho si le gusta la ensalada.   ¿Te gusta ___? / ¿Te gustan ___?
Pregúntele a alguien si le gustan los tacos.
Pregúntele a alguien si le gustan los guisantes. ¿Te gustan?
Pregúntele a una amiga si le gusta jugar al fútbol.   ¿Te gusta ___?
Pregúntele a un amigo si le gusta cantar. ¿Te gusta ___?

E. Repitan.
A Patricia le gusta la langosta.
A Pablo le gustan las tortillas.

F. Sustituyan.

A él le gusta {
el maíz.
el taco.
el pescado.
la limonada.
}

A ella le gustan {
los tacos.
las legumbres.
los panecillos.
las alcachofas.
}

G. Contesten.
¿A Claudio le gusta el arroz?
¿A David le gustan los vegetales?
¿A Inés le gusta la sal?
¿A Bárbara le gustan las almejas?
¿Al muchacho le gusta el sándwich?
¿Al hermano le gustan los mariscos?
¿A la muchacha le gusta el café?
¿A la profesora le gustan las enchiladas?

H. Repitan.
For additional reinforcement and for variety, repeat Drills G and I in the negative.

A ellos les gusta el sombrero.
A ellas les gusta la falda.
A ellos les gustan los quesos.
A ellas les gustan los tacos.

I. Contesten.
¿A las chicas les gusta el maíz?
¿A los chicos les gustan los mariscos?
¿A los españoles les gusta el arroz?
¿A los alumnos les gustan los estudios?
¿A ellos les gusta la limonada?
¿A ellos les gustan los camarones?
¿A ellas les gusta viajar?
¿A ellos les gusta comer?

J. Sustituyan.
Have class repeat rapidly and loudly. Then call on individuals to respond. Let one student do the entire drill. Then move from one student to another for each utterance.

Nos gusta {
el arroz.
el jamón.
el queso.
el pescado.
la langosta.
}

Nos gustan {
las almejas.
los camarones.
los mejillones.
las alcachofas.
los guisantes.
}

K. Contesten.
¿A Uds. les gusta el arroz?   nos gusta
¿A Uds. les gustan los mariscos?   nos gustan
¿A Uds. les gusta el panecillo?   nos gusta
¿A Uds. les gustan los camarones?   nos gustan
¿A Uds. les gusta el pollo?   nos gusta
¿A Uds. les gustan los refrescos?   nos gustan

L. Sustituyan.

¿A Uds. les gusta { el arroz? / la playa? / el campo? / la ciudad? / el lago?

¿A Uds. les gustan { las playas? / las montañas? / los cuadros? / los viajes en avión? / los mariscos?

M. Sigan las instrucciones.   ¿Les gusta ___?

Pregúnteles a unos amigos si les gusta la fruta.

Pregúnteles a unos amigos si les gustan las montañas.   ¿Les gustan ___?

Pregúnteles a unos amigos si les gustan los guisantes.   ¿Les gustan ___?

Pregúnteles a unos amigos si les gusta el campo.   ¿Les gusta ___?

Pregúnteles a ellos si les gusta esquiar. ¿Les gusta

Pregúnteles a ellas si les gusta escribir. ¿Les gusta

Not recorded

Reglas

The verb *gustar* literally means "to be pleasing to."   Therefore, the English subject becomes an indirect object and the English object becomes the subject.   Study the following.

indirect object   subject

Me gusta el maíz.
Me gustan las alcachofas.

Nos gusta el cuadro.
Nos gustan los mariscos.

A él le gusta la limonada.
A ella le gustan los tacos.

A ellas les gusta el arroz.
A ellos les gustan los panecillos.

Ask students to explain the concept before reading it. Give assistance if necessary. Then open books and have students read the explanation and the examples. Ask students to give additional examples

N. 1. Me gustan los mejillones. 2. A ellos les gusta la ensalada. 3. A él le gu
los guisantes. 4. Nos gusta el pollo. 5. Me gusta el bocadillo. 6. A ella le gu
las blusas. 7. Te gustan los viajes en av
8. A Uds. les gustan los tacos. **APLICACIÓN ESCRITA** 9. Nos gustan las enchiladas.
10. A ellos les gustan los mariscos.

N. Follow the models. *Not recorded*

yo / tacos
Me gustan los tacos.

él / maíz
A él le gusta el maíz.

1. yo / mejillones
2. ellos / ensalada
3. él / guisantes
4. nosotros / pollo
5. yo / bocadillo
6. ella / blusas
7. tú / los viajes en avión
8. Uds. / tacos
9. nosotras / enchiladas
10. ellos / mariscos

RESTAURANTE ___

Hogar Gallego

MARISCOS

Centollo: pts. kg. — Gambas a la plancha: pts. — Camarones: 150 grs.   pts.
Lubrigante: pts. kg. — Langostinos mayonesa: pts. — Almejas: ¹/₂ docena   pts.
Gambas cocidas 150 gr.   pts. — Cocktel de gambas: pts. — Langosta con mayonesa: pts. kg.
Cigalas: 100 gramos   pts.—Ostras: ¹/₂ docena   pts.—Berberechos   pts.—Zamburiñas   pts.
Changurro: pts. — Nécoras: 100 grs.   pts.—Buey de mar   pts. kg.—Percebes: 200 grs.   pts.
El cliente deberá cerciorarse del peso del Marisco antes de consumirlo
Los mariscos varían según mercado

1.ᵉʳ GRUPO.—ENTREMESES, SOPAS Y CREMAS

	A LA CARTA Pesetas			A LA CARTA Pesetas
Entremeses	130		Caldo gallego	60
Salpicón de mariscos	230		Consomé	50
Mejillones al vapor	80		Consomé con yema o jerez	60

O. Look at the following illustrations. Write a sentence stating that you like whatever you see in the illustration. Then write another sentence stating that Carmen likes it too.

Me gusta leer el periódico.

Me gusta
escuchar
discos.

Me gusta el sándwich (el
bocadillo).
A Carmen le gusta el
sándwich también.

A Carmen le gusta
leer el periódico también.

A Carmen
le gusta
escuchar
discos
también.

los verbos de cambio radical

los verbos con el cambio e→i

nosotros, nosotras

A. Repitan.   *Keep pace lively and rapid.*
Nosotros pedimos el menú.
Repetimos la lección.
No servimos muchas comidas.

B. Contesten.
¿Piden Uds. café?
¿Piden Uds. sal y pimienta?   pedimos
¿Piden Uds. dinero?
¿Piden Uds. más? _____
¿Sirven Uds. la comida?
¿Sirven Uds. plátanos?   servimos
¿Sirven Uds. comida mexicana?
¿Repiten Uds. la lección?
¿Repiten Uds. la palabra?   repetimos

las otras formas

C. Repitan.
Carlos pide pimienta.   pides
Teresa y Luisa repiten la palabra.
Yo sirvo la comida.   sirves
¿La sirves tú también?   repites

F. piden
   sirven
   repiten

D. Contesten.
¿Pide tacos Elena?
¿Pide mariscos Martín?   pide
¿Pide dinero el pobre? _____
¿Sirve la comida el aeromozo?
¿Sirve en el restaurante el mesero?   sirve
¿Repite la palabra el profesor?   repite

¿Piden ellas un favor?
¿Piden dinero los alumnos?   piden
¿Sirven el desayuno los muchachos?   sirven
¿Sirven ellos arroz en Valencia?
¿Repiten la lección los alumnos?   repiten

¿Pides un bocadillo?
¿Le pides un favor?   pido
¿Le pides dinero a la señora?
¿Sirves la comida?
¿Sirves mariscos?   sirvo
¿Sirves en el comedor? _____
¿Repites la palabra?   repito

E. Sigan el modelo.   *First have class do drill in unison. Then call on individual students to respond.*
    Yo pido café.
    Y tú, ¿qué pides?

Yo pido pescado.
Yo pido ayuda.
Yo sirvo la ensalada.
Yo sirvo la limonada.
Yo repito la palabra.

F. Sigan las instrucciones.
Pregúnteles a unas amigas si piden langosta.
Pregúnteles a los señores si sirven camarones.
Pregúnteles a ellos si repiten el vocabulario.

293

Reglas

The verbs *pedir*, *servir*, and *repetir* belong to the third class of stem-changing verbs. The *e* of the infinitive changes to *i* in all forms of the present tense with the exception of *nosotros* and *vosotros*. Study the following forms.

	pedir	**servir**	**repetir**
yo	pido	sirvo	repito
tú	pides	sirves	repites
él, ella, Ud.	pide	sirve	repite
nosotros, nosotras	pedimos	servimos	repetimos
(vosotros, vosotras)	(pedís)	(servís)	(repetís)
ellos, ellas, Uds.	piden	sirven	repiten

GAME: Give subject pronoun and ask students to give the appropriate verb form.

APLICACIÓN ESCRITA

Additional writing exercises appear in the accompanying Cuaderno de Ejercicios.

G. Rewrite each sentence in the plural.
1. Pido café. Pedimos café.
2. Sirvo la comida. Servimos la comida.
3. No repito nada. No repetimos nada.
4. Te pido un favor. Te pedimos un favor. (Les pedimos un favor.)
5. Sirvo mariscos. Servimos mariscos.

H. Complete each sentence with the correct form of the present tense of the italicized verb.
1. Carlos _____ la lección. *repetir* repite
2. Nosotras _____ el menú. *pedir* pedimos
3. Yo _____ la comida en casa. *servir* sirvo
4. Nosotros no _____ nada. *repetir* repetimos
5. Juan y Renato _____ más café. *pedir* piden
6. ¿_____ Uds. dinero? *pedir* Piden
7. Nosotros _____ arroz. *servir* servimos
8. Yo no _____ nada. *pedir* pido

MESA RESERVADA
RESTAVRANTE
ANTIGVA CASA
SOBRINO DE
BOTIN
(1725)
TELEF. 266 42 17
MADRID-12
CVCHILLEROS, 17

Students would
probably enjoy trying
some Hispanic food.

ESCENAS
La comida hispana

In many parts of the
country, Mexican food
is readily available
in canned or frozen
form.

Como el mundo hispano es muy extenso, también es muy variada su cocina.   En muchas partes de los Estados Unidos cuando la gente habla de la cocina española, habla de la comida mexicana.   Muchas comidas mexicanas tienen como base la tortilla.   La tortilla es un tipo de panqueque que se hace de maíz.   A los mexicanos les gusta mucho el maíz.   Con la tortilla hacen muchas cosas interesantes.   Por ejemplo, el taco es una tortilla dura.   Se dobla, se fríe y luego se rellena de carne, pollo, queso o frijoles.   Una enchilada es una tortilla suave que se rellena de carne, pollo, queso o frijoles y luego se enrolla. Sirven muchos tacos y enchiladas en México y también en los muchos restaurantes mexicanos que hay en todas partes de los Estados Unidos.   La comida mexicana es generalmente picante porque a los mexicanos les gustan mucho las salsas picantes.

Have individuals read
aloud. Intersperse
reading selection with
pertinent questions from
page 297. Personalize by
asking: ¿Te gustan las
tortillas?, etc. as
appropriate.

frijoles beans
suave soft
se enrolla is rolled

picante spicy, hot

Underlined words indicate
the structure concepts presented in
this lesson.

La comida española es muy distinta a la mexicana. Muy pocos platos españoles son picantes. A los españoles les gusta mucho el aceite de oliva y lo usan frecuentemente en su cocina. A causa de su situación geográfica los españoles sirven mucho pescado y mariscos. Una especialidad de la cocina española es la paella valenciana. La paella lleva arroz condimentado con sal, pimienta, azafrán y ajo. Al arroz se añaden pollo, almejas, camarones, langosta y mejillones. Encima se ponen unos guisantes, alcachofas y pimientos. La paella tiene un aspecto muy festivo porque tiene muchos colores: el amarillo del arroz, el verde de los guisantes, el rojo del pimiento y el negro de las conchas de los mejillones.

En las islas del Caribe preparan mucho arroz al estilo del arroz de la paella. Al arroz se añaden aceitunas y un poco de salsa de tomate. Además comen muchos plátanos duros que se fríen. Los puertorriqueños y los cubanos comen tostones como nosotros comemos papas. Y no hay nada más delicioso que un buen lechón asado. El lechón se cocina todo el día encima de un horno al aire libre.

Contrariamente a la costumbre norteamericana, la comida principal en muchos países de habla española es la del mediodía. Y por lo general la gente no come tan de prisa como nosotros. Después de la comida la familia se sienta a la mesa y todos hablan de las actividades del día. Mientras hablan, toman un café. No hay nada como la sobremesa después de una buena comida hispana.

el aceite de oliva olive oil

azafrán saffron
se añaden are added
Encima On top

The Spanish club or class may wish to prepare a Hispanic meal.

PREGUNTAS   *Not recorded*

1. ¿Cómo es la comida hispana?
2. Cuando muchos norteamericanos dicen comida española, ¿a qué se refieren?
3. ¿Qué tienen como base muchas comidas mexicanas?
4. ¿Qué es la tortilla?
5. ¿De qué se hace?
6. ¿Qué hacen los mexicanos con las tortillas?
7. ¿Es duro o suave un taco?
8. ¿De qué se rellena un taco?
9. ¿Es dura o suave una enchilada?
10. ¿De qué se rellena una enchilada?
11. ¿Dónde sirven muchos tacos y enchiladas?
12. ¿Cómo es la comida mexicana generalmente?
13. ¿Qué les gusta a los mexicanos?
14. ¿Cuál es una especialidad de la cocina española?
15. ¿Qué hay en una paella?
16. ¿Qué preparan en las islas del Caribe?
17. ¿Qué se añade al arroz?
18. ¿Cómo se llaman los pedazos de plátano que se fríen?
19. ¿Cómo se prepara el lechón asado?
20. ¿Cuándo es la comida principal en muchos países de habla española?

Intersperse questions with the reading selection in class. Questions may also be assigned for homework to provide written reinforcement of the oral work done in class.

Not recorded

Composición

Prepare a complete menu in Spanish.

Remind students to use the vocabulary of this lesson rather than a dictionary when they do this composition exercise.

---

camarones con ajo, limón y perejil con tortillas y arroz

un plato de tostones

Begin to present the vocabulary from Lesson 18 as you are completing this lesson.

PERSPECTIVAS

Pasatiempo

Who or what am I? Answer the questions to fill in the puzzle. All the words end in -s.

1. los mexicanos las hacen muy picantes
2. donde se vende la comida en el mercado
3. una fruta que puede ser verde o amarilla
4. los guisantes, las alcachofas
5. pescados con concha
6. un tipo de marisco
7. en lo que se sirve la comida

¹S	A	L	S	A	S			
²P	U	E	S	T	O	S		
³P	L	Á	T	A	N	O	S	
⁴L	E	G	U	M	B	R	E	S
⁵M	A	R	I	S	C	O	S	
⁶A	L	M	E	J	A	S		
⁷P	L	A	T	O	S			

Entrevista   *Not recorded*

Complete the following statements giving any reason or reasons you wish.

Me gusta ir a la playa porque. . .

Me gusta mirar la televisión porque. . .

Me gusta ir a la escuela porque. . .

Me gusta viajar porque. . .

Me gusta comer en un restaurante porque. . .

Me gusta leer porque. . .

Me gusta la música porque. . .

Me gustan los deportes porque. . .

Me gustan las vacaciones porque. . .

Ask questions about each illustration.

Have able students describe each illustration. They can also make up questions to ask other students in the class.

Resumen Oral

A written composition based on the illustrations may also be assigned.

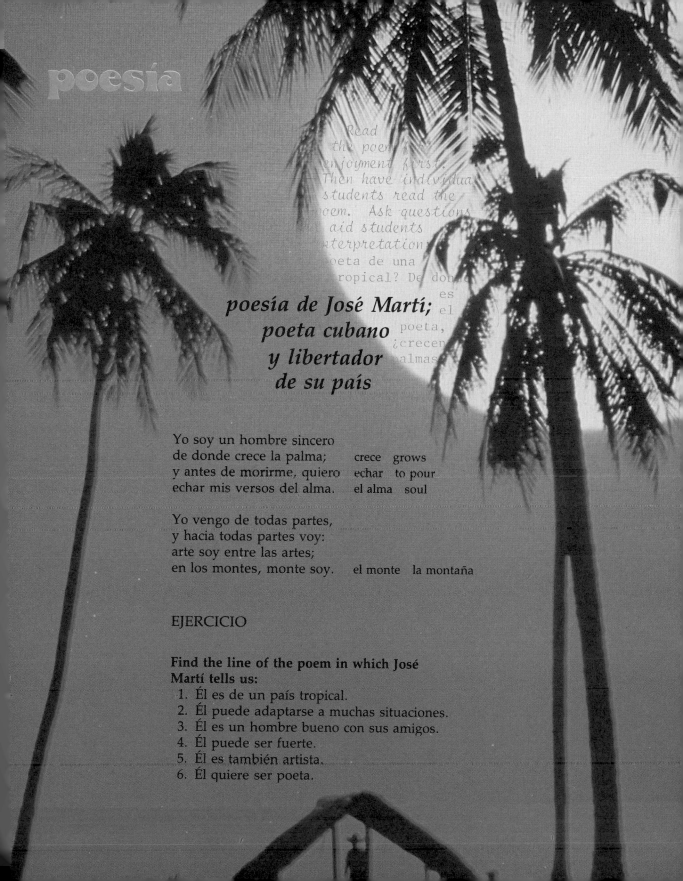

poesía

poesía de José Martí;
poeta cubano
y libertador
de su país

Yo soy un hombre sincero
de donde crece la palma;   crece grows
y antes de morirme, quiero   echar to pour
echar mis versos del alma.   el alma soul

Yo vengo de todas partes,
y hacia todas partes voy:
arte soy entre las artes;
en los montes, monte soy.   el monte   la montaña

EJERCICIO

Find the line of the poem in which José
Martí tells us:
  1. Él es de un país tropical.
  2. Él puede adaptarse a muchas situaciones.
  3. Él es un hombre bueno con sus amigos.
  4. Él puede ser fuerte.
  5. Él es también artista.
  6. Él quiere ser poeta.

1. La joven le da un beso a su amiga.
La besa en la mejilla.

The structure concept presented in this lesson is the future tense. Explain briefly to students that the future tense in English expresses something that is going to happen but hasn't happened yet.

You can also use a wave of your hand to indicate future action.

2. La señora está en el banco.
La señora espera en una fila.
En el banco hablará con el cajero.
Cambiará unos cheques de viajero.

Intersperse questions from the Práctica throughout the presentation of the vocabulary.

ACTIVITY: Have students describe the people in the illustrations using adjectives they already know: alto(a), bajo(a), guapo(a), bonita, etc.

3. Es una oficina.
La oficina está abierta.
No está cerrada.
Es una agencia de viajes.
El señor reconfirmará su boleto.
Es un boleto de retorno.

¿Qué tal? ¿Cómo estás?
¿Qué te apetece tomar? ¿Qué deseas tomar?
de nuevo otra vez
bastante suficiente

GAME: Have class read aloud. Give the expression. Then ask class to give definition. Have students close books and repeat what you have just done. Then give the word and have class give the definition.

PRÁCTICA

A. Answer each question with a complete sentence.
1. ¿A quién le da un beso la joven?   a su amiga
2. ¿Dónde la besa?   en la mejilla
3. ¿Dónde está la señora?   en el banco
4. ¿Dónde espera ella?   en una fila
5. ¿Con quién hablará en el banco?   con el cajero
6. ¿Qué cambiará ella?   unos cheques de viajero
7. ¿Qué tipo de oficina es?   una agencia de viajes
8. ¿Qué reconfirmará el señor?   su boleto
9. ¿Qué tal?   Bien, gracias. ¿Y Ud.?
10. ¿Te apetece tomar una limonada en el café?   Sí (No)

Not recorded

B. Rewrite each sentence substituting *de nuevo* for *otra vez*.
1. Ella hablará con el cajero otra vez.   Ella hablará con el cajero de nuevo.
2. Él lo hace otra vez.   Él lo hace de nuevo.
3. Ella escribe la novela otra vez.   Ella escribe la novela de nuevo.
4. Él lo comprará otra vez.   Él lo comprará de nuevo.

Not recorded

C. Rewrite each sentence substituting *bastante* for *suficiente*.
1. El cajero no tiene suficiente dinero.   El cajero no tiene bastante dinero.
2. La señora no tiene suficientes cheques de viajero.   La señora no tiene bastantes cheque
3. No hay suficientes oficinas en el edificio.   No hay bastantes oficinas en el   via
4. Yo no tengo suficiente tiempo para hacerlo.   Yo no tengo   edificio.
                                                  bastante tiempo para hacerlo.

Not recorded

D. Complete each sentence with an appropriate word.
1. Ella le dio un _____ en la mejilla.   beso
2. Él tiene el boleto de avión pero tiene que _____ el boleto.   reconfirmar
3. El _____ trabaja en el banco.   cajero
4. Si quieres un boleto tienes que ir a la _____.   agencia de viajes
5. Mucha gente espera en la _____.   fila
6. Ella _____ los cheques de viajero en el banco.   cambia
7. La secretaria trabaja en una _____.   oficina
8. No lo quiero hacer _____. Lo hice ayer.   de nuevo

304

ESTRUCTURAS

It is strongly recommended that this point be omitted in slower groups.

el complemento directo e indirecto en la misma oración

me lo, me la

Use intonation to convey the idea that you are saying the same thing in two different ways, one with the noun, one with the pronoun. You may also use a picture of a car and gestures to help convey the same meaning.

A. Repitan.

Ella me vendió el carro.
Ella me lo vendió.
Ellos me dieron la bolsa.
Ellos me la dieron.

B. Sustituyan.

Mi madre me lo $\left\{\begin{array}{l}\text{dio.}\\\text{dijo.}\\\text{explicó.}\\\text{compró.}\\\text{escribió.}\end{array}\right.$

C. Sigan el modelo.

> El profesor me enseña la lección.
> El profesor me la enseña.

Mi madre me da el dinero.   me lo da
Carlos me lee el poema.   me lo lee
La mesera me trae el sándwich.   me lo trae
Mi madre me compró la blusa.   me lo compró
Mi hermana me explica la idea.   me la explica
El profesor me enseña la lección.   me la enseña

D. Contesten según el modelo.

> ¿Te dio el dinero papá?
> Sí, papá me lo dio.

¿Te vendió el billete el empleado?   me lo
¿Te compró la blusa tu madre?   me la
¿Te anunció la salida el aeromozo?   me la
¿Te compró el sombrero Tomás?   me lo
¿Te preparó la comida papá?   me la
¿Te dio un beso papá?   me lo
¿Te escribió la carta tu amiga?   me la

me los, me las

Repeat the two sentences with the same meaning together.

E. Repitan. *Then have class repeat.*

Mi padre me da los sombreros. *Finally, call*
Mi padre me los da. *on individual*
Mi madre me compró las blusas. *students*
Mi madre me las compró. *for repetition.*

F. Sustituyan. *Have class repeat in*

Mi hermana me los $\left\{\begin{array}{l}\text{da.}\\\text{vende.}\\\text{compra.}\\\text{lleva.}\end{array}\right.$ *unison. Then call on more able students for response.*

Mi hermana me las $\left\{\begin{array}{l}\text{prepara.}\\\text{enseña.}\\\text{escribe.}\\\text{vende.}\end{array}\right.$ *Then elicit repetitions from individual students in the class.*

G. Contesten según el modelo.

> ¿Te leyó las cartas Alicia?
> Sí, Alicia me las leyó.

¿Te vendió los vegetales el niño?   me los
¿Te vendió las maletas el señor?   me las
¿Te leyó las poesías tu hermano?   me las
¿Te escribió las cartas tu prima?   me las
¿Te llevó los instrumentos tu amigo?   me los
¿Te vendió las faldas la empleada?   me las
¿Te preparó las langostas el señor?   me las
¿Te preparó los mejillones tu papá?   me los

te lo, te los, te la, te las

H. Repitan.

¿Quién te lo dijo?
¿Quién te las dio?

I. Sustituyan.

¿Quién te lo { dijo?
explicó?
dio?
vendió?
escribió? }

J. Sigan el modelo.

Tengo una camisa nueva.
Pues, ¿quién te la compró?

Tengo dos sombreros nuevos. ___ te los compr
Tengo una casa nueva.   ___ te la compró?
Tengo dos billetes.   ___ te los compró?
Tengo el periódico.   ___ te lo compró?
Tengo dos maletas nuevas.   ___ te las compr
Tengo un carro nuevo. ___ te lo compró?
Tengo una bolsa nueva.   ___ te la compró?

nos lo, nos los, nos la, nos las

K. Repitan.
Magdalena nos lo compró.
Esteban nos las dio.

It is common in hispanic society to give warm physical greetings. Women commonly put their cheeks next to each other and either kiss or just pucker up. Men almost always hug and pat each other on the back.

L. Sustituyan.

First have class repeat. Then have able students repeat after you. Finally call on individuals at random for repetition.

Ines nos lo {
explicó.
vendió.
escribió.
dijo.
}

El señor nos las {
compró.
leyó.
abrió.
dio.
}

M. Contesten según el modelo.

¿**Les vendió el billete la señora?**
Sí, la señora nos lo vendió.

¿Les vendió el carro Pablo? nos lo
¿Les vendió la casa la señora Grau? nos la
¿Les dio los billetes la empleada? nos los
¿Les dio las blusas mamá? nos las
¿Les dijo la verdad el niño? nos la
¿Les explicó los motivos la señora? nos los
¿Les escribió las cartas su primo? nos las
¿Les compró la comida tu hermano? nos la

Not recorded ── **Reglas** ──

In many sentences both a direct and an indirect object pronoun will be used. The indirect object pronoun always precedes the direct object. Both pronouns precede the conjugated form of the verb. Study the following examples. *Ask students to identify the direct and indirect object pronouns in the second sentences.*

indirect object

Rosa me lo enseñó.
El empleado nos los vendió.

direct object

La señora me la preparó.
Mamá nos las compró.

APLICACIÓN ESCRITA *Not recorded*

N. Substitute the proper object pronoun for the italicized noun.
1. El profesor nos explicó *la gramática*. El profesor nos la explicó.
2. Anita me vendió *los boletos*. Anita me los vendió.
3. Tú me dijiste *la verdad*. Tú me la dijiste.
4. El señor López nos vendió *la casa*. El señor López nos la vendió.
5. ¿Quién te dio *los regalos*? ¿Quién te los dio?
6. Mi madre me leyó *el periódico*. Mi madre me lo leyó.
7. El mesero me trae *la comida*. El mesero me la trae.
8. Carlos te preparó *los refrescos*, ¿no? Carlos te los preparó, ¿no?

O. Follow the model.

me / la gramática   Ella explicó.
Ella me la explicó.

1. nos / el sombrero   La señora vendió. La señora nos lo vendió.
2. te / la comida   ¿Quién trae? ¿Quién te la trae?
3. me / los boletos   Compraron. Me los compraron.
4. nos / la salida   El aeromozo anunció. El aeromozo nos la anunció.
5. me / el bocadillo   Mi madre preparó. Mi madre me lo preparó.

el futuro de los verbos regulares

yo

él, ella

A. Repitan.
Elena cantará en la fiesta.
Roberto comerá.
Ella abrirá la canasta.

B. Contesten.
¿Alquilará un barquito el muchacho?
¿Esquiará en el agua la muchacha?
¿Tocará la guitarra Carlos?
¿Comprará los boletos su amiga?
¿Viajará en avión tu abuelo?

¿Leerá tu madre el periódico?
¿Comerá en el restaurante tu prima?
¿Aprenderá español tu hermano?
¿Venderá el periódico el niño?

¿Vivirá el señor en la capital?
¿Abrirá la canasta Anita?
¿Irá José Luis al mercado?
¿Recibirá el dinero el señor?

ellos, ellas

C. Repitan.
Ellos estudiarán mañana.
Ellas comerán en el parque.
Todos irán de un puesto a otro.

D. Contesten.
¿Pasarán ellos el verano en la playa?
¿Alquilarán un barquito?
¿Esquiarán en el agua?
¿Bailarán en la discoteca?

¿Comerán en la playa?
¿Leerán una novela en la playa?
¿Verán a muchos amigos en la playa?
¿Serán profesores tus hermanos?

¿Les escribirán sus amigos?
¿Vivirán en una tienda de campaña?
¿Dormirán en un colchón de aire?

E. Repitan.
Visitaré a mis abuelos.
Volveré en avión.
Iré en tren.

F. Contesten.
¿Prepararás un viaje para el año que viene? prepara
¿Viajarás a México? viajaré
¿Visitarás a unos amigos? visitaré
¿Estudiarás español? estudiaré

¿Aprenderás el español? aprenderé
¿Comerás muchas comidas mexicanas? comeré
¿Verás muchos monumentos? veré

¿Les escribirás a tus amigos? escribiré
¿Recibirás muchas cartas también? recibiré
¿Irás en avión o en tren? iré

tú

G. Repitan.
¿Prepararás la merienda?
¿Comerás en el parque?
¿Abrirás la canasta?

H. Sigan el modelo.

Cantaré.
¿Cuándo cantarás?

Nadaré.___ nadarás?
Esquiaré. ___ esquiarás?
Jugaré. ___ jugarás?

Venderé el carro. ___ venderás ___?
Comeré allí. ___ comerás ___?
Lo veré. ___ verás?

Abriré el libro. ___ abrirás ___?
Viviré en la capital. ___ vivirás ___?
Escribiré la carta. ___ escribirás ___?

nosotros, nosotras

I. Repitan.
Nosotras estudiaremos mañana.
Leeremos la novela.
Escribiremos la carta.

J. Contesten.

¿Prepararán Uds. un sándwich? *prepararemos*

¿Estudiarán en casa o en la escuela? *estudiaremos*

¿Hablarán con el profesor? *hablaremos*

¿Leerán Uds. la novela? *leeremos*

¿La comprenderán Uds.? *comprenderemos*

¿Escribirán Uds. una novela? *escribiremos*

¿Irán Uds. al parque? *iremos*

Uds.

K. Repitan.

Uds. cantarán en la fiesta.

¿Comerán Uds. en el parque?

Uds. subirán esa montaña.

Keep pace lively and rapid.

L. Sigan las instrucciones.

Pregúnteles a los muchachos si bailarán en la fiesta. *bailarán Uds.*

Pregúnteles a las muchachas si escucharán los discos. *escucharán Uds.*

Pregúnteles a los muchachos si prepararán la merienda. *prepararán Uds.*

Pregúnteles a las muchachas si comerán en el parque. *comerán Uds.*

Pregúnteles a los muchachos si verán a sus amigos. *verán Uds.*

Pregúnteles a las muchachas si recibirán los regalos. *recibirán Uds.*

Pregúnteles a los muchachos si irán al lago. *irán Uds.*

Ud.

M. Repitan.

Ud. estará allí.

¿Leerá Ud. el libro?

Ud. escribirá la carta.

N. Sigan las instrucciones.

Pregúntele a la señora si comprará los boletos.

Pregúntele al señor si esperará en el andén.

Pregúntele al señor si comerá en el tren.

Pregúntele a la señora si volverá en tren también.

Pregúntele al señor si dormirá en el tren.

Pregúntele a la señora si irá a la estación de ferrocarril.

N. comprará Ud.
esperará Ud.
comerá Ud.
volverá Ud.
dormirá Ud.
irá Ud.

Not recorded

─── Reglas ───

The future tense is used to tell what will take place in the future. The future tense of regular verbs is formed by adding the endings *é, ás, á, emos, (éis), án* to the entire infinitive. Study the following forms.

	hablar	comer	vivir
yo	hablaré	comeré	viviré
tú	hablarás	comerás	vivirás
él, ella, Ud.	hablará	comerá	vivirá
nosotros, nosotras	hablaremos	comeremos	viviremos
(vosotros, vosotras)	(hablaréis)	(comeréis)	(viviréis)
ellos, ellas, Uds.	hablarán	comerán	vivirán

Remember that *ir + a* plus the infinitive is another way to express the future.

Voy a vivir en España. = Viviré en España

GAME: You can reinforce this structure concept by giving the ir a + infinitive form and have students put it into the future tense: Voy a hablar. Hablaré., etc.

APLICACIÓN ESCRITA

O. Rewrite each sentence in the future.
1. Marisol mira la televisión.   mirará
2. Estudiamos español.   Estudiaremos
3. Compro pan.   Compraré
4. Hablas muy bien el español.   Hablarás
5. Ellos toman el desayuno en el hotel.   tomarán
6. Esquío en el invierno.   Esquiaré
7. Necesitamos dinero.   Necesitaremos
8. El tren llega a tiempo.   llegará
9. ¿Preparas una paella?   Prepararás
10. Él canta bien.   cantará
11. Pasamos el verano en la playa.   Pasaremos
12. Están en aquel café.   Estarán
13. ¿Quién toca la guitarra en el mesón?   tocará
14. Lo compro en aquella tienda.   compraré

P. Complete each sentence with the correct form of the future of the italicized verb.
1. Susana _____ periódicos. *vender*   venderá
2. Yo _____ mucho. *comer*   comeré
3. Nosotros _____ español. *aprender*   aprenderemos
4. Ellas _____ mucho. *leer*   leerán
5. ¿Qué _____ tú? *vender*   venderás
6. Ella _____ en Madrid. *vivir*   vivirá
7. Nosotros _____ varios periódicos. *recibir*   recibiremos
8. Ellos _____ en una casa moderna. *vivir*   vivirán
9. Yo le _____ una carta a Jorge. *escribir*   escribiré
10. Sofía _____ las montañas. *subir*   subirá
11. ¿_____ tú a la fiesta? *Ir*   Irás
12. ¿_____ mucha gente en la plaza de toros? *Estar*   Estará

el banco del aeropuerto de Barcelona

Have students play different roles in the Escenas on the next page. Intersperse with the appropriate questions from pages 312 and 313. Add more questions as necessary.

ESCENAS
Las costumbres son distintas.

Underlined words indicate the structure concepts presented in the lesson.

Bárbara es una joven norteamericana. Estudió español en la escuela y lo habla bastante bien. Está de visita en un país hispánico. Pasa por un café y ve a una amiga.

Bárbara   Hola, Estela, ¿cómo estás?

Estela   Hola, Bárbara. ¿Qué tal? ¿Por qué no te sientas un rato?

(Estela le da un beso en cada mejilla y Bárbara se sienta.)

Estela   Pues, Bárbara. ¿Qué tal te gusta nuestra ciudad?

Bárbara   A mí me encanta. La encuentro fabulosa. Me gusta más cada vez que vengo.

Estela   A propósito, ¿qué te apetece tomar?

Bárbara   No, nada, gracias. Tengo prisa porque quiero ir a la agencia de viajes para reconfirmar mi boleto de retorno. Y después iré al banco a cambiar unos cheques de viajero.

> Tengo prisa   I'm in a hurry

Estela   Pero, Bárbara. Ya son las dos. La agencia de viajes no <u>estará</u> abierta ahora.

Bárbara   ¿No? ¿A qué hora se <u>abrirá</u>?

Estela   Se <u>abrirá</u> de nuevo a las cuatro.

Bárbara   Ah. ¿Las oficinas siguen el mismo horario que las tiendas?

> siguen   follow
> horario   schedule, hours

Estela   Claro. Todo está cerrado desde la una hasta las cuatro. Las horas de trabajo aquí son de las nueve de la mañana a la una de la tarde y de las cuatro a las ocho de la tarde. Ahora tienes tiempo. ¿Qué vas a tomar? Yo <u>te lo</u> pediré.

> hasta   until

Bárbara   Pues, voy a tomar solamente una gaseosa

> gaseosa   carbonated drink

Estela	Ay, perdón, no te quiero interrumpir pero tampoco quiero olvidar. Me dijiste que quieres ir al banco. El banco no se <u>abrirá</u> de nuevo. Los bancos están abiertos solamente por la mañana.
Bárbara	No importa. Volveré al hotel y <u>cambiaré</u> los cheques allí.
Estela	¿No puedes esperar hasta mañana? El cambio será mejor en el banco.
Bárbara	Sí, creo que tengo bastantes pesos.
Estela	Si no, yo <u>te los</u> <u>prestaré</u>.
Bárbara	No, gracias, está bien. Tengo bastantes. No hay problema. ¿Vas a volver a la oficina esta tarde?
Estela	No, no voy a volver. Tengo cita aquí con un cliente. <u>Llegará</u> a las cuatro y pico.
Bárbara	<u>¿Estarás</u> aquí una hora más? ¿Te permiten ocupar la mesa por tanto tiempo si tomas solamente una gaseosa?
Estela	Claro. ¿Y por qué no? Viene la gente a descansar, a charlar, a leer el periódico o solamente para mirar a la gente que pasa.
Bárbara	Pues, es una costumbre que a mí me gusta.

olvidar   forget

mejor   better

prestaré   I will lend

cita   appointment

PREGUNTAS   *Not recorded*

1. ¿Quién es una joven norteamericana?
2. ¿Dónde está de visita?
3. ¿A quién ve en el café?
4. ¿Se sienta a la mesa con Estela?
5. A Bárbara, ¿qué tal le gusta la ciudad?
6. ¿Por qué no quiere tomar nada?
7. ¿Adónde tiene que ir Bárbara?
8. ¿Estará abierta la agencia de viajes?

Begin to present the vocabulary from Marianela *as you are completing this lesson.*

9. ¿A qué hora se abrirá de nuevo?
10. ¿Cuáles son las horas de trabajo?
11. ¿Qué va a tomar Bárbara?
12. ¿Se abrirá de nuevo el banco?   ¿Por qué no?
13. ¿Adónde volverá Bárbara?
14. ¿Puede ella esperar hasta mañana para cambiar los cheques?
15. ¿Va a volver a la oficina Estela?   ¿Por qué no?
16. ¿A qué hora llegará el cliente?
17. ¿Estará ella en el café una hora más?
18. ¿Puede ocupar la mesa por tanto tiempo?
19. ¿Por qué viene la gente a un café?
20. A Bárbara, ¿le gusta la costumbre?

Not recorded

Composición

Answer the following questions to form a paragraph.

¿Dónde ve Bárbara a su amiga Estela?

¿Le da un beso Estela?

¿Se sienta Bárbara con Estela?

¿Tiene mucho tiempo Bárbara?

¿Adónde tiene que ir?

¿Qué le explica Estela?

¿Ahora tiene Bárbara más tiempo?

¿Qué pide?

¿Pueden pasar el tiempo en el café?

Discusión   Not recorded

Estela dice que su cliente llegará al café a las cuatro y pico.

¿Estará el cliente en el café exactamente a las cuatro (a las cuatro en punto)? • Posiblemente, ¿llegará el cliente un poco más tarde? • Cuando nosotros tenemos una cita, ¿llegamos por lo general a la hora exacta o llegamos un poco más tarde? • En español hay dos expresiones—«hora americana (o inglesa)» y «hora española (o chilena, argentina, etc.)». • ¿Cuál de las expresiones indica que la persona llegará a la hora exacta? • ¿Cuál indica que llegará un poco más tarde?

Ask questions of more able students first. Ask the same question more than once of different students in order to give less able students an opportunity to respond.

After practice, select a very able student and ask all questions of that individual.

PERSPECTIVAS

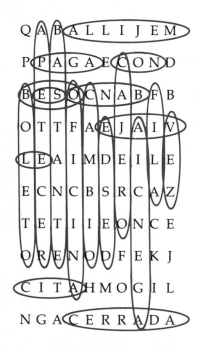

```
Q A B A L L I J E M
P P A G A E C O N D
B E S O C N A B F B
O T T F A E J A I V
L E A I M D E I L E
E C N C B S R C A Z
T E T I I E O N C E
O R E N O D F E K J
C I T A H M O G I L
N G A C E R R A D A
```

Pasatiempo   *Not recorded*

In the puzzle to the left there are 20 Spanish words. On a separate sheet of paper, write the letters of the puzzle. Then circle each word you can find. The words can go from left to right, from right to left, from the top down, or from the bottom up.

Entrevista   *Not recorded*

¿A qué hora se abren las tiendas donde vives? • ¿A qué hora se cierran? • ¿Son distintas las horas en la mayoría de los países hispánicos? • ¿Cuál es el horario de las oficinas donde tú vives? • ¿Cuál es el horario en los países hispánicos? • ¿Cuántas horas trabaja la gente aquí? • ¿Cuántas horas trabaja la gente en los países hispánicos? • ¿Cuántas horas tienen los empleados para el almuerzo en los Estados Unidos? • ¿Y en los países hispánicos? • ¿Qué horario te gusta más? • ¿Por qué?

¿Irás a la escuela mañana? • ¿A qué hora te levantarás? • ¿Tomarás el desayuno en casa? • ¿Irás a la escuela en autobús, en carro, en bicicleta o a pie? • ¿Te llevará tu madre o tu padre a la escuela? • ¿A qué hora llegarás a la escuela? • ¿Tomarás el almuerzo en la cafetería de la escuela? • Durante el almuerzo, ¿charlarás con tus amigos? • Después de las clases, ¿irás a un café? • ¿Irás a casa? • ¿Prepararás tus lecciones?

Ask students to describe each illustration. Give assistance by asking pertinent questions.

This illustration can be used as a composition stimulus to reinforce the oral work done in class.

BASES 1

Marianela

As you present vocabulary, have students look at filmstrip. Present one word at a time and build to complete utterance. Intersperse questions, building from simple to more complex

¿Es un camino?

¿Qué camino es?

¿Qué hay en el camino?

¿Dónde hay muchas colinas?

1. Es el camino de Socartes.

Hay muchas colinas en el camino.

2. Es un puente.

El puente está sobre un río.

Una cesta está en el antepecho.

Un perro está en el puente.

El perro tiene los ojos negros.

Additional questions that can be asked are:

¿Está sobre un lago el puente?

¿De qué color son los ojos del perro?

Additional questions that can be asked of the vocabulary are:

¿De dónde se cae la niña?

¿Lleva zapatos la niña?

¿Es grande o pequeña la niña?

3. La niña se cae al agua.

Hay muchas piedras en el agua.

La niña no lleva zapatos.

317

4. Es una moneda.

Ask questions:
¿Es dinero una moneda?
¿Es un dólar una moneda?

a lo lejos   en la distancia
perderse   no saber dónde está uno
la voz   lo que se usa para hablar
menor   más joven
la mujer   la señora
rato   poco tiempo

Go over definitions in class. Ask simple
questions using new words:
¿Se pierde el niño?
¿Se pierde en el camino?

las minas   subterráneo, –a
el guía   raro, –a
la guía
el ingeniero
la ingeniera

Check student pronunciation carefully.
These are the easiest words to mispronounce
due to native language interference.

PRÁCTICA

A. Answer each question with a complete sentence.
1. ¿Hay colinas en el camino?   Sí
2. ¿Sobre qué está el puente?   un río
3. ¿Qué hay en el antepecho?   una cesta
4. ¿Qué animal está en el puente?   un perro
5. ¿Adónde se cae la niña?   al agua
6. ¿Qué hay en el agua?   muchas piedras
7. ¿Tienes una moneda?   Sí (No)
8. A veces, ¿se pierden los niños? Sí
9. ¿Quién es menor, tú o tú hermano(a)? Yo (Mi hermano(a))

B. Complete each sentence with an appropriate word. *Not recorded*
1. Voy a pasar un _____ aquí, pero no mucho tiempo.   rato
2. Él es _____ porque tiene menos años.   menor
3. El _____ está sobre el río.   puente
4. El _____ es un animal doméstico.   perro
5. El camino de las montañas tiene muchas _____.   colinas
6. Se puede llevar mucho en una _____.   cesta
7. Su _____ es bonita; ella canta muy bien.   voz
8. La niña no lleva _____ en los pies.   zapatos
9. Vemos con los _____.   ojos
10. La _____ se llama señora Flores.   mujer

318

For presentation, divide story into parts:
1. Give brief oral review of section of the story to be presented. 2. Ask questions about review.

3. Call on individuals to read. 4. Ask detailed questions concerning section read.

ESCENAS
Marianela

Un día se acercó cierto Teodoro Golfín al pueblo de Socartes. En el camino, se perdió. Un joven, Pablo Penáguilas, y su perro, Choto, encontraron al señor y lo ayudaron. Como Socartes está situado en las minas, es difícil el camino que va al pueblo. Para llegar a Socartes fue necesario bajar y subir muchas colinas. Y tuvieron que pasar por una cueva subterránea.

Por fin, salieron de la cueva. El señor Golfín notó algo raro en el muchacho y le preguntó:

—Chico, ¿eres ciego?

—Sí, no tengo vista. Soy ciego desde mi nacimiento—contestó Pablo.

—¡Qué lástima!—pensó el señor Golfín.

Los dos continuaron su viaje hacia Socartes. A lo lejos oyeron una voz—la voz de Marianela. Pablo le explicó al señor Golfín que Marianela siempre lo acompaña por las minas. Es una muchacha que lo ayuda mucho.

Cuando el señor Golfín vio a Marianela, notó en seguida lo fea que era la pobre muchacha. Tiene una estatura muy pequeña. Sus ojos negros le dan una expresión de mujer pero su cuerpo es de una niña joven. Marianela tiene dieciséis años pero parece menor.

se acercó approached
cierto certain

To break the story, stop long enough to begin the presentation of the vocabulary from the next part of this lesson. Then continue with the reading selection.

desde mi nacimiento since my birth

lástima pity
pensó thought
oyeron they heard

era was
estatura build
cuerpo body
parece she seems

319

Por fin Pablo salió para volver a casa. Marianela continuó el viaje con el señor Golfín. Durante el viaje Marianela habló de su vida. Dijo:

—Soy una muchacha pobre. Soy fea. No tengo ni padre ni madre. Mi padre fue el primero que encendió faroles en este pueblo. Un día mi padre me puso en una cesta. Subió a un farol que hay en un puente. Puso la cesta sobre el antepecho del puente y yo me salí de la cesta y me caí al río. Caí sobre unas piedras. Antes de este accidente yo era bonita, pero ahora soy fea. Luego mi padre se puso enfermo y murió en el hospital. Mi madre empezó a trabajar en las minas. Un día se cayó en una cueva donde murió. Ahora yo vivo con los Centeno. Ellos tienen una casa aquí en las minas.

Después de un rato, los dos llegaron a la casa del hermano de Teodoro Golfín. Su hermano es Carlos. Es el ingeniero de las minas. Marianela le dice «adiós» al señor Golfín y vuelve a la casa de los Centeno. Antes de salir, el señor le da una moneda.

ACTIVITY: In better groups, have students prepare a conversation between Marianela and el señor Golfín

encendió faroles   lit lamplights

Antes de   Before

se puso   became

After you have completed stor ask questions that build to an oral review. Then call or students to give a free oral review.

Complete the presentation of the vocabulary from the next segment of Marianela.

PREGUNTAS   Not recorded

1. ¿Quíen se acercó a Socartes?
2. ¿Dónde se perdió el señor?
3. ¿Quiénes lo ayudaron?
4. ¿Dónde está situado Socartes?
5. ¿Qué tuvieron que hacer los dos?
6. Cuando salieron de la cueva, ¿qué notó el señor Golfín?
7. ¿Cómo es el chico?
8. ¿Qué oyeron a lo lejos?
9. ¿De quién es la voz?
10. ¿Quién acompaña a Pablo?
11. ¿Cómo es Marianela?
12. ¿Es bonita?
13. ¿Es rica?
14. ¿De qué color son sus ojos?
15. ¿Cuántos años tiene ella?
16. ¿Parece menor o mayor?
17. ¿Adónde fue Pablo?
18. ¿De qué habló Marianela?
19. ¿Tiene padres Marianela?
20. ¿Qué encendió su padre?
21. Un día, ¿dónde puso el padre a Marianela?
22. ¿Adónde se cayó la niña?
23. ¿Dónde murió su padre?
24. ¿Dónde murió su madre?
25. ¿Con quiénes vive Marianela ahora?
26. ¿Quién es el hermano de Teodoro Golfín?
27. ¿Qué le da el señor Golfín a Marianela?

BASES 2

1. Es la cocina.
En el rincón hay una cama.
La señora cuenta su dinero.

*Additional questions that
can be asked are:*
¿En qué cuarto de la
   casa está la señora?
¿Qué está en el rincón?
¿Cuenta monedas la
   señora?

Ask additional questions:
¿Hay colinas aquí?
¿Es de noche?
¿Cuándo brillan las
   estrellas?

2. Las estrellas brillan en el cielo.

321

las tonterías cosas absurdas, estúpidas
casarse unirse en matrimonio
tener éxito salir bien

la coincidencia   generoso,–a   operar
                     cruel

PRÁCTICA

A. Answer each question with a complete sentence.
 1. ¿Qué cuenta la señora? *su dinero*
 2. ¿Dónde se preparan las comidas? *en la cocina*
 3. ¿Dónde está la cama? *en el rincón*
 4. De noche, ¿qué brillan en el cielo? *las estrellas*
 5. ¿Dices muchas tonterías? *No (Sí)*
 6. ¿Tienes mucho éxito en tus estudios? *Sí (No)*

B. Complete each sentence with an appropriate word. *Not recorded*
 1. De día el sol brilla en el cielo; de noche las _____ brillan en el cielo. *estrellas*
 2. La _____ es una parte importante de una casa. *cocina*
 3. En la mayoría de los cuartos hay cuatro _____ *rincones*
 4. La señora quiere saber cuánto dinero tiene y lo _____. *cuenta*
 5. Si uno quiere _____, tiene que trabajar. *tener éxito*

un pueblo industrial en Asturias, la región donde vive Marianela

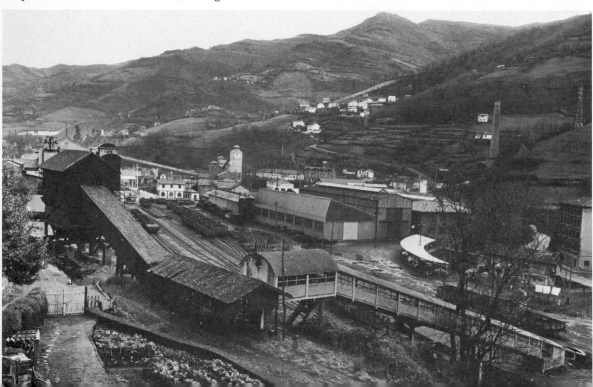

Marianela

Continuación

Cuando salió el señor Golfín, la Nela fue a la casa de los Centeno.

La casa de los Centeno no es nada elegante. Es una casa pequeña donde viven el señor Centeno, la señora Centeno, sus cuatro hijos y la pobre Marianela. La señora Centeno es una señora bastante cruel. Siempre cuenta su dinero pero nunca le da nada a nadie. Trata a la Nela como a un animal. La pobre Nela tiene que dormir en la cocina. En un rincón de la cocina hay una cesta que sirve de cama a Marianela. Pero la Nela es una muchacha muy generosa. En cuanto vuelve a casa le da la moneda del señor Golfín a Celipín.

Celipín es el hijo menor de los Centeno. Él quiere salir de Socartes. Quiere ir a Madrid a estudiar. Un día, va a ser un hombre importante. Marianela le dice que siempre tiene que ser bueno con sus padres y les tiene que escribir mucho.

For a change, part of the story may be read silently followed by oral questions from the

Trata She treats

Preguntas on page 325.

En cuanto   As soon as

323

El día siguiente, como todos los días, Marianela sale de casa y va a la casa de Pablo Penáguilas. Pablo es un muchacho que tiene unos veinte años. Es un muchacho muy guapo. Su padre es un hombre bueno y rico. Desgraciadamente el muchacho es ciego. Mientras Pablo y Marianela andan por los campos discuten muchas tonterías. La pobre Marianela no tiene educación pero siempre quiere explicar a Pablo como son las cosas del mundo. La Nela le dice que las estrellas en el cielo son las sonrisas de las personas muertas que están en el cielo.

El día siguiente   The following day

Desgraciadamente   unfortunately

Intersperse questions from page 325 with the reading of the story.

las sonrisas   smiles

Begin the presentation of the new vocabulary from page 32.

Pablo promete que un día va a casarse con Marianela. Como ella es una muchacha muy buena, tiene que ser bonita también. Cada vez que Pablo le dice que es bonita, Marianela se mira en el agua y de nuevo ve que es fea.

Por coincidencia, el señor Teodoro Golfín es médico. Le va a operar los ojos a Pablo. No sabe si la operación va a tener éxito o no. Pablo le dice a Marianela que después de la operación él va a casarse con ella.

Todos se preparan para la operación. Viene a Socartes Florentina, la prima de Pablo. Florentina es una muchacha muy bonita. Es también una muchacha muy buena. Cuando ve a Marianela se pone triste. No comprende cómo algunas personas pueden tener mucho y otras no tienen nada. La pobre Marianela no tiene zapatos. Florentina le dice a Marianela que le comprará un vestido y también unos zapatos. Marianela cree que Florentina es una santa. Sí, una mujer tan buena tiene que ser santa.

Complete the presentation of the new vocabulary from page 326.

PREGUNTAS   *Not recorded*

1. ¿Adónde fue Marianela?
2. ¿Cómo es la casa de los Centeno?
3. ¿Quiénes viven en la casa?
4. ¿Cómo es la señora Centeno?
5. ¿Cómo trata ella a Marianela?
6. ¿Dónde duerme la pobre Nela?
7. ¿En qué duerme?
8. ¿A quién le da ella la moneda del señor Golfín?
9. ¿Quién es Celipín?
10. ¿Adónde quiere ir él?
11. ¿Qué va a ser?
12. ¿Qué le dice Marianela?
13. ¿Para dónde salen Marianela y Pablo?
14. ¿Cuántos años tiene Pablo?

15. ¿Cómo es?
16. ¿Cómo es su padre?
17. ¿Qué discuten Marianela y Pablo?
18. ¿Qué le explica Marianela a Pablo?
19. ¿Qué son las estrellas?
20. ¿Qué promete Pablo?
21. ¿Cómo tiene que ser Marianela? ¿Por qué?
22. ¿En qué se mira Marianela?
23. ¿Qué es el señor Teodoro Golfín?
24. ¿Qué va a hacer él?
25. Después de la operación, ¿qué va a hacer Pablo?
26. ¿Quién viene a Socartes?
27. ¿Cómo es Florentina?
28. ¿Qué va a comprar Florentina? ¿Por qué?
29. ¿Qué tiene que ser Florentina? ¿Por qué?

BASES 3

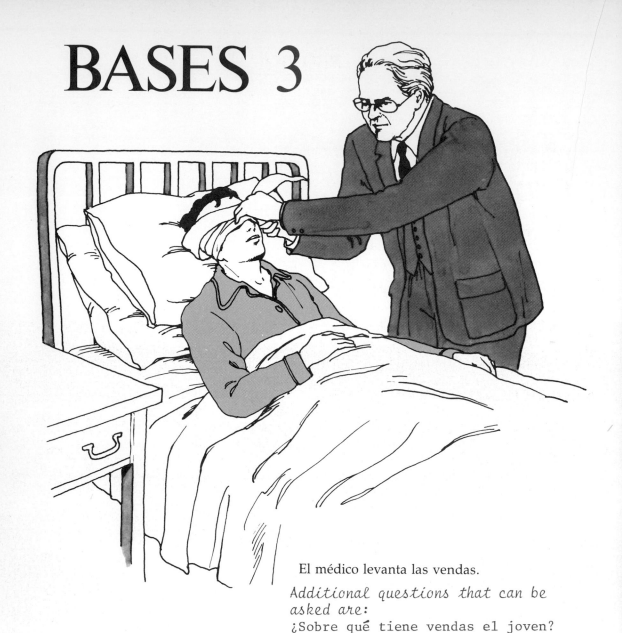

El médico levanta las vendas.

Additional questions that can be asked are:
¿Sobre qué tiene vendas el joven?
¿Quién levanta las vendas?
¿Qué significa "correr"?
¿Cuál es el contrario de "rápido"?

correr   ir rápidamente a pie
despacio   el contrario de rápido
solo,-a   sin otra persona, no acompañado,–a

el resultado   adorar
la operación
la cuestión
la alarma

Practice pronunciation of these cognates orally, first with a group in unison, then have individual students repeat.

PRÁCTICA

A. Answer each question with a complete sentence.

1. ¿Qué levanta el médico? las vendas
2. Si Ud. no tiene mucho tiempo, ¿corre Ud.? Sí
3. ¿Tiene que tener una operación el enfermo? Sí
4. ¿Adora Ud. a sus padres? Sí
5. ¿Prefiere Ud. viajar solo(a) o acompañado(a)? Prefiero viajar __.

B. Complete each sentence with an appropriate word. *Not recorded*

1. El que tiene religión _____ a Diós. adora
2. Si Pablo quiere tener vista, tiene que tener una _____. operación
3. En la escuela hay una _____ de fuego. alarma
4. No va despacio; siempre _____. corre

una vista de Isaba en Navarra

327

Marianela

Have more able students give an oral review to the class of the story up to this point. Encourage other students to ask questions based on the story to date.

Continuación

Llega el día de la operación. Todo el mundo espera los resultados. ¿Va a ver Pablo o no? Es la cuestión. Después de unos días el médico levanta las vendas y Pablo puede ver. ¡Qué alegría! Todo el mundo está contento.

La única persona que no es feliz es la pobre Nela. Está contenta porque Pablo tiene vista pero está triste porque sabe que Pablo no va a casarse con ella. Va a casarse con Florentina.

La pobre Nela no sabe qué hacer. Decide andar por los campos. No quiere estar con nadie. Quiere estar sola.

A lo lejos oye un ruido. ¿Quién es? Es Florentina.

Florentina habla con Marianela.

—Pero, Nela, ¿dónde estuviste? ¿No sabes que Pablo tiene vista?

—Sí, yo lo sé—contestó la Nela.

—Quiere verte. Siempre pregunta dónde está la Nela. Tú sabes que te quiere mucho. Pablo te adora—continuó Florentina.

La pobre Nela se cayó en el suelo.

alegría happiness
feliz happy

Begin the presentation of the vocabulary from page 330.

te quiere loves you

—Florentina, yo la quiero mucho y quiero a Pablo también.; Pero no puedo, no puedo.

—¿No puedes qué?—preguntó Florentina.

La Nela se levantó y corrió rápidamente.; Gritó—No, no puedo, Florentina.; No puedo hablar más con Ud.; Adiós.; Adiós.

La Nela desapareció entre los árboles. Decidió salir. No pudo pasar más tiempo en Socartes.

En la noche Marianela oyó otro ruido. Esta vez oyó la voz de Celipín, el hijo de los Centeno.

—¿Adónde vas, Celipín?—preguntó Marianela?

—Nela, por fin voy a Madrid. Pero me tienes que hacer una promesa. No les vas a decir nada a mis padres.

—De acuerdo, Celipín. Pero les escribirás, ¿no? Tienes que ser bueno con tus padres.

—Sí, voy a escribir—contestó Celipín—. Nela, ¿por qué no vas conmigo a Madrid? Podemos ir en tren.

—¡Buena idea!.—contestó la Nela.

Luego empezó a pensar. No, no pudo salir de Socartes. La Nela pensó en su madre enterrada en una cueva de Socartes. Por fin dijo.—Celipín, no puedo ir. Tú tienes que ir solo. Tienes que escribir mucho. Adiós, Celipín, y buena suerte.

Gritó   She shouted

desapareció   disappeared
entre   among

Intersperse reading selection with the appropriate questions to check comprehension.

conmigo   with me

pensar   to think

PREGUNTAS   *Not recorded*

1. ¿Qué día llega?
2. ¿Qué espera todo el mundo?
3. ¿Cuándo levanta las vendas el médico?
4. ¿Tiene vista Pablo?
5. ¿Cómo se pone todo el mundo?
6. ¿Quién está triste?   ¿Por qué?
7. ¿Por dónde anda Marianela?   ¿Por qué?
8. ¿Qué oye?
9. ¿Quién es?
10. ¿Qué le dice Florentina?
11. ¿Qué dice Marianela cuando contesta a Florentina?
12. ¿Qué dijo Marianela cuando empezó a correr?
13. ¿Dónde desapareció?
14. ¿Qué decidió hacer Marianela?
15. De noche, ¿quién llegó?
16. ¿Adónde va Celipín?
17. Según Marianela, ¿qué tiene que hacer Celipín?
18. ¿Adónde invita Celipín a Marianela?
19. ¿Quiere ir ella?
20. ¿En qué empezó a pensar Marianela?
21. ¿Decide ir con Celipín Marianela?

Complete the presentation of the vocabulary from page 330.

BASES 4

Additional questions that can be asked are:
¿Es pequeño el perro?   ¿Qué hace el perro?

1. El perro empezó a ladrar.

2. Son almohadas.

llorar   una persona triste llora.

la tumba	solemne	inclinar
el sofá		insistir

PRÁCTICA

A. Answer each question with a complete sentence.
1. ¿Qué empezó a hacer el perro?   ladrar
2. ¿Hay almohadas en la cama?   sí
3. ¿Hay un sofá en la sala?   sí

B. Complete each sentence with an appropriate word.   *Not recorded*
1. El _____ que tenemos en la sala es bonito.   sofá
2. Lo tengo que hacer; el profesor _____.   insiste
3. De noche, los perros siempre empiezan a _____.   ladrar
4. Hay dos _____ en mi cama.   almohadas
5. No es nada festivo; es muy _____.   solemne

Marianela

Continuación

Otra vez la Nela se encontró sola. Fue a la cueva a visitar la tumba de su madre. La pobre empezó a llorar. En seguida oyó ladrar un perro. Era Choto, el perro de Pablo.

Choto volvió a la casa de Pablo. Salió el doctor Golfín. El perro ladró tanto que el doctor Golfín lo siguió hasta encontrar a la Nela.

El doctor gritó: —Nela, ¿qué haces allí? Te quiero hablar.

—No puedo—contestó la Nela.

—Sí—insistió el doctor—. Te quiero decir solamente una palabra.

—¿Solamente una palabra?—preguntó la Nela.

—Sí, solamente una palabra.

Marianela subió de la cueva y empezó a hablar con el doctor. Le explica al doctor que quiere estar con su madre. No quiere ver a Pablo porque Pablo cree que ella es bonita.

Por fin, el doctor levantó a la Nela. La llevó a la casa de Pablo. —¡Ay!, Marianela. ¡Qué enferma estás!—piensa el médico.

Cuando llegaron a la casa, el doctor puso a la Nela en el sofá. Todos la cuidaron; Florentina, el padre de Pablo y el doctor Golfín.

El día siguiente Pablo salió de su cuarto para hablar con Florentina. Consideró a Florentina la muchacha más bonita del mundo. Cuando entró en la sala, vio a Florentina. Empezó a hablar.

Interrupt the reading selection to ask pertinent questions from page 332. Break reading into dialog parts. Students can take the following parts:
el narrador
el doctor Golfín
la Nela
Pablo
Florentina

331

—Florentina, ¿por qué no viniste a verme y a hablarme?

No vio a nadie más, sólo a Florentina. Por fin miró hacia el sofá y vio la cara de una pobre muchacha con los ojos cerrados y la boca abierta.

boca   mouth

—¡Ah!—dijo Pablo—. Florentina encontró a una pobre fea y la quiere ayudar. ¡Qué buena es mi Florentina!

Pablo se acercó al sofá. Extendió su mano. Vio una expresión triste. La pobre muchacha movió los ojos y miró a Pablo. ¡Qué tristeza! La Nela tomó la mano de Pablo. En seguida, Pablo dio un grito triste y melancólico y dijo:—¡Ay, es la mano de la Nela!

tristeza   sadness

Con una voz triste, la Nela dijo.

—Sí, Pablo, yo soy la Nela.— Muy despacio ella levantó la mano de Pablo, la llevó hasta su boca y le dio un beso. Luego su cabeza se inclinó y cayó sobre las almohadas.

beso   kiss

—La Nela, la Nela—dijo Pablo con una voz solemne—. La Nela, la muchacha que me ayudó tanto. Y ahora está muerta. Adiós, Marianela.

Adapted from Benito Pérez Galdós

PREGUNTAS   *Not recorded*

1. ¿Adónde fue Marianela?
2. ¿Qué empezó a hacer?
3. ¿Qué oyó?
4. ¿Adónde fue el perro?
5. ¿Quién salió de la casa?
6. ¿Por qué siguió al perro el médico?
7. ¿A quién encontró el médico?
8. ¿Quiso hablar con el médico Marianela?
9. Por fin, ¿de dónde subió?
10. ¿Con quién quiere estar Marianela?
11. ¿Adónde llevó el doctor a Marianela?
12. ¿Qué dijo el doctor Golfín?
13. ¿Dónde pusieron a Marianela?
14. El día siguiente, ¿quién salió de su cuarto?
15. Cuando entró en la sala, ¿a quién vio?
16. Por fin, ¿hacia dónde miró?
17. ¿Qué vio?
18. ¿Qué pensó Pablo?
19. Cuando Pablo se acercó al sofá, ¿qué hizo la muchacha?
20. ¿Qué supo Pablo?
21. ¿Qué dio Pablo?
22. ¿Qué dijo la Nela?
23. ¿Qué tomó la Nela?
24. ¿Por qué dice Pablo «Adiós, Marianela»?

Begin the presentation of the vocabulary from Lesson 19 as you are completing Marianela.

In order to prepare students for this written exercise, these questions may be done orally in class.

Composición

Answer the following questions to form a paragraph.

¿Cómo es Marianela?

¿Es rica o pobre?

¿Tiene padres Marianela?

¿Dónde murió su padre?

¿Dónde murió su madre?

¿Con quiénes vive Marianela?

¿Cómo es su casa?

¿Cómo es la señora?

¿Dónde tiene que dormir Marianela?

¿Cómo trata la señora a Marianela?

¿A quién acompaña Marianela?

¿Por dónde lo acompaña?¿Qué le explica Marianela?

Actividad   *Not recorded*

Write five sentences about each of the following characters.

1. Marianela
2. Pablo
3. El doctor Teodoro Golfín
4. Florentina
5. Celipín

Any correct answer is acceptable.

la región de las minas

BASES

19

Es el aula de una escuela.
Las alumnas aprenden.
El profesor enseña la lección.
Las alumnas tendrán que aprenderla.
Beatriz lleva una cartera.

← dos alumnos, Costa Rica

Explain that aula *means* sala de clase.

Additional questions that can be asked are:
¿Dónde está el aula?
¿Aprenden las alumnas?
¿Qué enseña el profesor?
¿Tendrán que aprenderla las alumnas?
¿Qué lleva Beatriz?

el sistema	separado, –a
el uniforme	privado, –a
la actividad	religioso, –a
el club	secundario, –a

Las alumnas llevan uniforme.

PRÁCTICA

A. Answer each question based on the model sentence.
1. Los alumnos aprenden y el profesor enseña en la escuela.
   ¿Quiénes aprenden?   los alumnos
   ¿Dónde aprenden los alumnos?   en la escuela
   ¿Qué hacen los alumnos en la escuela?   aprenden
   ¿Quién enseña?   el profesor
   ¿Dónde enseña el profesor?   en la escuela
   ¿Qué hace el profesor en la escuela?   enseña
2. Los alumnos llevan una cartera a la escuela.
   ¿Llevan los alumnos una cartera a la escuela?   Sí
   ¿Quiénes llevan una cartera?   los alumnos
   ¿Qué llevan los alumnos?   una cartera
   ¿Adónde llevan ellos una cartera?   a la escuela
   ¿Qué hacen los alumnos?   Llevan una cartera a la escuela.

B. Complete each sentence with an appropriate word. *Not recorded*
1. Nosotros no vamos a una escuela primaria. Vamos a una escuela _____.   secundaria
2. Los alumnos llevan _____ a la escuela y también llevan una _____.   uniforme, car[t]
3. Hay mucha _____ en el patio de la escuela.   actividad
4. La señora Paz _____ español.   enseña
5. Ellos no van a una escuela pública; van a una escuela _____.   privada

336

It is strongly recommended that this point be omitted with slower groups.
Object pronouns
are thoroughly
reviewed in
Español:
A Sentirlo.

ESTRUCTURAS

el complemento indirecto se

A. Repitan.

El señor le dio el periódico a la muchacha.
El señor se lo dio.
El señor le dio la moneda al muchacho.
El señor se la dio.
Les explicó la lección a ellos.
Se la explicó a ellos.

B. Sustituyan.

Have class repeat in unison. Then call on small groups for repetition. Finally call on individual students for immediate response.

Ella se lo $\begin{cases} \text{dio} \\ \text{dijo} \\ \text{explicó} \\ \text{vendió} \end{cases}$ a él.

Nosotras se la $\begin{cases} \text{escribimos} \\ \text{dimos} \\ \text{vendimos} \\ \text{explicamos} \end{cases}$ a ella.

C. Sigan el modelo.

Le vendemos el carro.
Se lo vendemos.

Les vendemos la casa. Se la vendemos.
Le doy la moneda. Se la doy.
Le escribo la carta. Se la escribo.
Le damos el dinero. Se lo damos.
Les explico la lección. Se la explico.
Les doy el billete. Se lo doy.
Le compro la falda. Se la compro.

D. Contesten según el modelo.

¿Le vendes el carro a él?
Sí, se lo vendo a él.

¿Le vendes el carro a él? se lo vendo
¿Le das la moneda a ella? se la doy
¿Les das el dinero a ellos? se lo doy
¿Les vendes la casa a ellos? se la vendo
¿Le explicas la lección a ella? se la explico
¿Les explicas la lección a ellos? se la explico

¿Le escribes la carta a él?
¿Les escribes la carta a ellos?

E. Repitan. *Repeat the drill more than once to be sure students understand how to change from noun to pronoun.*

Le doy los billetes a él.
Se los doy a él.
Les escribo las cartas a ellos.
Se las escribo a ellos.

F. Sustituyan.

Se los $\begin{cases} \text{doy} \\ \text{vendo} \\ \text{compro} \end{cases}$ a ella.

Se las $\begin{cases} \text{escribimos} \\ \text{explicamos} \\ \text{vendemos} \end{cases}$ a ellos.

G. Sigan el modelo.

Le doy los billetes a él.
Se los doy a él.

Le doy los billetes a él. Se los
Les vendo las máscaras a los señores. Se las
Le compro los sellos a ella. Se los
Les doy las piedras a ellos. Se las
Le escribo las cartas a ella. Se las
Les compro las faldas a ellas. Se las
Le compro los sombreros a él. Se los
Les doy las monedas a ellos. Se las

H. Contesten según el modelo.

¿Le lees los poemas a ella?
Sí, se los leo a ella.

¿Le lees los poemas a ella? se los leo
¿Le escribes las cartas a él? se las escribo
¿Les vendes los billetes a ellos? se los vendo
¿Les das las maletas a ellas? se las doy
¿Le compras las camisas a él? se las compro
¿Le compras los zapatos a ella? se los compro
¿Les das las canastas a los indios? se las doy
¿Les vendes los carros a ellos? se los vendo

337

*Read the explanation aloud to the class. Write examples on board. Under-
line direct object once,* ⬡Reglas⬡ *indirect object twice. Draw
arrows to the pronouns that repl
the
noun.*

Note that the indirect object pronouns *le* and *les* change to *se* when used with *lo, los, la,*
or *las. Se* can then mean *a él, a ella, a Ud., a ellos, a ellas,* or *a Uds.* For this reason a
prepositional phrase is often used with *se* to add clarity. Study the following examples.

<u>direct object</u> <u>indirect object</u>

Le doy la moneda a ella.   Le vendo el carro a él.
Se la doy a ella.   Se lo vendo a él.
Les doy los billetes a ellas.   Les vendo las corbatas a ellos.
Se los doy a ellas.   Se las vendo a ellos.

If necessary, go back and repeat Drills C, D, G, and H.

Not recorded   **APLICACIÓN ESCRITA**

*Additional writing
exercises appear in th
accompanyin
Cuaderno d
Ejercicio*

I. Substitute a pronoun for the italicized object and make the necessary changes.
1. Le doy *los poemas* a él.   Se los doy a él.
2. Les escribo *las cartas* a ella. Se las escribo a ella.
3. Le compro *la camisa* a él.   Se la compro a él.
4. Le vendo *el carro* a ella.   Se lo vendo a ella.
5. Les explico *la lección* a los alumnos.   Se la explico a los alumnos.
6. Les vendo *la casa* a ellos.   Se la vendo a ellos.
7. Le doy *el bocadillo* a María.   Se lo doy a María.
8. Les doy *los uniformes* a ellos.   Se los doy a ellos.

J. Follow the model.

¿Qué le escribes a ella? *la carta*
Le escribo la carta a ella.
Se la escribo a ella.

1. ¿Qué le vendes a él? *el carro*   Le vendo el carro a él./Se lo vendo a él.
2. ¿Qué les explicas a ellos? *la lección*   Les explico la lección a ellos./Se la expl
3. ¿Qué les compras a ellas? *las blusas*   Les compro las blusas a ellas./Se las comp
4. ¿Qué le lees a él? *la carta*   Le leo la carta a él./Se la leo a él.
5. ¿Qué le das a él? *el dinero*   Le doy el dinero a él./Se lo doy a él.
6. ¿Qué le das a ella? *los boletos* Le doy los billetes a ella./Se los doy a ella.

K. Rewrite each sentence substituting pronouns for both the direct and indirect objects.
1. Les doy el dinero a los empleados. Se lo doy a los empleados.
2. Le leo los poemas a mi hermano menor. Se los leo a mi hermano menor.
3. El aeromozo les sirve la comida a los pasajeros. El aeromozo se la sirve a los pasa
4. Le escribimos la carta a nuestro primo. Se la escribimos a nuestro primo.
5. Marianela le da el dinero a Celipín. Marianela se lo da a Celipín.
6. Les venden los lápices a los peatones. Se los venden a los peatones.

el complemento con infinitivo

A. Repitan.

Jaime quiere leer el periódico.
Jaime quiere leerlo.
Jaime quiere leerme el periódico.
Jaime quiere leérmelo.
María quiere vender las maletas.
María quiere venderlas.
María quiere venderte las maletas.
María quiere vendértelas.

Keep the exercise animated but slow enough for comprehension.

B. Sigan el modelo.

la casa   Bárbara quiere vender.
Bárbara quiere venderla.

a María   Bárbara quiere invitar   invitarla
la carta   Pablo tiene que escribir   escribirla
el carro   Él tiene que lavar   lavarlo
los billetes   Vamos a comprar   comprarlos
las montañas   La joven quiere subir   subirlas
la colina   El señor tiene que bajar   bajarla
el periódico   Mamá quiere leer   leerlo
la casa   Ellos van a vender   venderla
la carta   Tomás va a escribirme   escribírmela
el dinero   Ella tiene que darte   dártelo
los billetes   Ellos pueden venderme   vendérmelos
las maletas   Él quiere darles   dárselas

C. Contesten según el modelo.

¿Vas a vender la casa?
Sí, voy a venderla.

Voy a

¿Vas a escribir la carta?   escribirla
¿Vas a invitar a María?   invitarla
¿Vas a ayudar a mamá?   ayudarla
¿Vas a leer el periódico?   leerlo
¿Vas a vender el carro?   venderlo
¿Vas a hacer el bocadillo.   hacerlo

Quiero

¿Quieres comprar la blusa?   comprarla
¿Quieres comprar el billete?   comprarlo
¿Quieres comer los mariscos?   comerlos

Tengo que

¿Tienes que escribir la carta?   escribirla
¿Tienes que lavar la ropa?   lavarla
¿Tienes que hablarle a María?   hablarle

D. Contesten según el modelo.

¿Quieres escribirle la carta?
Sí, quiero escribírsela.

¿Quieres venderle el carro?   vendérselo
¿Quieres darles la maleta?   dársela
¿Quieres comprarle los zapatos?   comprárselos
¿Quieres darles las almohadas?   dárselas
¿Vas a darme el dinero?   dártelo
¿Vas a prepararme la comida?   prepararártela
¿Vas a leerme los poemas?   leértelos
¿Vas a enseñarme las lecciones?   enseñártelas

D. First four answers are with Quiero; *last four answers are with* Voy a.

Not recorded — Reglas —

Very often the object pronouns are attached to the infinitive. Note that when two pronouns are added to the infinitive a written accent must appear on the infinitive to maintain the stress in the same place it would be without the pronouns.

La profesora quiere enseñar la lección.
La profesora quiere enseñarla.
La profesora quiere enseñarnos la lección.

Read the explanation to the class. If necessary, return to the previous oral structure drills for reinforcement.

stress
La profesora quiere enseñárnosla.

The object pronouns may also precede the auxiliary verb.

Carlos me quiere dar el dinero.
Carlos me lo quiere dar.

E. Rewrite each sentence substituting a pronoun for the object.
1. Tengo que ayudar a mamá. Tengo que ayudarla.
2. Tienes que hacer el trabajo. Tienes que hacerlo.
3. Quieren vender el carro. Quieren venderlo.
4. Va a comprar los boletos. Va a comprarlos.
5. Puede traer la cesta. Puede traerla.
6. Quiere dar el dinero al pobre. Quiere dárselo.
7. Van a lavar el carro. Van a lavarlo.
8. Preferimos comprar la casa. Preferimos comprarla.
9. Comienzan a leer el poema. Comienzan a leerlo.
10. Empieza a hablar a Juan. Empieza a hablarle.
11. La escuela no puede dar los libros a los alumnos gratis. La escuela no puede dárselos
12. Los alumnos tienen que pagar los libros. Los alumnos tienen que pagarlos.
13. Es necesario llevar uniforme. Es necesario llevarlo.

This point can be omitted with slower groups.

el futuro de los verbos
irregulares *Remind students about the future tense in English.*

tener, salir, venir, poner, poder, saber

él, ella

ellos, ellas

A. Repitan.   *Keep drill lively and repeat more than once.*
Ella lo pondrá aquí.
Él vendrá mañana.
Rosario podrá ver la película.

C. Repitan.
Ellos vendrán mañana.
Carlos y María saldrán para el aeropuerto.
Podrán comprarlos en la ventanilla.

B. Contesten.
¿Tendrá mucho dinero María? tendrá
¿Tendrá bastante tiempo el señor? tendrá
¿Saldrá a tiempo el avión? saldrá
¿Saldrá de Socartes la Nela? saldrá
¿Vendrá en junio su primo? vendrá
¿Vendrá en avión su padre? vendrá
¿Pondrá Estela la televisión en la sala? pondrá
¿Pondrá él la carta en la mesa? pondrá
¿Podrá Carlos hacer el viaje? podrá
¿Podrá Susana visitar el museo? podrá
¿Sabrá Rosa los resultados? sabrá

Repeat the exercise in the negative.

D. Contesten.
¿Tendrán ellos la invitación? tendrán
¿Tendrán los jóvenes bastante trabajo?
¿Saldrán todos en el mismo carro? saldrán
¿Saldrán ellos en tren?
¿Vendrán Alicia y Martín al mesón? vendrán
¿Vendrán tus amigos a la merienda?
¿Pondrán los muchachos el dinero en la mesa? pond
¿Pondrán ellos las almohadas en la cama?
¿Podrán ellos ayudar al ciego?
¿Podrán los muchachos jugar al fútbol? podrán
¿Sabrán ellos el número de teléfono? sabrán

340

yo

E. Repitan. *Point to yourself*
Yo vendré mañana. *to reinforce that*
Saldré para México. *it is the yo*
Podré ayudarte. *form that is*
being taught.
Have students point to
themselves as they repeat.

F. Contesten.
¿Tendrás tiempo?
¿Tendrás que salir mañana? tendré
¿Saldrás en avión?
¿Saldrás con tus amigos? saldré
¿Vendrás en carro?
¿Vendrás solo? vendré
¿Pondrás ajo en el arroz?
¿Pondrás la comida en la mesa? pondré
¿Podrás dormir en esta cama?
¿Podrás encender el farol? podré
¿Sabrás la hora? sabré

tú

G. Repitan.
Pondrás todo en la mesa.
Saldrás en avión.
¿Podrás ir en carro?

H. Sigan las instrucciones.
Pregúntele a alguien si pondrá sal en la comida.
Pregúntele a alguien si saldrá a tiempo.
Pregúntele a alguien si tendrá suerte.
Pregúntele a alguien si vendrá en agosto.
Pregúntele a alguien si podrá ver la película.
H. pondrás   vendrás
   saldrás   podrás
   tendrás

nosotros, nosotras

I. Repitan.
Nosotros pondremos todo en el baúl.
Saldremos temprano.
Tendremos mucho que hacer.

J. Contesten.
¿Tendrán Uds. tiempo? tendremos
¿Tendrán Uds. los billetes?
¿Saldrán Uds. en el primer tren?
¿Saldrán Uds. pronto? saldremos
¿Vendrán Uds. a la merienda?
¿Vendrán Uds. con los otros? vendremos
¿Pondrán Uds. el lechón en el horno?
¿Pondrán Uds. la cesta en el rincón? pondremos
¿Podrán Uds. preparar los tostones?
¿Podrán Uds. leer la poesía? podremos
¿Sabrán Uds. hacerlo? sabremos

Uds.

K. Repitan.
Uds. saldrán mañana.
¿Vendrán Uds. en el verano?

L. Sigan las instrucciones.
Pregúnteles a las muchachas si pondrán los
billetes en la maleta. pondrán Uds.
Pregúnteles a los muchachos si saldrán a las
tres. saldrán Uds.
Pregúnteles a los muchachos si tendrán bas-
tante dinero. tendrán Uds./vendrán Uds.
Pregúnteles a los Gómez si vendrán mañana.
Pregúnteles a los señores si podrán hacer el
viaje. podrán Uds.

Ud.

M. Repitan.
¿Saldrá Ud. mañana, señor?
¿Podrá Ud. ayudar, señora?

N. Sigan las instrucciones.
Pregúntele al señor Flores si tendrá tiempo de
ir al supermercado. tendrá Ud.
Pregúntele a la señorita Rueda si saldrá
mañana. saldrá Ud.
Pregúntele a la señora Maceo si vendrá en
avión. vendrá Ud.
Pregúntele a la señora si sabrá los detalles.
sabrá Ud.

Reglas

The verbs *tener*, *salir*, *venir*, *poner*, *poder*, and *saber* have an irregular root in the future tense.   Study the following forms.

tener	**salir**	**venir**	**poner**	**poder**	**saber**
tendré	saldré	vendré	pondré	podré	sabré
tendrás	saldrás	vendrás	pondrás	podrás	sabrás
tendrá	saldrá	vendrá	pondrá	podrá	sabrá
tendremos	saldremos	vendremos	pondremos	podremos	sabremos
(tendréis)	(saldréis)	(vendréis)	(pondréis)	(podréis)	(sabréis)
tendrán	saldrán	vendrán	pondrán	podrán	sabrán

APLICACIÓN ESCRITA

O. Follow the model.

   Tendré tiempo.   ¿Y tú?
   Yo también tendré tiempo.

1. Ellos tendrán tiempo. ¿Y Uds.? Nosotros también tendremos tiempo.
2. Él vendrá en avión. ¿Y tú?   Yo también vendré en avión.
3. El médico podrá ir. ¿Y el ingeniero? Él también podrá ir.
4. María saldrá temprano. ¿Y tú?   Yo también saldré temprano.
5. Ellos pondrán todo en la cesta. ¿Y Uds.? Nosotros también pondremos todo en la c
6. Yo podré hacerlo. ¿Y los otros?   Ellos también podrán hacerlo.
7. Él saldrá mañana. ¿Y tú?   Yo también saldré mañana.
8. Nosotras tendremos los boletos. ¿Y Carlos? Él también tendrá los boletos.

P. Rewrite each sentence in the future.
1. Juan y Anita salen para el aeropuerto. saldrán
2. ¿A qué hora vienen Uds.? vendrán
3. Tenemos cuidado.   Tendremos
4. Ellos ponen todo en el baúl del carro. pondrán
5. Los alumnos tienen que llevar sus libros en la cartera. tendrán que
6. Salgo a las ocho de la mañana. Saldré
7. Podemos salir mañana.   Podremos
8. Todos vienen en honor del cumpleaños de los gemelos. vendrán
9. Él no tiene bastante dinero. tendrá
10. Venimos a las nueve.   Vendremos
11. ¿A qué hora salen Uds.?   saldrán
12. Vengo en taxi.   Vendré
13. ¿Sabes los resultados?   Sabrás
14. ¿Quién lo sabe?   sabrá

Q. Rewrite each sentence in the present, preterite, and future.

1. Carlos *tener* éxito.

<u>   tiene   </u> hoy.

<u>   tuvo   </u> ayer.

<u>   tendrá   </u> mañana.

2. Nosotros no *poder* ir.

<u>   podemos   </u> hoy.

<u>   pudimos   </u> ayer.

<u>   podremos   </u> mañana.

3. Yo *salir* temprano.

<u>   salgo   </u> hoy.

<u>   salí   </u> ayer.

<u>   saldré   </u> mañana.

4. Ellos *venir* a visitarnos.

<u>   vienen   </u> hoy.

<u>   vinieron   </u> ayer.

<u>   vendrán   </u> mañana.

5. ¿Qué *poner* tú en la mesa?

<u>   pones   </u> hoy.

<u>   pusiste   </u> ayer.

<u>   pondrás   </u> mañana.

Begin to present the vocabulary from Lesson 20 as you are completing this lesson.

Las niñas están en la escuela, Antigua, Guatemala.

ESCENAS
El sistema educativo

Es difícil hablar en general de las escuelas en los países hispánicos. El sistema escolar varía de un país a otro. Pero hay algunas diferencias interesantes entre la mayoría de las escuelas hispanas y nuestras escuelas.

Primero, los alumnos no pueden llevar *blue jeans* o *T-shirts* a la escuela. Generalmente los alumnos usan uniformes y tienen que <u>llevarlos</u> a clase. La mayoría de las escuelas no son mixtas. Es decir, las muchachas y los muchachos no estudian juntos. Suelen ir a escuelas separadas.

En todos los países hispánicos hay escuelas públicas pero muchos alumnos van a escuelas privadas o religiosas. Una escuela secundaria se llama un colegio. En el colegio, cuando el profesor o la profesora hace una pregunta, el alumno o la alumna que va a <u>contestarla</u> tiene que levantarse.

Los alumnos tienen que comprar sus libros. La escuela no <u>se los</u> da gratis. Y casi todos los alumnos llevan sus libros en una cartera.

Allow students to read short passages aloud. Check pronunciation carefully.

Intersperse reading selection with appropriate questions from page 345.

Suelen   they usually

colegio   secondary school

Underscore indicates the structure concepts presented in this lesson.

344

La escuela es un lugar adonde van los alumnos a aprender. En las escuelas hay muy pocas actividades sociales. Por ejemplo, las escuelas no tienen clubes ni equipos deportivos. No hay bailes ni fiestas.

¿Qué dice Ud.? ¿Hay diferencias entre una escuela hispánica y su escuela?

All Latin American countries have a public education system. This system varies from country to country as does the age for compulsory education. Private and parochial schools are quite common throughout Latin America. Many such schools are segregated according to sex. The education is quite formal and strict. Teachers frequently teach in more than one school.

When students enter the university, they immediately begin to specialize in a particular field. The situation in Puerto Rico is quite different from the other areas of Latin America. The educational system of Puerto Rico is quite similar to that of the continental United States.

PREGUNTAS   *Not recorded*

1. ¿Varía el sistema escolar de un país hispánico a otro?
2. ¿Pueden llevar los alumnos *blue jeans* o *T-shirts* a la escuela?
3. ¿Qué tienen que llevar?
4. ¿Van los muchachos y las muchachas a la misma escuela?
5. ¿Hay escuelas públicas en los países hispanos?
6. ¿Van muchos alumnos a escuelas privadas o religiosas?
7. ¿Cómo se llama una escuela secundaria?
8. ¿Qué hacen los alumnos cuando el profesor o la profesora hace una pregunta?
9. ¿Reciben los alumnos sus libros gratis?
10. ¿Tienen que comprarlos?
11. ¿En qué llevan sus libros?
12. ¿Hay muchas actividades sociales en las escuelas?
13. ¿Tienen clubes y equipos deportivos?
14. ¿Tienen fiestas y bailes?

Complete the vocabulary from Lesson 20 as you finish the reading selection.

Composición   *Not recorded*

Answer the following questions to form a paragraph.

¿A qué escuela va Ud.?

¿Cómo va Ud. a la escuela?

¿A qué hora empiezan las clases?

¿Cuántas clases tiene Ud.?

¿Qué clase le gusta más?

¿Tiene Ud. que llevar uniforme a la escuela?

¿Puede Ud. llevar *blue jeans* o un *T-shirt?*

¿Recibe Ud. sus libros gratis de la escuela?

¿Tiene Ud. que llevarlos en una cartera?

¿Le hacen muchas preguntas los profesores?

Cuando Ud. contesta a una pregunta, ¿tiene Ud. que levantarse?

¿Tiene su escuela muchas actividades sociales?

¿Cuáles son algunas actividades sociales que tiene?

PERSPECTIVAS

E		N	L	A	
S	E	S	C	U	E
L		A	S	D	E
L		O	S		P
	A	Í	S		E
S	H	I		S	P

En las escuelas de los países hispánicos los alumnos no pueden llevar blue jeans a las clases.

If you group the following letters correctly, you will reveal a sentence describing some aspect of school life in Hispanic countries.

Á	N	I		C	O
S	L	O		S	A
L	U	M		N	
O	S		N		O
P	U		E	D	
E		N	L	L	E

V	A		R	B	
L		U	E	J	E
	A	N	S		
A	L		A	S	
	C	L		A	
S	E		S		

Entrevista *Not recorded*

¿Vas a una escuela privada o pública? • ¿Es una escuela para muchachos y muchachas? • ¿Tienen Uds. que llevar un uniforme a la escuela? • ¿Tienen Uds. que levantarse cuando contestan a una pregunta? • ¿Les da los libros la escuela o tienen Uds. que comprarlos? • ¿Llevan Uds. sus libros en una cartera? • En su escuela, ¿hay equipos deportivos? • ¿En qué deportes hay equipos? • ¿Hay clubes? • ¿Eres miembro de un club? • ¿De qué club eres miembro?

Actividad *Not recorded*

Look at the following illustrations and tell whether it is a U.S. or Hispanic school. Tell why you think so.

346

After oral work in class, assign a written composition based on the illustration as a homework assignment.

Resumen oral

BASES

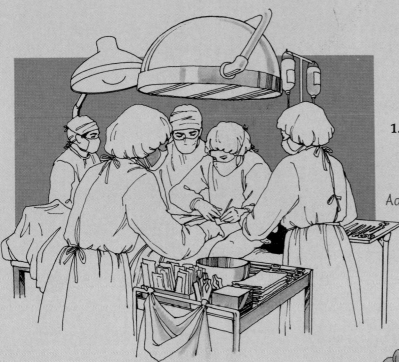

1. Los enfermeros trabajan en el hospital.
Los enfermeros ayudan a los médicos.

Additional questions that can be asked of the vocabulary are:
¿Dónde trabajan los enfermeros?
¿Ayudan a los pacientes?

2. Los bomberos apagan el fuego.
La trabajadora social habla con la familia.

Additional questions:
¿Quiénes apagan el fuego?
¿Con quiénes habla la trabajadora social?

3. Hay anuncios de publicidad en la pared.
Anuncian la venta de muchas mercancías.

Additional questions:
¿Qué hay en la pared?
¿Hay muchas mercancías?

carrera   una profesión, el trabajo
escoger   seleccionar, hacer una selección
actualmente   hoy día, ahora, en el presente
diario   un periódico que se publica todos los días
dominical   un periódico que se publica los domingos
enriquecer   hacer más rico, darle a uno más oportunidad de aprender
extranjero, –a   de otro país

Read the words and definitions aloud. Have class repeat after you. With books open, give the word and allow students to give the definition. With books closed, give the definition and allow students to give the correct word.

el intérprete	bilingüe	transmitir
la intérprete	heterogéneo, –a	publicar
el secretario		utilizar
la secretaria		comunicar
la economía		
el contacto		
la importación		
la exportación		
la opinión		

Check for anglicized pronunciation of these cognates. Insist on accurate pronunciation.

PRÁCTICA

A. Answer each question with a complete sentence.
1. ¿Quiénes trabajan en el hospital?   los enfermeros
2. ¿A quiénes ayudan los enfermeros?   a los médicos
3. ¿Qué apagan los bomberos?   el fuego
4. ¿Ayuda mucho un trabajador social?   sí
5. ¿Hay anuncios de publicidad en la pared?   sí
6. ¿Qué anuncian?   la venta de mercancías
7. ¿Hay periódicos diarios y dominicales?   sí
8. ¿Tienes que escoger uno de los dos?   sí
9. ¿Habla dos idiomas un secretario bilingüe?   sí

B. Form questions according to the model.   *Not recorded*

Los enfermeros trabajan en el hospital.
¿Quiénes trabajan en el hospital?

1. *Los enfermeros* ayudan a los médicos.   ¿Quiénes ayudan a los médicos?
2. Hay *anuncios de publicidad* en la pared.   ¿Qué hay en la pared?
3. Hay anuncios de publicidad *en la pared*.   ¿Dónde hay anuncios de publicidad?
4. El intérprete habla *tres* idiomas.   ¿Cuántos idiomas habla el intérprete?

Not recorded

C. Complete each sentence with an appropriate word.
1. Si no comprendes el idioma, necesitarás un _____.   intérprete
2. Los _____ apagan el fuego.   bomberos
3. Un estudiante tiene que escoger su _____ o profesión.   carrera
4. No es de este país. Es _____.   extranjero
5. Algo·que viene de otro país es una _____.   importación
6. Venden muchas _____ distintas en aquella tienda grande.   mercancías

Not recorded

D. Give the word being defined.
1. un lugar adonde van los enfermos   hospital
2. las personas que ayudan a un médico o a una médica   enfermeros
3. una profesión   carrera
4. de otro país   extranjero
5. una idea que tiene alguien de algo   opinión
6. hacer más rico   enriquecer
7. lo que hacen los bomberos con un fuego   apagar

351

ESTRUCTURAS

el futuro de los verbos irregulares

hacer, decir, querer

A. Repitan.   *Keep drill lively and rapid. Do drill more than once.*

Carlos hará un viaje.
El alumno dirá la verdad.
Ellos querrán ayudar.
Dirán que sí.
Yo haré el bocadillo.
Nosotros se lo diremos.

B. Contesten.

¿Hará un viaje Carlos?
¿Hará él un lechón asado?
¿Dirá que sí el trabajador social?
¿Dirá que sí el ingeniero?
¿Querrá ayudar la enfermera?

¿Harán ellos un viaje al extranjero?
¿Harán ellos estudios universitarios?
¿Dirán que sí los secretarios?
¿Se lo dirán a la médica?
¿Querrán venir los bomberos?
¿Querrán ayudar las trabajadoras sociales?

¿Harás un viaje en avión? haré
¿Harás la comida? haré
¿Dirás que sí? diré
¿Me lo dirás? te lo diré
¿Querrás ayudar? querré
¿Querrás ir a la universidad? querré

¿Harán Uds. el trabajo? haremos
¿Harán Uds. la publicidad? haremos
¿Dirán Uds. que sí? diremos
¿Se lo dirán Uds. al médico? diremos
¿Querrán Uds. leer los anuncios? querr–
¿Querrán Uds. ver la película? emos
   querremos

C. Sigan las instrucciones.

Pregúntele a alguien si dirá la verdad. dirás/dirá
Pregúntele a alguien si hará el viaje a Puerto Rico.   harás/hará Ud.
Pregúnteles a los muchachos si dirán que sí. dirán
Pregúnteles a las muchachas si querrán ayudar. querr
Pregúntele a la señora si hará el trabajo. hará Ud.
Pregúnteles a los señores si querrán el puesto. querr

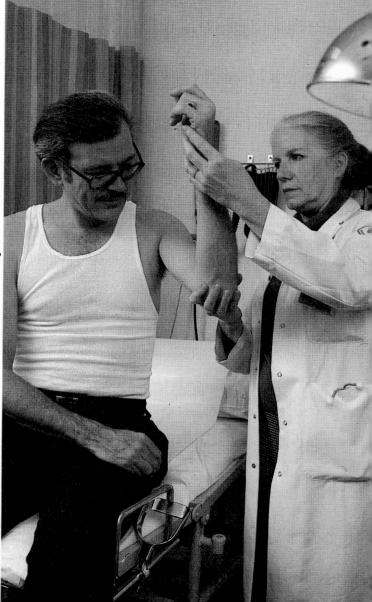

La doctora examina al paciente.

una clínica pública en Miami

Reglas

Not recorded

The verbs *hacer, decir,* and *querer* also have irregular stems in the future tense. Study the following forms.

hacer	decir	querer
haré	diré	querré
harás	dirás	querrás
hará	dirá	querrá
haremos	diremos	querremos
(haréis)	(diréis)	(querréis)
harán	dirán	querrán

APLICACIÓN ESCRITA

Not recorded

D. Follow the model.   *Additional writing exercises appear in the accompanying* Cuaderno de Ejercicios.

Él dirá la verdad.   ¿Y tú?
Yo diré la verdad también.

1. Él hará el viaje.   ¿Y Clarita?   Clarita hará el viaje también.
2. Ellos querrán ir.   ¿Y Uds.?   Querremos ir también.
3. Nosotros haremos el trabajo.   ¿Y tú?   Yo haré el trabajo también.
4. El niño lo hará.   ¿Y sus amigos?   Ellos lo harán también.
5. Ellos dirán que sí.   ¿Y el secretario?   El secretario dirá que sí también.
6. Yo querré terminar.   ¿Y Uds.?   Querremos terminar también.

E. Rewrite each sentence in the future.
1. Ellos dicen que hacen lo que quieren.   dirán, harán, querrán
2. Yo hago el viaje en avión pero los otros quieren ir en tren.   haré, querrán
3. Ellos dicen que Carlos no quiere jugar.   dirán, querrá
4. Nosotros hacemos lo que queremos pero no se lo decimos a nadie.   haremos, querremos, diremos
5. Ellos no quieren decírnoslo pero se lo dicen a sus padres.   querrán, dirán

353

ESCENAS

El idioma español en su carrera

El español es sin duda un idioma que le ayudará en casi cualquier carrera. Posiblemente Ud. me dirá que no sabe exactamente qué carrera o profesión Ud. <u>querrá</u> escoger. Y quizás Ud. <u>tendrá</u> razón. Pero hay que notar que el español ayudará al alumno o a la alumna que <u>hará</u> estudios universitarios y también al alumno o a la alumna que terminará sus estudios con la secundaria.

¿Por qué es tan importante el estudio del español hoy día y por qué le ayudará tanto? Actualmente hay millones de personas de habla española que viven en los Estados Unidos. Muchas de nuestras grandes metrópolis son en realidad ciudades bilingües. Ponen todos los anuncios de publicidad en español e inglés. Hay periódicos diarios y dominicales que se publican en español. Hay emisoras de radio y de televisión que transmiten en español.

casi cualquier   almost any

quizás   perhaps

Allow students to read silently and respond orally to the questions from page 355. Do this paragraph by paragraph.

emisoras   stations

Underscore indicates the structure concepts presented in this lesson.

Por consiguiente no importa si Ud. será bombero, policía, enfermero, cajero en un banco, trabajador en una fábrica, profesor, médico, dependiente en una tienda, abogado o trabajador social. El español es algo que Ud. <u>podrá</u> utilizar. No es solamente para el profesor de español, el intérprete, el aeromozo o el secretario bilingüe.

Posiblemente Ud. trabajará en una compañía con sucursales en uno de los muchos países de habla española. En estos días de empresas multinacionales y una economía basada en contactos internacionales, hay tantas importaciones y exportaciones que miles de puestos en el campo de mercancías existen. En estos puestos un conocimiento del español es muy útil.

Y no se puede olvidar que el conocimiento de un idioma le enriquecerá durante toda su vida. Al poder comunicar con gente de una cultura distinta, de opiniones distintas, de costumbres distintas, uno <u>sabrá</u> lo que es el maravilloso mundo en que vivimos. Pero si uno no puede hablar y tiene que quedarse calladito, ¿qué aprenderá?

Así el estudio del español nos sirve en lo práctico mientras nos enriquece en lo cultural.

no importa   it doesn't matter
fábrica   factory
dependiente   sales clerk
abogado   lawyer

empresas   businesses

puestos   jobs
conocimiento   knowledge
útil   useful

quedarse calladito   remain silent

PREGUNTAS   *Not recorded*

1. ¿Le ayudará el español en casi cualquier carrera?
2. ¿Sabe Ud. qué carrera escogerá?
3. Para usar el español, ¿tiene Ud. que ir a la universidad?
4. ¿Qué hay actualmente en los Estados Unidos?
5. ¿Son bilingües algunas de nuestras grandes ciudades?
6. ¿Cuáles son algunas?
7. ¿En qué idiomas ponen los anuncios?
8. ¿Qué se publica en español?
9. ¿Qué transmite en español?
10. ¿Cuáles son algunas profesiones o carreras?
11. ¿Hay muchas compañías extranjeras con sucursales en los países de habla española?
12. Hoy día, ¿hay muchas importaciones y exportaciones?
13. ¿Hay muchos puestos en el campo de mercancías?
14. ¿Nos sirve en lo práctico y en lo cultural el estudio del español?

Composición   *Not recorded*

Write a short autobiography and tell what you would like to do in the future.

PERSPECTIVAS

Crucigrama

Complete the following crossword puzzle.

(completed crossword grid with letters)

Horizontal

1. Hay emisoras de _____ que transmiten en español.
5. Vamos a la _____ a nadar.
12. _____ enfermero trabaja en el hospital.
13. ¿Quieres ir? _____, no sé.
14. La niña es _____, no fea.
16. Hay _____ de empresas multinacionales.
17. ¿Puedes jugar? _____, no sé.
18. No quiero _____. Voy a quedarme aquí.
20. ¿Prefieres carne _____ pescado?
21. Ella está _____ de leer tantos libros de caballeros andantes.
23. No está en el _____; está en el sur.
25. No hay mucho _____; tenga prisa.
27. ¿Con quién habl____ tú?
28. Hay muchos anuncios _____ _____ pared. (dos palabras)
29. El niño le da un _____ a su papá.
33. ¡Cuidado! Vas a _____.
35. Quiero este diario, no _____ diario.
36. ¿Trabaj____ tú en un hospital?
37. _____ agente social habla con la familia.
38. Él _____ afeita cada día.
39. La _____ y las estrellas están en el cielo.
40. _____ extranjero es una persona de otro país.
41. Los bomber____ apagan el fuego.
42. Ella _____ que es verdad.
45. Es el mismo. Es _____.
46. No me gusta la _____. Sólo como vegetales.
47. Niño, ¡ven _____ ahora!
49. ¿_____ tú el periódico?
50. ¿Tiene Ud. _____ maletas?
51. ¡Llama al bombero! Hay un _____.
52. No va en coche. Anda a _____.
54. _____ intérprete habla tres idiomas.
55. Quiere _____ jugador de fútbol.
57. Los tech____ son de paja.
58. Yo _____ bien la lección.
59. No van con nadie. Ellos van _____.
61. Mira la televisión en la _____.
64. Yo leo el libro _____. Lo termino.
65. Los _____ matan al toro.

Vertical

1. Ella lo dice de nuevo. Lo _____.
2. Voy _____ hospital.
3. ¿Qué _____ hablas, inglés o español?
4. ¿Quieres ir _____ no?
5. El alumno _____ los libros en la mesa.
6. Yo _____ doy el dinero al empleado.
7. No son brazos; son las _____ del molino.
8. Víctor _____ David van a la plaza.
9. Los _____ de viaje hablan varios idiomas.
10. _____ economía no es buena.
11. Usan el aceite como _____ de la comida.
13. Los jugadores tiran la _____.
15. _____ el español cuando viajo.
19. La niña mala duerme en un _____ de la cocina.
22. ¿Qué _____ prefieres, la de bombero o la de médico?
24. La casa está a las orillas del _____ Nilo.
26. _____ fuego es grande.
29. Ella tiene sed. _____ algo.
30. En las _____ tropicales hay mucha vegetación.
31. ¿Hablas español _____ inglés?
32. Escojo _____ mesa, no ésta.
33. _____ lo he terminado.
34. Sancho es el _____ de don Quijote.
36. Ponga Ud. el _____ de publicidad en la pared.
37. ¿Dónde está el libro? No _____ veo.
40. Se usan _____ para hacer vino.
43. _____ van juntos.
44. Carmen, ¿dónde están _____ padres?
46. Tengo frío. Voy a _____ la ventana.
48. ¿_____ es?
51. La _____ es muy bonita.
53. Me gustan _____ platos, no éstos.
54. _____ muchacho es más alto que éste.
56. _____ me gusta mucho.
58. Victoria _____ lava.
60. ¿Dónde _____ puso?
62. Yo _____ doy el boleto a él.
63. Tengo que tom____ dos pastillas.

Resumen oral

Have students describe each illustration. The oral work may be reinforced in writing.

Números

1	uno	
2	dos	
3	tres	
4	cuatro	
5	cinco	
6	seis	
7	siete	
8	ocho	
9	nueve	
10	diez	
11	once	
12	doce	
13	trece	
14	catorce	
15	quince	
16	dieciséis	
17	diecisiete	
18	dieciocho	
19	diecinueve	
20	veinte	
21	veintiuno	
22	veintidós	
23	veintitrés	
24	veinticuatro	
25	veinticinco	
26	veintiséis	
27	veintisiete	
28	veintiocho	
29	veintinueve	
30	treinta	
31	treinta y uno	
32	treinta y dos	
33	treinta y tres	
34	treinta y cuatro	
35	treinta y cinco	
36	treinta y seis	
37	treinta y siete	
38	treinta y ocho	
39	treinta y nueve	
40	cuarenta	

50	cincuenta
60	sesenta
70	setenta
80	ochenta
90	noventa
100	ciento (cien)
105	ciento cinco
113	ciento trece
117	ciento diecisiete
122	ciento veintidós
134	ciento treinta y cuatro
148	ciento cuarenta y ocho
160	ciento sesenta
200	doscientos
250	doscientos cincuenta
277	doscientos setenta y siete
300	trescientos
400	cuatrocientos
500	quinientos
600	seiscientos
700	setecientos
800	ochocientos
900	novecientos
1000	mil
1004	mil cuatro
1015	mil quince
1031	mil treinta y uno
1492	mil cuatrocientos noventa y dos
1861	mil ochocientos sesenta y uno
1970	mil novecientos setenta
2000	dos mil
10.000	diez mil
40.139	cuarenta mil ciento treinta y nueve
100.000	cien mil
785.026	setecientos ochenta y cinco mil veintiséis
1.000.000	un millón
50.000.000	cincuenta millones

Horas

1:00	Es la una.
2:00	Son las dos.
3:00	Son las tres.
4:00	Son las cuatro.
5:00	Son las cinco.
6:00	Son las seis.
7:00	Son las siete.
8:00	Son las ocho.
9:00	Son las nueve.
10:00	Son las diez.
11:00	Son las once.
12:00	Son las doce.
3:15	Son las tres y cuarto.
2:45	Son las tres menos cuarto.
4:30	Son las cuatro y media.
5:30	Son las cinco y media.
2:10	Son las dos y diez.
1:50	Son las dos menos diez.
1:10	Es la una y diez.
12:50	Es la una menos diez.
1:15	Es la una y cuarto.
1:30	Es la una y media.

Días

lunes
martes
miércoles
jueves
viernes
sábado
domingo

Meses

enero
febrero
marzo
abril
mayo
junio
julio
agosto
septiembre
octubre
noviembre
diciembre

Verbos

regular verbs		**hablar**	**comer**	**escribir**
		to speak	*to eat*	*to write*
	present	hablo	como	escribo
		hablas	comes	escribes
		habla	come	escribe
		hablamos	comemos	escribimos
		(habláis)	(coméis)	(escribís)
		hablan	comen	escriben
	preterite	hablé	comí	escribí
		hablaste	comiste	escribiste
		habló	comió	escribió
		hablamos	comimos	escribimos
		(hablasteis)	(comisteis)	(escribisteis)
		hablaron	comieron	escribieron
	future	hablaré	comeré	escribiré
		hablarás	comerás	escribirás
		hablará	comerá	escribirá
		hablaremos	comeremos	escribiremos
		(hablaréis)	(comeréis)	(escribiréis)
		hablarán	comerán	escribirán

present tense of stem-changing verbs

first class stem-changing verbs

-ar *verbs*		**-er** *verbs*	
e–ie	*o–ue*	*e–ie*	*o–ue*
sentar[1]	**mostrar**[2]	**perder**[3]	**volver**[4]
to seat	*to show*	*to lose*	*to return*
siento	muestro	pierdo	vuelvo
sientas	muestras	pierdes	vuelves
sienta	muestra	pierde	vuelve
sentamos	mostramos	perdemos	volvemos
(sentáis)	(mostráis)	(perdéis)	(volvéis)
sientan	muestran	pierden	vuelven

[1] *cerrar, comenzar, empezar,* and *pensar* are similar
[2] *acostar* and *costar* as well as *jugar (u–ue)* are similar
[3] *defender* and *entender* are similar
[4] *llover* is similar

-ir verbs

second class		third class
e–ie	*o–ue*	*e–i*
preferir	**morir**[5]	**pedir**[6]
to prefer	*to die*	*to ask for*
prefiero	muero	pido
prefieres	mueres	pides
prefiere	muere	pide
preferimos	morimos	pedimos
(preferís)	(morís)	(pedís)
prefieren	mueren	piden

irregular verbs

andar *to walk, to go*
preterite anduve, anduviste, anduvo, anduvimos, anduvisteis, anduvieron

conocer *to know, to be acquainted with*
present conozco, conoces, conoce, conocemos, conocéis, conocen

dar *to give*
present doy, das, da, damos, dais, dan
preterite di, diste, dio, dimos, disteis, dieron

decir *to say, to tell*
present digo, dices, dice, decimos, decís, dicen
preterite dije, dijiste, dijo, dijimos, dijisteis, dijeron
future diré, dirás, dirá, diremos, diréis, dirán

estar *to be*
present estoy, estás, está, estamos, estáis, están
preterite estuve, estuviste, estuvo, estuvimos, estuvisteis, estuvieron

hacer *to do, to make*
present hago, haces, hace, hacemos, hacéis, hacen
preterite hice, hiciste, hizo, hicimos, hicisteis, hicieron
future haré, harás, hará, haremos, haréis, harán

ir *to go*
present voy, vas, va, vamos, vais, van
preterite fui, fuiste, fue, fuimos, fuisteis, fueron

---

[5] *dormir* is similar
[6] *reír, repetir, seguir, servir,* and *vestir* are similar

poder *to be able*

present puedo, puedes, puede, podemos, podéis, pueden
preterite pude, pudiste, pudo, pudimos, pudisteis, pudieron
future podré, podrás, podrá, podremos, podréis, podrán

poner *to put, to place*

present pongo, pones, pone, ponemos, ponéis, ponen
preterite puse, pusiste, puso, pusimos, pusisteis, pusieron
future pondré, pondrás, pondrá, pondremos, pondréis, pondrán

querer *to wish, to want*

present quiero, quieres, quiere, queremos, queréis, quieren
preterite quise, quisiste, quiso, quisimos, quisisteis, quisieron
future querré, querrás, querrá, querremos, querréis, querrán

saber *to know*

present sé, sabes, sabe, sabemos, sabéis, saben
preterite supe, supiste, supo, supimos, supisteis, supieron
future sabré, sabrás, sabrá, sabremos, sabréis, sabrán

salir *to leave, to go out*

present salgo, sales, sale, salimos, salís, salen
future saldré, saldrás, saldrá, saldremos, saldréis, saldrán

ser *to be*

present soy, eres, es, somos, sois, son
preterite fui, fuiste, fue, fuimos, fuisteis, fueron

tener *to have*

present tengo, tienes, tiene, tenemos, tenéis, tienen
preterite tuve, tuviste, tuvo, tuvimos, tuvisteis, tuvieron
future tendré, tendrás, tendrá, tendremos, tendréis, tendrán

traer *to bring*

present traigo, traes, trae, traemos, traéis, traen
preterite traje, trajiste, trajo, trajimos, trajisteis, trajeron

venir *to come*

present vengo, vienes, viene, venimos, venís, vienen
preterite vine, viniste, vino, vinimos, vinisteis, vinieron
future vendré, vendrás, vendrá, vendremos, vendréis, vendrán

Vocabulario

The number following each entry indicates the lesson in which the word is first presented.
Note that *CP* refers to *Un chico pobre,* P refers to *Poesía,* and M refers to *Marianela.*

A

a   *to, at, by, personal* a *(do not translate)*   2
  a bordo   *on board*   9
  a lo lejos   *in the distance*   M
  a propósito   *by the way*   13
  a tiempo   *on time*   9
  a veces   *sometimes*   4
abierto, –a   *open*   18
abogado   *m lawyer*   20
abrir   *to open*   6
absurdo, –a   *absurd*   M
abuela   *f grandmother*   7
abuelo   *m grandfather*   7
acabarse   *to finish*   14
accidente   *m accident*   10
aceite   *m oil*   CP
  aceite de oliva   *m olive oil*   17
aceituna   *f olive*   13
acera   *f sidewalk*   14
acercarse   *to approach*   M
acompañar   *to accompany*   13
acostar (ue)   *to put to bed*   12
  acostarse   *to go to bed*   12
actividad   *f activity*   17
actual   *present, of the present time*   9
actualmente   *presently*   20
adaptar   *to adapt*   P
además   *besides*   10
adiós   *good-bye*   11
adivinar   *to guess*   8
¿adónde?   *where?*   5
adorar   *to adore*   M
aeromoza   *f flight attendant, stewardess*   9
aeromozo   *m flight attendant, steward*   9
aeropuerto   *m airport*   9
afeitarse   *to shave*   12
aficionado, –a,   *fond of*   8
agencia   *f agency*   18

agencia de viajes   *f travel agency*   18
agente   *m or f agent*   20
  agente social   *m or f social worker*   20
agua   *f water*   12
ahora   *now*   4
aire   *m air*   5
  al aire libre   *outdoor*   5
aislado, –a   *isolated*   6
ajo   *m garlic*   17
alarma   *f alarm*   M
alcachofa   *f artichoke*   17
alcapurrias   *f stuffed banana leaves*   9
alegría   *f joy*   M
alemán, –a   *German*   7
algo   *something, anything*   11
alguien   *someone*   11
alguno, –a   *some*   9
alma   *f soul*   P
almeja   *f clam*   17
almohada   *f pillow*   M
almorzar (ue)   *to have lunch*   12
almuerzo   *m lunch*   12
alpaca   *f alpaca*   15
alquilar   *to rent*   5
alrededor (de)   *around*   CP
alto, –a   *tall, high*   1
altura   *f height, altitude*   11
alumna   *f student*   2
alumno   *m student*   2
allá   *over there*   11
allí   *there*   5
amarillo, –a   *yellow*   17
americano, –a   *American*   1
amiga   *f friend*   1
amigo   *m friend*   2
andaluz, –a   *of or from Andalucía*   13
andar   *to walk, to go*   14
andén   *m platform*   11
andino, –a   *from the Andes*   11

animal   *m animal*   CP
anoche   *last night*   13
anónimo, –a   *anonymous*   14
antepecho   *m bridge rail*   M
antes (de)   *before*   M
antiguo, –a   *old*   5
anunciador   *m announcer*   9
anunciadora   *f announcer*   9
anunciar   *to announce*   9
anuncio   *m announcement, ad*   20
  anuncio de publicidad   *m advertisement*   20
añadir   *to add*   17
año   *m year*   7
  tener . . . años   *to be . . . years old*   7
apagar   *to put out, to extinguish*   20
aparecer   *to appear*   14
apartamiento   *m apartment*   11
apetecer   *to tempt (food)*   18
aprender   *to learn*   14
aquel   *that*   11
aquí   *here*   8
árbol   *m tree*   10
argentino, –a   *of or from Argentina*   7
armar un jaleo   *to cut up, to fool around*   13
arte   *m art*   10
artista   *m or f artist*   P
arreglar   *to arrange*   7
arroz   *m rice*   17
asado, –a   *roasted*   17
ascendencia   *f origin, background*   10
así   *so, thus, in this manner*   CP
asno   *m mule*   16
aspa   *f arm of a windmill*   16
aspecto   *m aspect*   17

atacar *to attack* 16
ataque *m attack* 16
atención *f attention* 9
aterrizar *to land* 9
aula *f hall, classroom* 19
auto *m car* 11
autobús *m bus* 13
autor *m author* 14
autora *f author* 14
aventura *f adventure* 16
aviación *f aviation* 9
avión *m airplane* 9
ayer *yesterday* 12
ayuda *f help* CP
ayudar *to help* CP
azafrán *m saffron* 17
azul *blue* 11

B

bacalao *m codfish* 9
bailar *to dance* 7
baile *m dance* 9
bajar *to descend, to go down* 10
bajo, –a *short, low* 1
banco *m bank* 18
baño *m bath* 12
  cuarto de baño *m bathroom* 12
  traje de baño *m bathing suit* 12
barba *f beard* 12
barquito *m small boat* 5
barrio *m neighborhood* 14
basado, –a *based* 20
base *f base, basis* 17
básquetbol *m basketball* 8
bastante *enough* 12
baúl *m trunk* 9
beber *to drink* 11
béisbol *m baseball* 8
bendito, –a *blessed* 9
besar *to kiss* 18
beso *m kiss* 18
bestia *f beast* CP
bicicleta *f bicycle* 18
bien *well* 3
bife *m beef* 10
bilingüe *bilingual* 20
billete *m ticket* 9

billete de ida y vuelta *m round-trip ticket* 11
blanco, –a *white* CP
blusa *f blouse* 8
boca *f mouth* M
bocadillo *m sandwich* 5
boleto *m ticket* 9
  boleto de retorno *m return ticket* 18
bolsa *f pocketbook, bag* 4
bolsillo *m pocket* 11
bombero *m fire fighter* 20
bondad *f goodness* 16
bonito, –a *pretty* 1
bordo *m board* 9
  a bordo *on board* 9
borinqueño, –a *of or from Puerto Rico* 9
bosque *m forest* 7
brazo *m arm* 16
brillar *to shine* M
bueno, –a *good* 4
buscar *to look for* CP

C

caballero *m gentleman* 16
  cabellero andante *knight errant* 16
caballo *m horse* 16
cabeza *f head* 8
cacahuate *m peanut* 14
cada *each* 8
caer *to fall* M
café *m café, coffee, coffee shop* 12
cafetería *f cafeteria* 12
cajero *m cashier* 18
calidad *f quality* 6
calor *m heat* 4
  hacer calor *to be warm, hot (weather)* 4
calladito, –a *silent* 20
callarse *to be quiet* 14
calle *f street* 7
cama *f bed* 12
camarón *m shrimp* 17
cambiar *to change* CP
cambio *m change, rate of exchange* 18

camino *m road* 16
camisa *f shirt* 9
camping *m camping* 12
campo *m field, country* 8
  campo de fútbol *m football field* 8
canasta *f basket* 5
cancha de esquí *f ski resort* 10
canoa *f canoe* 15
cansado, –a *tired* 7
cantar *to sing* 4
cantidad *f quantity, amount* 6
capacidad *f capacity* 6
capital *f capital* 4
cara *f face* 12
cárcel *f jail* CP
carne *f meat* 6
  carne de res *f beef* 11
carta *f letter* 6
cartera *f briefcase* 19
carrera *f career, profession* 20
carretera *f highway* 15
carro *m car* 9
casa *f house* 3
casarse *to get married* M
casi *almost* 20
catarro *m cold* 7
causar *to cause* 14
celebrar *to celebrate* 7
cena *f dinner* 12
cenar *to dine* 10
centro *m center* 6
cepillar *to brush* 12
cerca (de) *near* 6
cercano *nearby* 15
cerrado, –a *closed* 18
cerrar (ie) *to close* 18
cesta *f basket* M
ciao *Italian for good-bye* 12
ciego, –a *blind* 14
cielo *m sky, heaven* M
cien *one hundred* 5
cierto, –a *certain* M
cine *m movie, movie theater* 6
cinturón *m belt* 9
  cinturón de seguridad *seat belt* 9
cita *f appointment* 18
ciudad *f city* 6
claro *of course* 7

Dios *m* God M
director *m* director CP
directora *f* director CP
disco *m* record 7
discoteca *f* discotheque 12
discutir *to discuss* 9
disfrutar *to enjoy* 12
distancia *f* distance M
distinto, –a *different* 5
doblar *to fold* 17
doctor *m* doctor M
doctora *f* doctor M
doméstico, –a *domestic* M
domingo *m* Sunday 5
dominical *m* Sunday
  newspaper 20
donde *where* 3
¿dónde? *where?* 3
dormir (ue) *to sleep* 12
dos *two* 2
duda *f* doubt 6
durante *during* 6
duro, –a *hard, rough* 15

E

economía *f* economy 20
echar *to throw* 7
  echar una siesta *to take a*
  nap 7
Edad Media *f* Middle
  Ages 13
edificio *m* building 13
educación *f* education M
el *the* 1
él *he* 1
eléctrico, –a *electric* 15
elegante *elegant* 5
ella *she* 1
ellas *they* 2
ellos *they* 2
emisora *f* broadcasting
  station 20
empezar (ie) *to start, to*
  begin 8
empleada *f* employee 5
empleado *m* employee 5
empresa *f* business 20
en *in* 2
  en aquel entonces *at that*
  time 15
  en cuanto *as soon as* M
  en punto *exactly* 18

en seguida *at once,*
  immediately 15
encantar *to enchant* 18
encender (ie) *to light* M
enchilada *f* filled tortilla 17
encima *on top* 17
encontrar (ue) *to find* 15
enemiga *f* enemy 16
enemigo *m* enemy 16
enfermera *f* nurse 20
enfermero *m* nurse 20
enfermo, –a *sick* 7
enfrente (de) *across from, in*
  front of 5
enorme *enormous* 6
enriquecer *to enrich* 20
enrollar *to roll* 17
ensalada *f* salad 6
enseñar *to teach* 3
entero, –a *whole* 11
enterrado, –a *buried* CP
entrar *to enter* CP
entre *among, between* M
entremés *m* hors d'oeuvre 13
episodio *m* episode 16
este *this* 11
estilo *m* style 17
estimado, –a *esteemed* 16
estrella *f* star M
estructura *f* structure 10
estudiante *m or f* student 13
estudiar *to study* 3
estudio *m* study 9
estúpido, –a *stupid* M
europeo, –a *European* 10
exactamente *exactly* 18
exacto, –a *exact* 18
examinar *to examine* 10
excepción *f* exception 8
existencia *f* existence 15
éxito *m* success CP
  tener éxito *to be*
  successful M
expedición *f* expedition 16
explicar *to explain* 10
exportación *f* export 20
expresión *f* expression 18
extender (ie) *to extend* M
extensión *f* extension 15
extenso, –a *wide* 17
extranjero, –a *foreign* 20
extraño, –a *strange* 10

equipo *m* team 8
escoger *to choose* 20
escolar *scholastic* 19
escribir *to write* 6
escuchar *to listen to* 7
escudero *m* squire 16
escuela *f* school 2
ese *that* 11
español, –a *Spanish* 3
especialidad *f* specialty 11
espejo *m* mirror 12
esperar *to wait, to wait for* 11
esquí *m* skiing 8
  esquí acuático *m* water
  skiing 12
esquiar *to ski* 10
esquina *f* corner 13
establecer *to establish* 15
establecimiento *m* establish-
  ment 15
estación *f* season, station 4
  estación de ferrocarril
  f railroad station 11
estadista *m or f* in favor of
  statehood 9
estado *m* state 9
  estado libre asociado
  m commonwealth 9
  Estados Unidos *m pl*
  United States 8
estar *to be*
estatura *f* stature M

F

fábrica *f* factory 20
fabuloso, –a *fabulous* 6
fácil *easy* 8
facultad *f* faculty 6
falda *f* skirt 12
familia *f* family 3
famoso, –a *famous* 4
fantástico, –a *fantastic* 6
farol *m* street light M
favor *m* favor 17
febrero *m* February 4
feliz *happy* M
fenómeno *m* phenomenon 14
feo, –a *ugly* 1
ferrocarril *m* railroad 11
festivo, –a *festive* 17
fiel *loyal* 16
fiesta *f* party 7

figura *f* *figure* 14
fijo, –a *fixed* 5
fila *f* *line, row* 18
filosofía *f* *philosophy* 10
finca *f* *farm* CP
fino, –a *fine* 4
flaco, –a *thin* 16
flamenco *m* *flamenco* 13
foto *f* *photograph* 4
francés, –a *French* 7
frecuencia *f* *frequency* CP
frecuentar *to frequent* 13
freír *to fry* 17
fresco, –a *fresh, cool* 8
frijol *m* *bean* 17
frío *m* *cold* 10
  hacer frío *to be cold*
    (weather) 10
fruta *f* *fruit* 14
fuego *m* *fire* 20
fuerte *strong* CP
furia *f* *fury* 16
fútbol *m* *soccer* 8
futuro *m* *future* 4

G

ganar *to win, to earn* 8
garganta *f* *throat* 10
garúa *f* *fog* 11
gaseosa *f* *soft drink* 18
gemela *f* *twin* 7
gemelo *m* *twin* 7
general *general* 8
generalidad *f* *generality* 6
generalmente *generally* 7
generoso, –a *generous* M
gente *f* *people* 6
geografía *f* *geography* 15
gigante *m* *giant* 16
gigantesco, –a *gigantic* 16
gobierno *m* *government* 10
golf *m* *golf* 8
gordo, –a *fat* 16
gozar (de) *to enjoy* 9
gracias *thank you* 3
gramática *f* *grammar* 10
grande *big, large* 6
gratis *free* 19
gritar *to shout* M
grueso, –a *thick* 15
grupo *m* *group* 7

guapo, –a *handsome* 1
guerra *f* *war* CP
guía *m or f* *guide* 10
  guía telefónica *telephone*
    book 10
guisante *m* *pea* 10
guitarra *f* *guitar* 4
gusano *m* *worm* 10
gustar *to be pleasing, to like* 17
gusto *m* *pleasure* 9

H

habitante *m or f*
  inhabitant 15
hablar *to speak, to talk* 3
hacer *to do, to make* 4
  hacer buen tiempo *to be nice*
    (weather) 4
  hacer calor *to be hot, to be*
    warm (weather) 4
  hacer caso *to pay*
    attention 16
  hacer fresco *to be cool*
    (weather) 8
  hacer frío *to be cold*
    (weather) 10
  hacer la maleta *to pack one's*
    suitcase 9
  hacer sol *to be sunny* CP
  hacer un viaje *to take a*
    trip 9
hacia *toward* 16
hambre *f* *hunger* CP
hasta *until* 11
  hasta luego *see you later* 12
hawaiano, –a *Hawaiian* 11
hay *there is, there are* 4
herido, –a *wounded* 16
hermana *f* *sister* 2
hermano *m* *brother* 2
heterogéneo, –a
  heterogeneous 20
hija *f* *daughter* 7
hijo *m* *son* 7
hispánico, –a *Hispanic,*
  Spanish 7
hispano, –a *Hispanic,*
  Spanish 19
hispanoamericano, –a *Spanish*
  American 8

historia *f* *history, story* 10
hola *hello* 1
hombre *m* *man* 7
honor *m* *honor* 7
hora *f* *hour* 7
horario *m* *schedule, hours* 18
horno *m* *oven* 17
hospital *m* *hospital* 10
hotel *m* *hotel* 10
hoy *today* 5
  hoy día *nowadays* 20
huérfano *m* *orphan* CP
huerta *f* *orchard, grove* 6
humilde *humble* CP

I

ida y vuelta *round trip* 11
  billete de ida y vuelta *round-*
    trip ticket 11
idea *f* *idea* 4
ideal *ideal* 16
idealista *m or f* *idealist* 16
idioma *m* *language* 20
ídolo *idol* CP
iglesia *f* *church* 6
igual *same, equal* 12
ilusión *f* *illusion, dream* CP
imaginado, –a *imaginary* 16
imaginar *to imagine* 13
importación *f* *import* 20
importante *important* 6
importar *to be important* 10
  no importa *it doesn't*
    matter 10
imposible *impossible* 5
inca *m or f* *Inca* 11
inclinar *to lean, to tilt* M
independentista *m or f* *in*
  favor of independence 9
independiente *independent* 9
indicar *to indicate* 9
indio, –a *Indian* 6
individualista *individualistic* 8
influencia *f* *influence* 11
informal *informal* 12
ingeniera *f* *engineer* M
ingeniero *m* *engineer* M
inglés, –a *English* 3
inmediatamente *immediately*
  15
insistir *to insist* M

instante *m* *moment,*
   instant 16
instrumento *m* *instrument*
   18
inteligente *intelligent* 6
interés *m* *interest* 9
interesante *interesting* 6
interior *interior* 15
internacional *international* 9
intérprete *m or f*
   interpreter 20
interrumpir *to interrupt* 18
invierno *m* *winter* 10
invitación *f* *invitation* 19
invitar *to invite* 13
ir *to go* 5
irlandés, –a *Irish* 7
isla *f* *island* 9
italiano, –a *Italian* 7

J

jamás *ever, never* 16
jamón *m* *ham* 5
jarro *m* *jug, pitcher* 14
joven *young* 8
   m or f *young person* 8
jugador *m* *player* 8
jugadora *f* *player* 8
jugar (ue) *to play* 8
jugo *m* *juice* 10
junto, –a *together* 5

L

la *the, her* 1
   you, it 11
lado *m* *side* 12
   al lado de *alongside of* 12
ladrar *to bark* M
lago *m* *lake* 5
langosta *f* *lobster* 17
lanza *f* *spear* 16
lápiz *m* *pencil* 14
lástima *f* *pity!* M
   ¡qué lástima! *what a pity!* M
latinoamericano, –a *Latin*
   American 8
lavar *to wash* 12
le *him, to him, for him, to her,*
   for her, you, to you, for
   you 14
lección *f* *lesson* 10

lechón *m* *pork* 17
leer *to read* 6
legumbre *f* *vegetable* 17
lejos (de) *far (from)* 6
lengua *f* *language* 6
les *them, to them, for them, you,*
   to you, for you (plural) 14
levantar *to raise* 12
   levantarse *to get up* 12
libro *m* *book* 7
limeño, –a *of or from Lima* 11
limonada *f* *lemonade* 4
limpiabotas *m* *person who*
   shines shoes 14
limpiar *to clean* 14
literatura *f* *literature* 10
lo *it, him* 11
   lo que *what, that* 15
loco, –a *crazy* 16
lucha *f* *fight, struggle* 15
luchar *to fight* 14
luego *then, later* 5
lugar *m* *place* 15
luna *f* *moon* 4
luz *f* *light* 9

LL

llama *f* *llama* 15
llamada *f* *call* 9
llamar *to call* CP
   llamarse *to be called, to be*
   named 12
llegar *to arrive* 6
llevar *to carry, to take, to*
   wear 4
llorar *to cry* M
llover (ue) *to rain* 11

M

machete *m* *machete* 15
madre *f* *mother* 6
madrileño, –a *of or from*
   Madrid 12
magnífico, –a *magnificent* 10
maíz *m* *corn* 6
mal *m* *evil, bad* 16
maleta *f* *suitcase* 9
   hacer la maleta *to pack one's*
   suitcase 9
malo, –a *bad* 10

mamá *f* *mama* 10
manera *f* *manner, way* 17
mano *f* *hand* 8
mañana *f* *morning* 7
   m *tomorrow* 7
mapa *m* *map* 15
mar *m* *sea* 4
marea *f* *tide* 15
marisco *m* *shellfish* 17
más *more* 8
máscara *f* *mask* 11
   máscara de oxígeno *oxygen*
   mask 11
matador *m* *matador,*
   bullfighter CP
matar *to kill* CP
mate *m* *a special herb tea* 11
matrimonio *m* *matrimony* M
mayoría *f* *majority* 8
me *me, to me, for me* 13
médica *f* *doctor* 10
médico *m* *doctor* 10
medio, –a *half, middle* 11
mediodía *m* *noon* 17
mejilla *f* *cheek* 18
mejillón *m* *variety of*
   mussel 17
mejor *better* 18
   mejor dicho *better said* 13
melancólico, –a *melancholy* M
menor *younger* M
menos *less* 5
menú *m* *menu* 10
mercado *m* *market* 5
mercancía *f* *merchandise* 20
merienda *f* *light afternoon*
   meal or snack, picnic 5
mes *m* *month* 4
mesa *f* *table* 4
mesero *m* *waiter* 10
mesón *m* *pub, inn* 13
mestizo *m* *mestizo, person of*
   Spanish and Indian
   origin 11
meter *to put, to place* 14
metrópoli *f* *metropolis* 15
mexicano, –a *Mexican* 2
mi *my* 9
miembro *m* *member* 19
mientras *while* 4
miga *f* *crumb* CP
mil *thousand* 20

millón *m million* 15
millonario *m millionaire* CP
mina *f mine* M
mirar *to look at, to watch* 3
mismo, –a *same* 6
misterio *m mystery* 16
misterioso, –a *mysterious* 16
moderno, –a *modern* 5
molino de viento *m*
  windmill 16
moneda *f coin, money* M
monja *f nun* CP
montaña *f mountain* 6
montañoso, –a
  mountainous 15
montar *to mount* 16
monte *m mountain* P
montón *m great amount,*
  many 12
monumento *m monument* 5
morir (ue) *to die* CP
mostrador *m counter* 13
mostrar (ue) *to show* 9
motivo *m motive* 18
mover (ue) *to move* 16
muchacha *f girl* 1
muchacho *m boy* 1
mucho, –a *much* 3
muerto, –a *dead* CP
mujer *f woman* M
mula *f mule, donkey* 16
mundo *m world* 8
museo *m museum* 13
música *f music* 10
muy *very* 3

N

nacer *to be born* CP
nacimiento *m birth* M
nación *f nation* CP
nacional *national* 9
nacionalidad *f nationality* 3
nada *nothing* 5
nadar *to swim* 4
nadie *no one* CP
naranja *f orange* CP
natación *f swimming* 8
natal *native* 9
naturaleza *f nature* 15
neblina *f fog, mist* 11
necesario, –a *necessary* 7

necesitar *to need* 5
negro, –a *black* CP
nena *f young girl* 9
nevar (ie) *to snow* 10
ni *nor* 15
nieta *f granddaughter* 7
nieto *m grandson* 7
ninguno, –a *none, any* 15
niña *f child* M
niño *m child* CP
no *no, not* 1
noble *noble* 16
noche *f night* 3
nombre *m name* CP
norte *m north* 7
norteamericano, –a *North*
  American 10
nos *us, to us, for us* 13
nosotras *we* 2
nosotros *we* 2
notar *to note, to notice* 9
novela *f novel* 14
novia *f girl friend, fiancée* 13
novio *m boy friend,*
  fiancé 13
noviembre *November* 7
nuestro, –a *our* 9
nuevo, –a *new* 5
número *m number* 5
nunca *never* 11

O

o *or* 1
océano *m ocean* 4
ocupar *to occupy* 18
oficial *official* 8
oficina *f office* 14
ofrecer *to offer* 14
oír *to hear* M
ojo *m eye* M
ola *f wave* 11
olvidar *to forget* CP
operación *f operation* M
operar *to operate* M
opinar *to have an opinion* 13
opinión *f opinion* 13
oportunidad *f opportunity* 6
origen *m origin* 14
orilla *f bank, shore* 15
otoño *m fall, autumn* 8
otro, –a *other, another* 5
oxígeno *m oxygen* 11

P

paciente *m or f patient* 10
padre *m father* 6
  pl parents 6
padrino *m godfather* 7
  pl godparents 7
paella *f saffron-flavored dish of*
  rice with seafood, chicken, and
  vegetables 17
pagar *to pay* 5
país *m country* 8
paja *f straw* 6
palabra *f word* 8
palangana *f bucket* 12
palma *f palm tree*
palo *m stilt* 15
pampa *f plain* 10
pan *m bread* CP
panecillo *m roll* 5
panqueque *m pancake* 17
pantalón *m pants* 9
papa *f potato* 6
papá *m papa, father* 10
paquete *m package* 7
par *equal* 12
  m pair 12
para *for, in order to* 5
parar *to stop* 13
parecer *to seem* M
pared *f wall* 15
pariente *m or f relative* 7
parque *m park* 5
parte *f part* 8
participar *to participate* 8
partido *m game* 8
pasado, –a *past, last* 13
pasajera *f passenger* 9
pasajero *m passenger* 9
pasaporte *m passport* 9
pasar *to spend (time), to pass* 4
patata *f potato* 6
patio *m patio* 13
peatón *m pedestrian* 14
pedazo *m piece* 16
pedir (i) *to ask for, to order* 17
peinar *to comb* 12
película *f movie, film* 6
pelo *m hair, skin* 15
pelota *f ball* 8
península *f peninsula* 12
pensamiento *m thought* 16
pensar (ie) *to plan, to think* 9

río   m   river   15
robar   to steal, to rob   CP
roca   f   rock   15
rodar   to make (a film)   CP
rojo, –a   red   17
romper   to break   14
ropa   f   clothing   9
roto, –a   broken   10
ruido   m   noise   7
ruina   f   ruin   11
ruta   f   route   11

S

sábado   m   Saturday   5
saber   to know how   10
sabio, –a   wise   16
sal   f   salt   17
sala   f   living room   3
   sala de espera   waiting
      room   11
salchicha   f   sausage   5
salida   f   departure   9
salir   to leave   CP
salsa   f   sauce   17
saludar   to greet   9
saludo   m   greeting   9
sándwich   m   sandwich   5
sangre   f   blood   11
santa   f   saint   M
sardina   f   sardine   13
se   reflexive pronoun   12
secretaria   f   secretary   14
secretario   m   secretary   16
secundario, –a   secondary   2
seguir (i)   to follow   18
seguridad   f   safety, security   9
   cinturón de seguridad   seat
      belt   9
selección   f   selection   20
seleccionar   to select   20
selva   f   jungle   15
sello   m   stamp   6
sencillo, –a   simple, one-
      way   11
   billete sencillo   one-way
      ticket   11
senda   f   path   15
sentarse (ie)   to sit down   12
señor   m   Mr., gentleman,
      sir   5
señora   f   Ms., Mrs.   3

señorita   f   Ms., Miss   5
separado, –a   separated   19
ser   to be   1
serenata   f   serenade   7
serio, –a   serious   M
servir (i)   to serve   17
si   if   2
sí   yes   1
siempre   always   5
sierra   m   mountain range   11
siesta   f   nap   7
   echar una siesta   to take a
      nap   7
   tomar una siesta   to take a
      nap   7
siglo   m   century   14
siguiente   next, following   9
simpático, –a   nice   3
simplemente   simply   16
sin   without   CP
sincero, –a   sincere   JM
sistema   m   system   19
situación   f   situation   17
situado, –a   situated   M
sobre   over, on, upon   14
   m   envelope   6
sobremesa   f   after-dinner
      conversation, dessert   17
sobrevivir   to survive   14
sobrina   f   niece   17
sobrino   m   nephew   7
social   social   6
socorrer   to help   16
sofá   m   sofa   M
sol   m   sun   4
   hacer sol   to be sunny   CP
   tomar el sol   to sunbathe   4
solamente   only   7
soldado   m   soldier   15
solemne   solemn   M
soler (ue)   to tend to   19
solo, –a   alone   M
sólo   only   9
sombrero   m   hat   11
sonrisa   f   smile   M
sorpresa   f   surprise   7
status   m   status   9
su   his, her, its, your, their,
      one's   9
suave   soft   17
subir   to go up   11
subsuelo   m   basement   13

subterráneo, –a
      underground   M
suburbio   m   suburb   9
sucursal   f   branch, branch
      office   10
sudamericano, –a   South
      American   15
suelo   m   floor, ground   6
suerte   f   luck   7
suficiente   sufficient   18
supermercado   m
      supermarket   5

T

tabla   f   surfboard   11
taco   m   filled, fried tortilla   17
tal   such, such a   9
   ¿qué tal?   how's
      everything?   8
también   also, too   2
tampoco   either, neither   11
tan   so   12
tanto   so much   7
tapa   f   hors d'oeuvre   13
tarde   late   9
   f   afternoon   9
   por la tarde   in the
      afternoon   9
taxi   m   taxi   10
taxista   m or f   taxi driver   10
te   you, to you, for you   13
techo   m   roof   6
teléfono   m   telephone   3
televisión   f   television   3
televisor   m   television set,
      screen   9
temprano   early   12
tener   to have   7
   tener . . . años   to be . . .
      years old   7
   tener cuidado   to be
      careful   10
   tener éxito   to be
      successful   M
   tener prisa   to be in a
      hurry   18
   tener que   to have to   8
tenis   m   tennis   8
terminar   to finish   CP
término medio   m   medium
      rare   10

terraza   f   terrace, outdoor café   13
tía   f   aunt   7
tiempo   m   time, weather   4
   a tiempo   on time   9
tienda   f   store   5
   tienda de campaña   f   tent   12
tierra   f   land, earth   15
tío   m   uncle   7
típico, –a   typical   CP
tipo   m   type   11
tocar   to play (an instrument), to touch   4
todavía   still, yet   7
todo, –a   all   6
tomar   to take, to drink, to eat   4
   tomar el sol   to sunbathe   4
   tomar una siesta   to take a nap   7
tomate   m   tomato   17
tontería   f   stupidity, foolish thing   M
tonto   m   fool   10
torear   to bullfight   CP
torero   m   bullfighter   CP
toro   m   bull   CP
tortilla   f   type of pancake made from corn   6
tostón   m   fried banana   17
trabajar   to work   CP
trabajador   m   worker   20
trabajo   m   work   CP
traer   to carry, to bring   9
tragedia   f   tragedy   CP
traje   m   suit   13
transmitir   to transmit   20
tras   after   13
tratar   to treat   14
tremendo, –a   tremendous   CP
tren   m   train   11
triste   sad   7
tristeza   f   sadness   M
tropical   tropical   15

tu   your   9
tú   you   1
tumba   f   tomb   M
tuno   m   member of a special choral group   13
turista   m or f   tourist   11

U

Ud., Uds.   you (abbreviation of usted, ustedes)   2
último, –a   last   9
un, uno   a, one   1
una   a, one   1
único, –a   only, unique   15
uniforme   m   uniform   19
unir   to unite   M
universal   universal   14
universidad   f   university   6
universitaria   f   university student   13
universitario   m   university student   13
usar   to use   8
útil   useful   20
utilizar   to use   20
uva   f   grape   14

V

vacaciones   f pl   vacation   12
valenciano, –a   of or from Valencia   17
valle   m   valley   15
variado, –a   varied   17
variar   to vary   19
varios   various   8
veda   f   prohibition of consumption   11
vegetación   f   vegetation   15
vegetal   m   vegetable   6
venda   f   bandage   M
vender   to sell   6
venir (ie)   to come   9
venta   f   inn, sale   14

ventana   f   window   7
ventanilla   f   little window   9
ver   to see   6
veranear   to spend the summer   12
verano   m   summer   4
verdad   f   true, truth   3
verde   green   11
verso   m   verse   JM
vestido   m   dress   6
vez   f   time, occasion   4
viajar   to travel   11
viaje   m   trip   CP
   hacer un viaje   to take a trip   9
vida   f   life   6
viejo, –a   old   10
viento   m   wind   16
vino   m   wine   14
visita   f   visit   9
visitar   to visit   8
vista   f   sight   M
viuda   f   widow   14
vivir   to live   6
vocabulario   m   vocabulary   8
volver (ue)   to return   8
vosotras   you (familiar plural)   4
vosotros   you (familiar plural)   4
voz   f   voice   M
vuelo   m   flight   7

Y

y   and   1
ya   already   10
yo   I   1

Z

zapato   m   shoe   14
zona   f   zone   14
zumo   m   juice   8

Índice